CW01636856

GÜTERSLOHER
VERLAGSHAUS

Gütersloher Verlagshaus. Dem Leben vertrauen

MARTIN BUBER
Das dialogische Prinzip

ICH UND DU

ZWIESPRACHE

DIE FRAGE AN DEN EINZELNEN

ELEMENTE
DES ZWISCHENMENSCHLICHEN

ZUR GESCHICHTE
DES DIALOGISCHEN PRINZIPS

GÜTERSLOHER VERLAGSHAUS

Bibliografische Information Der Deutschen Bibliothek

Die Deutsche Bibliothek verzeichnet diese Publikation in der Deutschen Nationalbibliografie; detaillierte bibliografische Daten sind im Internet über http://dnb.ddb.de abrufbar.

Umwelthinweis:
Alle bedruckten Materialien dieses Taschenbuches sind chlorfrei und umweltschonend.

10. Auflage, 2006

Umschlaggestaltung: Init GmbH, Bielefeld
Druck und Einband: GGP Media GmbH, Pößneck
Printed in Germany
ISBN-13: 978-3-579-02565-1
ISBN-10: 3-579-02565-0

www.gtvh.de

Inhalt

Ich und Du

ERSTER TEIL

Die Welt ist dem Menschen zwiefältig nach seiner zwiefältigen Haltung.
Die Haltung des Menschen ist zwiefältig nach der Zwiefalt der Grundworte, die er sprechen kann.
Die Grundworte sind nicht Einzelworte, sondern Wortpaare.
Das eine Grundwort ist das Wortpaar Ich-Du.
Das andere Grundwort ist das Wortpaar Ich-Es; wobei, ohne Änderung des Grundwortes, für Es auch eins der Worte Er und Sie eintreten kann.
Somit ist auch das Ich des Menschen zwiefältig.
Denn das Ich des Grundworts Ich-Du ist ein andres als das des Grundworts Ich-Es.

*

Grundworte sagen nicht etwas aus, was außer ihnen bestünde, sondern gesprochen stiften sie einen Bestand.
Grundworte werden mit dem Wesen gesprochen.
Wenn Du gesprochen wird, ist das Ich des Wortpaars Ich-Du mitgesprochen.
Wenn Es gesprochen wird, ist das Ich des Wortpaars Ich-Es mitgesprochen.
Das Grundwort Ich – Du kann nur mit dem ganzen Wesen gesprochen werden.
Das Grundwort Ich-Es kann nie mit dem ganzen Wesen gesprochen werden.

*

Es gibt kein Ich an sich, sondern nur das Ich des Grundworts Ich-Du und das Ich des Grundworts Ich-Es.
Wenn der Mensch Ich spricht, meint er eins von beiden. Das Ich, das er meint, dieses ist da, wenn er Ich spricht. Auch wenn er Du oder Es spricht, ist das Ich des einen oder das des andern Grundworts da.
Ich sein und Ich sprechen sind eins. Ich sprechen und eins der Grundworte sprechen sind eins.
Wer ein Grundwort spricht, tritt in das Wort ein und steht darin.

*

Das Leben des Menschenwesens besteht nicht im Umkreis der zielenden Zeitwörter allein. Es besteht nicht aus Tätigkeiten allein, die ein Etwas zum Gegenstand haben. Ich nehme etwas wahr. Ich empfinde etwas. Ich stelle etwas vor. Ich will etwas. Ich fühle etwas. Ich denke etwas. Aus alledem und seinesgleichen allein besteht das Leben des Menschenwesens nicht.
All dies und seinesgleichen zusammen gründet das Reich des Es.
Aber das Reich des Du hat anderen Grund.

*

Wer Du spricht, hat kein Etwas zum Gegenstand. Denn wo Etwas ist, ist anderes Etwas, jedes Es grenzt an andere Es, Es ist nur dadurch, daß es an andere grenzt. Wo aber Du gesprochen wird, ist kein Etwas. Du grenzt nicht.
Wer Du spricht, hat kein Etwas, hat nichts. Aber er steht in der Beziehung.

*

Man sagt, der Mensch erfahre seine Welt. Was heißt das? Der Mensch befährt die Fläche der Dinge und erfährt sie. Er holt sich aus ihnen ein Wissen um ihre Beschaffenheit, eine Erfahrung. Er erfährt, was an den Dingen ist.

Aber nicht Erfahrungen allein bringen die Welt dem Menschen zu.

Denn sie bringen ihm nur eine Welt zu, die aus Es und Es und Es, aus Er und Er und Sie und Sie und Es besteht.

Ich erfahre Etwas.

Daran wird nichts geändert, wenn man zu den »äußeren« die »inneren« Erfahrungen fügt, der unewigen Scheidung folgend, die der Begier des menschlichen Geschlechts entstammt, das Geheimnis des Todes abzustumpfen. Innendinge wie Außendinge, Dinge unter Dingen!

Ich erfahre etwas.

Und daran wird nichts geändert, wenn man zu den »offenbaren« die »geheimen« Erfahrungen fügt, in jener selbstsichern Weisheit, die in den Dingen einen verschloßnen Abteil kennt, den Eingeweihten vorbehalten, und mit dem Schlüssel hantiert. O Heimlichkeit ohne Geheimnis, o Häufung der Auskünfte! Es, es, es!

*

Der Erfahrende hat keinen Anteil an der Welt. Die Erfahrung ist ja »in ihm« und nicht zwischen ihm und der Welt.

Die Welt hat keinen Anteil an der Erfahrung. Sie läßt sich erfahren, aber es geht sie nichts an, denn sie tut nichts dazu, und ihr widerfährt nichts davon.

*

Die Welt als Erfahrung gehört dem Grundwort Ich-Es zu. Das Grundwort Ich-Du stiftet die Welt der Beziehung.

*

Drei sind die Sphären, in denen sich die Welt der Beziehung errichtet.

Die erste: das Leben mit der Natur. Da ist die Beziehung im Dunkel schwingend und untersprachlich. Die Kreaturen regen sich uns gegenüber, aber sie vermögen nicht zu uns zu kommen, und unser Du-Sagen zu ihnen haftet an der Schwelle der Sprache.

Die zweite: das Leben mit den Menschen. Da ist die Beziehung offenbar und sprachgestaltig. Wir können das Du geben und empfangen.

Die dritte: das Leben mit den geistigen Wesenheiten. Da ist die Beziehung in Wolke gehüllt, aber sich offenbarend, sprachlos, aber sprachzeugend. Wir vernehmen kein Du und fühlen uns doch angerufen, wir antworten – bildend, denkend, handelnd: wir sprechen mit unserm Wesen das Grundwort, ohne mit unserm Munde Du sagen zu können.

Wie dürfen wir aber das Außersprachliche in die Welt des Grundworts einbeziehn?

In jeder Sphäre, durch jedes uns gegenwärtig Werdende blicken wir an den Saum des ewigen Du hin, aus jedem vernehmen wir ein Wehen von ihm, in jedem Du reden wir das ewige an, in jeder Sphäre nach ihrer Weise.

*

Ich betrachte einen Baum.

Ich kann ihn als Bild aufnehmen: starrender Pfeiler im Anprall des Lichts, oder das spritzende Gegrün von der Sanftmut des blauen Grundsilbers durchflossen.

Ich kann ihn als Bewegung verspüren: das flutende Geäder am haftenden und strebenden Kern, Saugen der Wurzeln, Atmen der Blätter, unendlicher Verkehr mit Erde und Luft – und das dunkle Wachsen selber.

Ich kann ihn einer Gattung einreihen und als Exemplar beobachten, auf Bau und Lebensweise.

Ich kann seine Diesmaligkeit und Geformtheit so hart überwinden, daß ich ihn nur noch als Ausdruck des Gesetzes erkenne – der Gesetze, nach denen ein stetes Gegeneinander von Kräften sich stetig schlichtet, oder der Gesetze, nach denen die Stoffe sich mischen und entmischen.

Ich kann ihn zur Zahl, zum reinen Zahlenverhältnis verflüchtigen und verewigen.

In all dem bleibt der Baum mein Gegenstand und hat seinen Platz und seine Frist, seine Art und Beschaffenheit.

Es kann aber auch geschehen, aus Willen und Gnade in einem, daß ich, den Baum betrachtend, in die Beziehung zu ihm eingefaßt werde, und nun ist er kein Es mehr. Die Macht der Ausschließlichkeit hat mich ergriffen.

Dazu tut nicht not, daß ich auf irgendeine der Weisen meiner Betrachtung verzichte. Es gibt nichts, wovon ich absehen müßte, um zu sehen, und kein Wissen, das ich zu vergessen hätte. Vielmehr ist alles, Bild und Bewegung, Gattung und Exemplar, Gesetz und Zahl, mit darin, ununterscheidbar vereinigt.

Alles, was dem Baum zugehört, ist mit darin, seine

Form und seine Mechanik, seine Farben und seine Chemie, seine Unterredung mit den Elementen und seine Unterredung mit den Gestirnen, und alles in einer Ganzheit.

Kein Eindruck ist der Baum, kein Spiel meiner Vorstellung, kein Stimmungswert, sondern er leibt mir gegenüber und hat mit mir zu schaffen, wie ich mit ihm – nur anders.

Man suche den Sinn der Beziehung nicht zu entkräften: Beziehung ist Gegenseitigkeit.

So hätte er denn ein Bewußtsein, der Baum, dem unsern ähnlich? Ich erfahre es nicht. Aber wollt ihr wieder, weil es euch an euch geglückt scheint, das Unzerlegbare zerlegen? Mir begegnet keine Seele des Baums und keine Dryade, sondern er selber.

*

Stehe ich einem Menschen als meinem Du gegenüber, spreche das Grundwort Ich-Du zu ihm, ist er kein Ding unter Dingen und nicht aus Dingen bestehend.

Nicht Er oder Sie ist er, von andern Er und Sie begrenzt, im Weltnetz aus Raum und Zeit eingetragner Punkt; und nicht eine Beschaffenheit, erfahrbar, beschreibbar, lockeres Bündel benannter Eigenschaften. Sondern nachbarnlos und fugenlos ist er Du und füllt den Himmelskreis. Nicht als ob nichts andres wäre als er: aber alles andre lebt in *seinem* Licht.

Wie die Melodie nicht aus Tönen sich zusammensetzt, der Vers nicht aus Wörtern und die Bildsäule nicht aus Linien, man muß dran zerren und reißen, bis man die Einheit zur Vielheit zubereitet hat, so der Mensch, zu dem ich Du sage. Ich kann die Farbe seiner Haare oder die Farbe seiner Rede oder die Farbe seiner Güte aus ihm holen, ich muß es immer wieder; aber schon ist er nicht mehr Du.

Und wie das Gebet nicht in der Zeit ist, sondern die Zeit im Gebet, das Opfer nicht im Raum, sondern der Raum im Opfer, und wer das Verhältnis umkehrt, hebt die Wirklichkeit auf, so finde ich den Menschen, zu dem ich Du sage, nicht in einem Irgendwann und Irgendwo vor. Ich kann ihn hineinstellen, ich muß es immer wieder, aber nur noch einen Er oder eine Sie, ein Es, nicht mehr mein Du.

Solang der Himmel des Du über mir ausgespannt ist, kauern die Winde der Ursächlichkeit an meinen Fersen, und der Wirbel des Verhängnisses gerinnt.

Den Menschen, zu dem ich Du sage, erfahre ich nicht. Aber ich stehe in der Beziehung zu ihm, im heiligen Grundwort. Erst wenn ich daraus trete, erfahre ich ihn wieder. Erfahrung ist Du-Ferne.

Beziehung kann bestehn, auch wenn der Mensch, zu dem ich Du sage, in seiner Erfahrung es nicht vernimmt. Denn Du ist mehr, als Es weiß. Du tut mehr, und ihm widerfährt mehr, als Es weiß. Hierher langt kein Trug: hier ist die Wiege des Wirklichen Lebens.

*

Das ist der ewige Ursprung der Kunst, daß einem Menschen Gestalt gegenübertritt und durch ihn Werk werden will. Keine Ausgeburt seiner Seele, sondern Erscheinung, die an sie tritt und von ihr die wirkende Kraft erheischt. Es kommt auf eine Wesenstat des Menschen an: vollzieht er sie, spricht er mit seinem Wesen das Grundwort zu der erscheinenden Gestalt, dann strömt die wirkende Kraft, das Werk entsteht.

Die Tat umfaßt ein Opfer und ein Wagnis. Das Opfer: Die unendliche Möglichkeit, die auf dem Altar der Gestalt dargebracht wird; alles, was eben noch spielend die Perspektive durchzog, muß ausgetilgt werden, nichts davon darf ins Werk dringen; so will es die Ausschließlichkeit des Gegenüber. Das Wagnis: Das Grundwort kann nur mit dem ganzen Wesen gesprochen werden; wer sich drangibt, darf von sich nichts vorenthalten; und das Werk duldet nicht, wie Baum und Mensch, daß ich in der Entspannung der Es-Welt einkehre, sondern es waltet: – diene ich ihm nicht recht, so zerbricht es, oder es zerbricht mich.

Die Gestalt, die mir entgegentritt, kann ich nicht erfahren und nicht beschreiben; nur verwirklichen kann ich sie. Und doch schaue ich sie, im Glanz des Gegenüber strahlend, klarer als alle Klarheit der erfahrenen Welt. Nicht als ein Ding unter den »inneren« Dingen, nicht als ein Gebild der »Einbildung«, sondern als das Gegenwärtige. Auf die Gegenständlichkeit geprüft, ist die Gestalt gar nicht »da«; aber was wäre gegenwärtiger als sie? Und wirkliche Beziehung ist es, darin ich zu ihr stehe: sie wirkt an mir wie ich an ihr wirke.

Schaffen ist Schöpfen, Erfinden ist Finden. Gestaltung ist Entdeckung. Indem ich verwirkliche, decke ich auf. Ich führe die Gestalt hinüber – in die Welt des Es. Das geschaffene Werk ist ein Ding unter Dingen, als eine Summe von Eigenschaften erfahrbar und beschreibbar. Aber dem empfangend Schauenden kann es Mal um Mal leibhaft gegenübertreten.

*

– Was erfährt man also vom Du?
– Eben nichts. Denn man erfährt es nicht.
– Was weiß man also vom Du?
– Nur alles. Denn man weiß von ihm nichts Einzelnes mehr.

*

Das Du begegnet mir von Gnaden – durch Suchen wird es nicht gefunden. Aber daß ich zu ihm das Grundwort spreche, ist Tat meines Wesens, meine Wesenstat.
Das Du begegnet mir. Aber ich trete in die unmittelbare Beziehung zu ihm. So ist die Beziehung Erwähltwerden und Erwählen, Passion und Aktion in einem. Wie denn eine Aktion des ganzen Wesens, als die Aufhebung aller Teilhandlungen und somit aller – nur in deren Grenzhaftigkeit gegründeter – Handlungsempfindungen, der Passion ähnlich werden muß.
Das Grundwort Ich-Du kann nur mit dem ganzen Wesen gesprochen werden. Die Einsammlung und Verschmelzung zum ganzen Wesen kann nie durch mich, kann nie ohne mich geschehen. Ich werde am Du; Ich werdend spreche ich Du.
Alles wirkliche Leben ist Begegnung.

*

Die Beziehung zum Du ist unmittelbar. Zwischen Ich und Du steht keine Begrifflichkeit, kein Vorwissen und keine Phantasie; und das Gedächtnis selber verwandelt sich, da es aus der Einzelung in die Ganzheit stürzt. Zwischen Ich und Du steht kein Zweck, keine Gier und keine Vorwegnahme; und die Sehnsucht selber verwandelt sich, da sie aus dem Traum in die Erscheinung stürzt. Alles Mittel ist Hindernis. Nur wo alles Mittel zerfallen ist, geschieht die Begegnung.

*

Vor der Unmittelbarkeit der Beziehung wird alles Mittelbare unerheblich. Es ist auch unerheblich, ob mein Du das Es anderer Ich (»Objekt allgemeiner Erfahrung«) schon ist oder erst – eben durch die Auswirkung meiner Wesenstat – werden kann. Denn die eigentliche Grenze, freilich eine schwebende, schwingende, führt weder zwischen Erfahrung und Nichterfahrung, noch zwischen Gegebenem und Ungegebenem, noch zwischen Seinswelt und Wertwelt hin, sondern quer durch alle Bezirke zwischen Du und Es: zwischen Gegenwart und Gegenstand.

*

Gegenwart, nicht die punkthafte, die nur den jeweilig im Gedanken gesetzten Schluß der »abgelaufenen« Zeit, den Schein des festgehaltenen Ablaufs bezeichnet, sondern die wirkliche und erfüllte, gibt es nur insofern, als es Gegenwärtigkeit, Begegnung, Beziehung gibt. Nur dadurch, daß das Du gegenwärtig wird, entsteht Gegenwart.
Das Ich des Grundworts Ich-Es, das Ich also, dem nicht ein Du gegenüber leibt, sondern das von einer Vielheit von »Inhalten« umstanden ist, hat nur Vergangenheit, keine Gegenwart. Mit anderm Wort: insofern der Mensch sich an den Dingen genügen läßt, die er erfährt und gebraucht, lebt er in der Vergangenheit, und sein Augenblick ist ohne Präsenz. Er hat nichts als Gegenstände; Gegenstände aber bestehen im Gewesensein.

Gegenwart ist nicht das Flüchtige und Vorübergleitende, sondern das Gegenwartende und Gegenwährende. Gegenstand ist nicht die Dauer, sondern der Stillstand, das Innehalten, das Abbrechen, das Sichversteifen, die Abgehobenheit, die Beziehungslosigkeit, die Präsenzlosigkeit.
Wesenheiten werden in der Gegenwart gelebt, Gegenständlichkeiten in der Vergangenheit.

*

Diese grundhafte Zwiefältigkeit wird auch nicht durch die Anrufung einer »Ideenwelt« als eines Dritten und Übergegensätzlichen überwunden. Denn ich rede von nichts anderem als von dem wirklichen Menschen, dir und mir, von unserem Leben und unserer Welt, nicht von einem Ich an sich und nicht von einem Sein an sich. Für den wirklichen Menschen aber geht die eigentliche Grenze auch quer durch die Welt der Ideen.
Freilich, mancher, der sich in der Welt der Dinge damit begnügt, sie zu erfahren und zu gebrauchen, hat sich einen Ideen-Anbau oder -Überbau aufgerichtet, darin er vor der Anwandlung der Nichtigkeit Zuflucht und Beruhigung findet. Er legt das Kleid des üblen Alltags an der Schwelle ab, hüllt sich in reines Linnen und erlabt sich am Anblick des Urseienden oder Seinsollenden, an dem sein Leben keinen Anteil hat. Auch mag ihm wohltun, es zu verkünden.
Aber die Es-Menschheit, die einer imaginiert, postuliert und propagiert, hat mit einer leibhaften Menschheit, zu der ein Mensch wahrhaft Du spricht, nichts gemein. Die edelste Fiktion ist ein Fetisch, die erhabenste Fiktivgesinnung ist ein Laster. Die

Ideen thronen ebensowenig über unsern Köpfen, wie sie in ihnen hausen; sie wandeln unter uns und treten uns an; beklagenswert, wer das Grundwort ungesprochen läßt, aber erbärmlich, wer sie statt dessen mit einem Begriff oder einer Parole anredet, als wäre es ihr Name!

*

Daß die unmittelbare Beziehung ein Wirken am Gegenüber einschließt, ist an einem der drei Beispiele offenbar: die Wesenstat der Kunst bestimmt den Vorgang, in dem die Gestalt zum Werk wird. Das Gegenüber erfüllt sich durch die Begegnung, es tritt durch sie in die Welt der Dinge ein, unendlich fortzuwirken, unendlich Es, aber auch unendlich wieder Du zu werden, beglückend und befeuernd. Es »verkörpert sich«: sein Leib steigt aus der Flut der raum- und zeitlosen Gegenwart an das Ufer des Bestands.

Nicht so offenbar ist die Wirkensbedeutung an der Beziehung zum Menschen-Du. Der Wesensakt, der hier die Unmittelbarkeit stiftet, wird gewöhnlich gefühlhaft verstanden und damit verkannt. Gefühle begleiten das metaphysische und metapsychische Faktum der Liebe, aber sie machen es nicht aus; und die Gefühle, die es begleiten, können sehr verschiedener Art sein. Das Gefühl Jesu zum Besessenen ist ein andres als das Gefühl zum Lieblingsjünger; aber die Liebe ist eine. Gefühle werden »gehabt«; die Liebe geschieht. Gefühle wohnen im Menschen; aber der Mensch wohnt in seiner Liebe. Das ist keine Metapher, sondern die Wirklichkeit: die Liebe haftet dem Ich nicht an, so daß sie das Du nur zum »Inhalt«, zum Gegenstand hätte, sie ist *zwischen* Ich und Du. Wer dies nicht weiß, mit dem Wesen weiß, kennt die Liebe nicht, ob er auch die Gefühle, die er erlebt, erfährt, genießt und äußert, ihr zurechnen mag. Liebe ist ein welthaftes Wirken. Wer in ihr steht, in ihr schaut, dem lösen sich Menschen aus ihrer Verflochtenheit ins Getriebe; Gute und Böse, Kluge und Törichte, Schöne und Häßliche, einer um den andern wird ihm wirklich und zum Du, das ist, losgemacht, herausgetreten, einzig und gegenüber wesend; Ausschließlichkeit ersteht wunderbar Mal um Mal – und so kann er wirken, kann helfen, heilen, erziehen, erheben, erlösen. Liebe ist Verantwortung eines Ich für ein Du: hierin besteht, die in keinerlei Gefühl bestehen kann, die Gleichheit aller Liebenden, vom kleinsten bis zum größten und von dem selig Geborgnen, dem sein Leben in dem eines geliebten Menschen beschlossen ist, zu dem lebelang ans Kreuz der Welt Geschlagnen, der das Ungeheure vermag und wagt: *die Menschen* zu lieben.

Im Geheimnis verbleibe die Wirkensbedeutung im dritten Beispiel, dem von der Kreatur und ihrer Anschauung. Glaub an die schlichte Magie des Lebens, an den Dienst im All, und es wird dir aufgehn, was jenes Harren, Ausschaun, »Kopfvorstrecken« der Kreatur meint. Jedes Wort würde fälschen; aber sieh, die Wesen leben um dich her, und auf welches du zugehst, du kommst immer zum Wesen.

*

Beziehung ist Gegenseitigkeit. Mein Du wirkt an mir, wie ich an ihm wirke. Unsre Schüler bilden uns, unsre Werke bauen uns auf. Der »Böse« wird offenbarend, wenn ihn das heilige Grundwort berührt. Wie werden wir von Kindern, wie von Tieren erzogen! Unerforschlich einbegriffen leben wir in der strömenden All-Gegenseitigkeit.

*

– Du redest von der Liebe, als wäre sie die einzige Beziehung zwischen Menschen; aber darfst du sie auch nur als das Beispiel gerechterweise wählen, da es doch den Haß gibt?
– Solange die Liebe »blind« ist, das heißt: solang sie nicht ein *ganzes* Wesen sieht, steht sie noch nicht wahrhaft unter dem Grundwort der Beziehung. Der Haß bleibt seiner Natur nach blind; nur einen Teil eines Wesens kann man hassen. Wer ein ganzes Wesen sieht und es ablehnen muß, ist nicht mehr im Reich des Hasses, sondern in dem der menschhaften Einschränkung des Dusagenkönnens. Daß dem Menschen widerfährt, zu seinem menschlichen Gegenüber das Grundwort, das stets eine Bejahung des angesprochenen Wesens einschließt, nicht sprechen zu können, entweder den andern oder sich selbst ablehnen zu müssen: das ist die Schranke, an der das In-Beziehung-treten seine Relativität erkennt und die erst mit dieser aufgehoben wird.
Doch der unmittelbar Hassende ist der Beziehung näher als der Lieb- und Haßlose.

*

Das aber ist die erhabene Schwermut unsres Loses, daß jedes Du in unsrer Welt zum Es werden muß. So ausschließlich gegenwärtig es in der unmittelbaren Beziehung war: sowie sie sich ausgewirkt hat oder vom Mittel durchsetzt worden ist, wird es zum Gegenstand unter Gegenständen, zum vornehmsten etwa, dennoch zu einem von ihnen, in Maß und Grenze gesetzt. Am Werk bedeutet Verwirklichung im einen Entwirklichung im anderen Sinn. Echte Anschauung ist kurz bemessen; das Naturwesen, das sich mir eben erst im Geheimnis der Wechselwirkung erschloß, ist nun wieder beschreibbar, zerlegbar, einreihbar geworden, der Schnittpunkt vielfältiger Gesetzeskreise. Und die Liebe selber kann nicht in der unmittelbaren Beziehung verharren; sie dauert, aber im Wechsel von Aktualität und Latenz. Der Mensch, der eben noch einzig und unbeschaffen, nicht vorhanden, nur gegenwärtig, nicht erfahrbar, nur berührbar war, ist nun wieder ein Er oder eine Sie, eine Summe von Eigenschaften, ein figurhaftes Quantum geworden. Nun kann ich aus ihm wieder die Farbe seiner Haare, die seiner Rede, die seiner Güte holen; aber solang ich es kann, ist er mein Du nicht mehr und noch nicht wieder.

Jedem Du in der Welt ist seinem Wesen nach verhängt, Ding zu werden oder doch immer wieder in die Dinghaftigkeit einzugehn. In der gegenständlichen Sprache wäre zu sagen: jedes Ding in der Welt kann, entweder vor oder nach seiner Dingwerdung, einem Ich als sein Du erscheinen. Aber die gegenständliche Sprache erhascht nur einen Zipfel des wirklichen Lebens.

Das Es ist die Puppe, das Du der Falter. Nur daß es nicht immer Zustände sind, die einander reinlich ablösen, sondern oft ein in tiefer Zwiefalt wirr verschlungenes Geschehen.

*

Im Anfang ist die Beziehung.

Man betrachte die Sprache der »Primitiven«, das heißt jener Völker, die gegenstandsarm geblieben sind und deren Leben sich in einem schmalen Umkreis gegenwartsstarker Akte aufbaut. Die Zellkerne dieser Sprache, die Satzworte, vorgrammatische Urgebilde, aus deren Sprengung die Mannigfaltigkeit der Wörterarten entsteht, bezeichnen zumeist die Ganzheit einer Beziehung. Wir sagen: »weit fort«, der Zulu sagt dafür ein Satzwort, das bedeutet: »da wo einer aufschreit: ›o Mutter, ich bin verloren‹«; und der Feuerländer überflügelt unsre analytische Weisheit mit einem siebensilbigen Satzwort, dessen genauer Sinn ist: »man blickt einander an, jeder erwartend, daß der andre sich erbiete zu tun, was beide wünschen, aber nicht tun mögen«. In dieser Ganzheit sind die Personen, die substantivischen und die pronominalen, noch reliefhaft, ohne gerundete Selbständigkeit, eingebettet. Es kommt nicht auf diese Produkte der Zerlegung und Überlegung, es kommt auf die wahre ursprüngliche Einheit, die gelebte Beziehung, an.

Wir grüßen den uns Begegnenden, indem wir ihm Gutes wünschen oder ihn unsrer Ergebenheit versichern, oder ihn Gott anempfehlen. Aber wie mittelbar sind diese abgescheuerten Formeln (was ahnt man noch in »Heil!« von der ursprünglichen Machtverleihung!) gegen den ewig jungen, leiblichen Beziehungsgruß des Kaffern: »Ich sehe dich!« oder dessen amerikanische Variante, das lächerliche und sublime »Rieche mich!«

Man darf vermuten, daß sich die Beziehungen und Begriffe, aber auch die Vorstellungen von Personen und Dingen aus Vorstellungen von Beziehungsvorgängen und Beziehungszuständen herausgelöst haben. Die elementaren, geistweckenden Eindrücke und Erregungen des »Naturmenschen« sind die von Beziehungsvorgängen, Erleben eines Gegenüber, und Beziehungszuständen, Leben mit einem Gegenüber, herrührenden. Über den Mond, den er allnächtlich sieht, macht er sich keine Gedanken, bis der, im Schlaf oder im Wachen, leiblich auf ihn zu, ihm nahe kommt, ihn mit Gebärden bezaubert oder ihm mit Berührungen etwas antut, Schlimmes oder Süßes. Davon behält er nicht etwa die optische Vorstellung der wandernden Lichtscheibe und auch nicht die eines ihr irgendwie zugehörigen dämonischen Wesens, sondern zunächst nur das motorische, den Leib durchströmende *Erregungsbild* jenes Mondwirkens, woraus sich das Personbild des wirkenden Monds erst allmählich distanziert: jetzt erst nämlich beginnt das Gedächtnis des allnächtlich Aufgenommenen und Ungewußten sich zum Vorstellen des Täters und Trägers jener Wirkung zu entzünden und seine Vergegenständlichung, das Er- oder Sie-Werden eines ursprünglich unerfahrbaren, nur eben erlittenen Du zu ermöglichen.

Aus diesem anfänglichen und lang fortwirkenden Beziehungscharakter aller wesentlichen Erscheinung wird auch ein von der gegenwärtigen Forschung viel beachtetes und besprochenes, aber noch nicht hinlänglich erfaßtes geistiges Element des primitiven Lebens verständlicher, jene geheimnisvolle Macht, deren Begriff in mancherlei Abwandlungen in dem Glaubensbestand oder der Wissenschaft (beide sind hier noch eins) vieler Naturvölker aufgefunden worden ist, jenes Mana oder Orenda, von dem ein Weg bis zum Brahman in seiner Urbedeutung und noch bis zu den Dynamis, Charis der Zauberpapyri und der apostolischen Briefe führt. Man hat es als eine übersinnliche und übernatürliche Kraft bezeichnet, beides von unseren Kategorien aus, die denen des Primitiven nicht gerecht werden. Die Grenzen seiner Welt zieht sein leibliches Erleben, zu dem etwa die Besuche der Toten völlig »natürlich« gehören; Unsinnliches als vorhanden anzunehmen muß ihn widersinnig dünken. Die Erscheinungen, denen er die »mystische Potenz« zuschreibt, sind alle elementaren Beziehungsvorgänge, also überhaupt alle Vorgänge, über die er sich Gedanken macht, weil sie seinen Leib erregen und ein Erregungsbild in ihm hinterlassen. Der Mond und der Tote, die ihn nachts mit Pein oder Wollust heimsuchen, haben jene Potenz, aber auch die Sonne, die ihn brennt, und das Tier, das ihn anheult, der Häuptling, dessen Blick ihn zwingt, und der Schamane, dessen Gesang ihn zur Jagd mit Kraft lädt. Mana ist eben das Wirkende, das, was die Mondperson da drüben am Himmel zum blutbewegenden Du gemacht hat, und dessen Erinnerungsspur blieb, als aus dem Erregungsbild das Gegenstandsbild sich ablöste, wiewohl es selber nie anders als in dem Täter und Träger einer Wirkung erscheint; es ist das, womit man, wenn man es, etwa in einem wunderbaren Stein, besitzt, selber so wirken kann. Das »Weltbild« des Primitiven ist magisch, nicht weil die menschliche Zauberkraft in dessen Mitte stünde, sondern weil diese nur eine besondre Abart der allgemeinen ist, der alle wesentliche Wirkung entstammt. Die Kausalität seines Weltbilds ist kein Kontinuum, sie ist ein immer neues Aufblitzen, Ausfahren und Sichhinwirken der Kraft, eine vulkanische Bewegung ohne Zusammenhang. Mana ist eine primitive Abstraktion, vermutlich primitiver als etwa die Zahl, aber nicht übernatürlicher als sie. Die sich schulende Erinnerung reiht die großen Beziehungsereignisse, die elementaren Erschütterungen aneinander; das für den Erhaltungstrieb Wichtigste und für den Erkenntnistrieb Merkwürdigste, eben das »Wirkende«, tritt am stärksten hervor, hebt sich ab, verselbständigt sich; das Unwichtigere, das Ungemeinsame, das wechselnde Du der Erlebnisse tritt zurück, bleibt isoliert im Gedächtnis, vergegenständlicht sich allmählich und schließt sich sehr allmählich zu Gruppen, zu Gattungen zusammen; und als Drittes, schaurig in seiner Abgelöstheit, zuweilen spukhafter als der Tote und der Mond, aber immer unabweisbarer deutlich, erhebt sich der andere, der »gleichbleibende« Partner: »Ich«.

Dem ursprünglichen Walten des »Selbst«-Erhaltungstriebs haftet das Ichbewußtsein ebensowenig an wie dem der anderen Triebe; nicht das Ich will sich da fortpflanzen, sondern der Leib, der noch von keinem Ich weiß; nicht das Ich, sondern er will Dinge machen, Werkzeug, Spielzeug, will »Urheber« sein; und auch in der primitiven Erkenntnisfunktion ist ein cognosco ergo sum in noch so naiver Gestalt, die noch so kindliche Konzeption eines erfahrenden Subjekts unauffindbar. Das Ich tritt aus der Zerscheidung der Urerlebnisse, der vitalen Urworte Ich-wirkend-Du und Du-wirkend-Ich, nach der Substantivierung, Hypostasierung des Partizips, elementhaft hervor.

*

Der fundamentale Unterschied zwischen den zwei Grundworten kommt in der Geistesgeschichte des Primitiven darin zutage, daß er schon in dem ursprünglichen Beziehungsereignis das Grundwort Ich-Du auf naturhafte, gleichsam vorgestaltliche Weise spricht, also ehe er sich als Ich erkannt hat, wogegen das Grundwort Ich-Es überhaupt erst durch diese Erkenntnis, durch die Ablösung des Ich möglich wird.

Das erste zerlegt sich wohl in Ich und Du, aber es ist nicht aus ihrer Zusammenlegung entstanden, es ist vorichhaft; das zweite ist aus der Zusammenlegung von Ich und Es entstanden, es ist nachichhaft.

Im primitiven Beziehungsereignis ist das Ich eingeschlossen: durch dessen Ausschließlichkeit. Indem es in ihm nämlich seinem Wesen nach nur die zwei Partner, den Menschen und sein Gegenüber, in ihrer vollen Aktualität gibt, indem die Welt in ihm zum dualen System wird, verspürt der Mensch darin schon jene kosmische Pathetik des Ich, ohne noch dessen selbst innezuwerden.

Dagegen ist in der naturhaften Tatsache, die in das Grundwort Ich-Es, das ichbezogene Erfahren, übergehen wird, das Ich noch nicht eingeschlossen. Diese Tatsache ist die Abgehobenheit des menschlichen Leibes, als des Trägers seiner Empfindungen, von seiner Umwelt. Der Leib lernt sich in dieser seiner Eigentümlichkeit kennen und unterscheiden, aber die Unterscheidung verbleibt im reinen Nebeneinander, und so kann sie den Charakter der implizierten Ichhaftigkeit nicht annehmen.

Aber wenn das Ich der Beziehung hervorgetreten und in seiner Abgelöstheit existent geworden ist, fährt es auch, sich seltsam verdünnend und funktionalisierend, in die naturhafte Tatsache der Abgehobenheit des Leibes von seiner Umwelt und erweckt die Ichhaftigkeit darin. Jetzt erst kann der bewußte Ichakt, die erste Gestalt des Grundworts Ich-Es, des ichbezogenen Erfahrens entstehen: das hervorgetretene Ich erklärt sich als den Träger der Empfindungen, die Umwelt als deren Gegenstand. Das geschieht freilich eben in »primitiver« und nicht in »erkenntnistheoretischer« Form; aber ist der Satz »Ich sehe den Baum« erst so ausgesprochen, daß er nicht mehr eine Beziehung zwischen Menschen-Ich und Baum-Du erzählt, sondern die Wahrnehmung des Baum-Gegenstands durch das Menschen-Bewußtsein feststellt, hat er schon die Schranke zwischen Subjekt und Objekt aufgerichtet: das Grundwort Ich-Es, das Wort der Trennung, ist gesprochen.

*

– So wäre denn jene Schwermut unsres Loses eine urgeschichtlich gewordene?

– Eine gewordene wohl: insofern das bewußte Leben des Menschen ein urgeschichtlich gewordenes ist. Aber in dem bewußten Leben kehrt nur welthaftes Sein als menschliches Werden wieder. Der Geist erscheint in der Zeit als Erzeugnis, ja als Nebenprodukt der Natur, und doch ist eben er es, der sie zeitlos umhüllt.

Der Gegensatz der zwei Grundworte hat in den Zeiten und Welten viele Namen; aber in seiner namenlosen Wahrheit inhäriert er der Schöpfung.

*

– So glaubst du aber doch an ein Paradies in der Urzeit der Menschheit?

– Mag sie eine Hölle gewesen sein – und sicherlich war die, auf die ich im geschichtlichen Denken zurückzugehen vermag, voll Grimm und Angst und Qual und Grausamkeit –: unwirklich war sie nicht.

Die Begegnungserlebnisse des Urmenschen waren gewiß nicht zahmes Wohlgefallen; aber besser noch Gewalt am real erlebten Wesen, als die gespenstische Fürsorge an antlitzlosen Nummern! Von jener führt ein Weg zu Gott, von dieser nur der ins Nichts.

*

Der Primitive, dessen Leben, auch wenn wir es völlig zu erschließen vermöchten, uns das des wirklichen Urmenschen nur wie im Gleichnis darstellen kann, eröffnet uns nur kurze Durchblicke in den zeitlichen Zusammenhang der beiden Grundworte. Vollständigere Kunde empfangen wir vom Kind.

Daß die geistige Realität der Grundworte sich aus einer naturhaften erhebt, die des Grundworts Ich-Du aus der naturhaften Verbundenheit, die des Grundworts Ich-Es aus der naturhaften Abgehobenheit, wird uns hier unverschleiert klar.

Das vorgeburtliche Leben des Kindes ist eine reine naturhafte Verbundenheit, Zueinanderfließen, leibliche Wechselwirkung; wobei der Lebenshorizont des werdenden Wesens in einzigartiger Weise in den des tragenden eingezeichnet und doch auch wieder nicht eingezeichnet erscheint; denn es ruht nicht im Schoß der Menschenmutter allein. Diese Verbundenheit ist so welthaft, daß es wie das unvollkommene Ablesen einer urzeitlichen Inschrift anmutet, wenn es in der jüdischen Mythensprache heißt, im Mutterleib wisse der Mensch das All, in der Geburt vergesse er es. Und sie bleibt ihm ja als geheimes Wunschbild eingetan. Nicht als ob seine Sehnsucht ein Zurückverlangen meinte, wie jene wähnen, die im Geist, ihn mit ihrem Intellekt verwechselnd, einen Parasiten der Natur sehen: der vielmehr ihre – nur freilich allerlei Krankheiten ausgesetzte – Blüte ist. Sondern die Sehnsucht geht nach der welthaften Verbundenheit des zum Geiste aufgebrochenen Wesens mit seinem wahren Du.

Jedes werdende Menschenkind ruht, wie alles werdende Wesen, im Schoß der großen Mutter: der ungeschieden vorgestaltigen Urwelt. Von ihr auch löst es sich ins persönliche Leben, und nur noch in den dunkeln Stunden, da wir diesem entgleiten (das widerfährt freilich auch dem Gesunden Nacht um Nacht), sind wir ihr wieder nah. Aber jene Ablösung geschieht nicht, wie die von der leiblichen Mutter, plötzlich und katastrophal; es ist dem Menschenkind Frist gewährt, für die verlorengehende naturhafte Verbundenheit mit der Welt geisthafte, das ist Beziehung, einzutauschen. Es ist aus der glühenden Finsternis des Chaos in die kühle, lichte Schöpfung getreten, aber es hat die noch nicht, es muß sie erst recht eigentlich herausholen und sich zur Wirklichkeit machen, es muß sich seine Welt erschauen, erhorchen, ertasten, erbilden. Die Schöpfung offenbart ihre Gestaltigkeit in der Begegnung; sie schüttet sich nicht in wartende Sinne, sie hebt sich den fassenden entgegen. Was den fertigen Menschen als gewohnter Gegenstand umspielen wird, muß vom entstehenden in angestrengter

Handlung erworben, umworben werden; kein Ding ist Bestandteil einer Erfahrung, keins erschließt sich anders als in der wechselwirkenden Kraft des Gegenüber. Wie der Primitive, so lebt das Kind zwischen Schlaf und Schlaf (auch ein großer Teil des Wachens ist da noch Schlaf), im Blitz und Widerblitz der Begegnung.

Die Ursprünglichkeit des Beziehungsstrebens zeigt sich schon auf der frühsten, dumpfsten Stufe. Ehe Einzelnes wahrgenommen werden kann, stoßen die blöden Blicke in den ungeklärten Raum, einem Unbestimmten zu; und in Zeiten, wo ersichtlich kein Begehren nach Nahrung besteht, allem Anschein nach zwecklos suchen, greifen die weichen Handentwürfe in die leere Luft, einem Unbestimmten entgegen. Mag man dies immerhin animalisch nennen, es ist nichts damit begriffen. Denn eben diese Blicke werden nach langen Proben auf einer roten Tapetenarabeske haften bleiben und sich nicht losmachen, bis die Rotseele sich ihnen aufgetan hat; eben diese Bewegung wird an einem zottigen Spielbären ihre sinnliche Form und Bestimmtheit gewinnen und eines vollständigen Körpers liebevoll und unvergeßlich innewerden; beides nicht Erfahrung eines Gegenstands, sondern Auseinandersetzung mit einem – freilich nur in der »Phantasie« – lebendig wirkenden Gegenüber. (Diese »Phantasie« ist aber durchaus keine »Allbeseelung«; sie ist der Trieb, sich alles zum Du zu machen, der Trieb zur Allbeziehung, der, wo ihm kein lebendig wirkendes Gegenüber, sondern dessen bloßes Abbild oder Symbol gegeben ist, das lebendige Wirken aus der eignen Fülle ergänzt.) Noch ertönen kleine, ungegliederte Laute sinnlos und beharrlich ins Nichts; aber eben sie werden eines Tags, unversehens, zum Gespräch geworden sein, womit wohl? vielleicht mit dem brodelnden Teekessel, aber zum Gespräch. Manche Regung, die Reflex heißt, ist eine feste Kelle beim Weltbau der Person. Es ist eben nicht so, daß das Kind erst einen Gegenstand wahrnähme, dann etwa sich dazu in Beziehung setzte; sondern das Beziehungsstreben ist das erste, die aufgewölbte Hand, in die sich das Gegenüber schmiegt; die Beziehung zu diesem, eine wortlose Vorgestalt des Dusagens, das zweite; das Dingwerden aber ein spätes Produkt, aus der Zerscheidung der Urerlebnisse, der Trennung der verbundenen Partner hervorgegangen – wie das Ichwerden. Im Anfang ist die Beziehung: als Kategorie des Wesens, als Bereitschaft, fassende Form, Seelenmodel; das Apriori der Beziehung; *das eingeborene Du.*

Die erlebten Beziehungen sind Realisierungen des eingeborenen Du am begegnenden; daß dieses als Gegenüber gefaßt, in der Ausschließlichkeit aufgenommen, endlich mit dem Grundwort angesprochen werden kann, ist im Apriori der Beziehung begründet.

In dem Kontakttrieb (Trieb zunächst nach taktiler, sodann nach optischer »Berührung« eines anderen Wesens) wirkt sich das eingeborene Du sehr bald aus, so daß er immer deutlicher die Gegenseitigkeit, die »Zärtlichkeit« meint; aber auch der später einsetzende Urhebertrieb (Trieb nach Herstellung von Dingen auf synthetischem oder, wo dies nicht angeht, auf analytischem Weg: durch Zerlegung, Zerreißung) wird dadurch bestimmt, so daß eine »Personifizierung« des Gemachten, ein »Gespräch«

entsteht. Die Entwicklung der Seele im Kinde hängt unauflösbar zusammen mit der des Verlangens nach dem Du, den Erfüllungen und Enttäuschungen dieses Verlangens, dem Spiel seiner Experimente und dem tragischen Ernst seiner Ratlosigkeit. Das echte Verständnis dieser Phänomene, durch jeden Versuch, sie auf engere Sphären zurückzuführen, beeinträchtigt, kann nur gefördert werden, wenn man bei ihrer Betrachtung und Erörterung ihres kosmisch-metakosmischen Ursprungs eingedenk bleibt: des Hinauslangens aus der ungeschieden vorgestaltigen Urwelt, aus der wohl schon das in die Welt geborene körperliche Individuum, aber noch nicht das leibliche, das aktualisierte, das Wesen völlig getreten ist, aus der dieses sich vielmehr erst allmählich, eben durch das Eingehen in Beziehungen, herauswickeln muß.

*

Der Mensch wird am Du zum Ich. Gegenüber kommt und entschwindet, Beziehungsereignisse verdichten sich und zerstieben, und im Wechsel klärt sich, von Mal zu Mal wachsend, das Bewußtsein des gleichbleibenden Partners, das Ichbewußtsein. Zwar immer noch erscheint es nur im Gewebe der Beziehung, in der Relation zum Du, als Erkennbarwerden dessen, das nach dem Du langt und es nicht ist, aber immer kräftiger hervorbrechend, bis einmal die Bindung gesprengt ist und das Ich sich selbst, dem abgelösten, einen Augenblick lang wie einem Du gegenübersteht, um alsbald von sich Besitz zu ergreifen und fortan in seiner Bewußtheit in die Beziehungen zu treten.

Nun aber erst kann sich das andre Grundwort zusammenfügen. Denn wohl verblaßte immer das Du der Beziehung wieder, aber es wurde damit nicht zum Es eines Ich, nicht zum Gegenstand eines unverbundenen Wahrnehmens und Erfahrens, wie es fortan werden wird, sondern gleichsam zum Es für sich, zum vorerst Unbeachteten und der Erstehung in neuem Beziehungsereignis Harrenden. Und wohl hob sich der zum Leib reifende Körper als Träger seiner Empfindungen und Vollstrecker seiner Antriebe von der Umwelt ab, aber nur im Nebeneinander des Sichzurechtfindens, nicht in der absoluten Sonderung von Ich und Gegenstand. Nun aber tritt das abgelöste Ich, verwandelt: aus der substantiellen Fülle zur funkionalen Punkthaftigkeit eines erfahrenden und gebrauchenden Subjekts verschrumpft, an all das »Es für sich« hin, bemächtigt sich seiner und setzt sich mit ihm zum andern Grundwort zusammen. Der ichhaft gewordene Mensch, der Ich-Es sagt, stellt sich vor den Dingen auf, nicht ihnen gegenüber im Strom der Wechselwirkung; mit der objektivierenden Lupe seines Nahblicks über die einzelnen gebeugt oder mit dem objektivierenden Feldstecher seines Fernblicks sie zur Szenerie zusammenordnend, sie in der Betrachtung isolierend ohne Ausschließlichkeitsgefühl oder sie in der Betrachtung verknüpfend ohne Weltgefühl – jenes könnte er nur in der Beziehung, dieses nur von ihr aus finden. Nun erst erfährt er die Dinge als Summen von Eigenschaften: Eigenschaften waren wohl aus jedem Beziehungserlebnis, dessen erinnertem Du zugehörig, in seinem Gedächtnis verblieben, aber nun erst bauen sich ihm die Dinge aus ihren Eigenschaften auf; nur aus dem Gedächtnis der Beziehung, traumhaft oder bildhaft oder gedankenhaft je nach der Art dieses Menschen, ergänzt er den Kern, der sich im Du gewaltig, alle Eigenschaften umschließend offenbarte, die Substanz. Nun erst aber auch stellt er die Dinge in einen räumlich-zeitlich-ursächlichen Zusammenhang, nun erst bekommt jedes seinen Platz, seinen Ablauf, seine Meßbarkeit, seine Bedingtheit. Das Du erscheint zwar im Raum, aber eben in dem des ausschließlichen Gegenüber, darin alles andre nur der Hintergrund, aus dem es hervortaucht, nicht seine Grenze und sein Maß sein kann; es erscheint in der Zeit, aber in der des in sich erfüllten Vorgangs, der nicht als Teilstück einer steten und festgegliederten Folge, sondern in einer »Weile« gelebt wird, deren rein intensive Dimension nur von ihm selbst aus bestimmbar ist; es erscheint zugleich als wirkend und als Wirkung empfangend, nicht aber eingefügt einer Kette von Verursachungen, sondern in seiner Wechselwirkung mit dem Ich Anfang und Ende des Geschehens. Dies gehört zur Grundwahrheit der menschlichen Welt: Nur Es kann geordnet werden. Erst indem die Dinge aus unsrem Du zu unsrem Es werden, werden sie koordinierbar. Das Du kennt kein Koordinatensystem.

Aber da wir hierher gelangt sind, tut es not, auch das andere auszusprechen, ohne welches dieses Stück der Grundwahrheit untaugliches Bruchstück wäre: Geordnete Welt ist nicht die Weltordnung. Es gibt Augenblicke des verschwiegnen Grundes, in denen Weltordnung geschaut wird, als Gegenwart. Da wird im Flug der Ton vernommen, dessen undeutbares Notenbild die geordnete Welt ist. Diese Augenblicke sind unsterblich, diese sind die vergänglichsten: kein Inhalt kann aus ihnen bewahrt werden, aber ihre Kraft geht in die Schöpfung und in die Erkenntnis des Menschen ein, Strahlen ihrer Kraft dringen in die geordnete Welt und schmelzen sie wieder und wieder auf. So die Geschichte des Einzelnen, so die des Geschlechts.

*

Die Welt ist dem Menschen zwiefältig nach seiner zwiefältigen Haltung.

Er nimmt das Sein um sich herum wahr, Dinge schlechthin und Wesen als Dinge, er nimmt das Geschehen um sich herum wahr, Vorgänge schlechthin und Handlungen als Vorgänge, Dinge aus Eigenschaften, Vorgänge aus Momenten bestehend, Dinge ins Raumnetz, Vorgänge ins Zeitnetz eingetragen, Dinge und Vorgänge von andern Dingen und Vorgängen eingegrenzt, an ihnen meßbar, mit ihnen vergleichbar, geordnete Welt, abgetrennte Welt. Diese Welt ist einigermaßen zuverlässig, sie hat Dichte und Dauer, ihre Gliederung läßt sich überschauen, man kann sie immer wieder hervorholen, man repetiert sie mit geschlossenen Augen und prüft mit geöffneten nach; sie steht ja da, deiner Haut anliegend, wenn dus annimmst, in deiner Seele eingekauert, wenn dus so vorziehst, sie ist ja dein Gegenstand, sie bleibt es nach deinem Gefallen, und bleibt dir urfremd, außer und in dir. Du nimmst sie wahr, nimmst sie dir zur »Wahrheit«, sie läßt sich von dir nehmen, aber sie gibt sich dir nicht. Nur über sie kannst du dich mit andern »verständigen«, sie ist, ob sie auch sich jedem anders anbildet, bereit, euch gemeinsam Gegenstand zu sein, aber du kannst andern nicht in ihr begegnen. Du kannst ohne sie nicht im Leben beharren, ihre Zuverlässigkeit erhält dich, aber stürbest du in sie hinein, so wärst du im Nichts begraben.

Oder der Mensch begegnet dem Sein und Werden als seinem Gegenüber, immer nur *einer* Wesenheit und jedem Ding nur als Wesenheit; was da ist, erschließt sich ihm im Geschehen, und was da geschieht, widerfährt ihm als Sein; nichts andres ist gegenwärtig als dies eine, aber dies eine welthaft; Maß und Vergleich sind entwichen; es liegt an dir, wieviel des Unermeßlichen dir zur Wirklichkeit wird. Die Begegnungen ordnen sich nicht zur Welt, aber jede ist dir ein Zeichen der Weltordnung. Sie sind untereinander nicht verbunden, aber jede verbürgt dir deine Verbundenheit mit der Welt. Die Welt, die dir so erscheint, ist unzuverlässig, denn sie erscheint dir stets neu, und du darfst sie nicht beim Wort nehmen; sie ist undicht, denn alles durchdringt in ihr alles; dauerlos, denn sie kommt auch ungerufen und entschwindet auch festgehalten; sie ist unübersehbar: willst du sie übersehbar machen, verlierst du sie. Sie kommt, und kommt dich hervorlangen; erreicht sie dich nicht, begegnet sie dir nicht, so entschwindet sie; aber sie kommt wieder, verwandelt. Sie steht nicht außer dir, sie rührt an deinen Grund, und sagst du »Seele meiner Seele«, hast du nicht zuviel gesagt: aber hüte dich, sie in deine Seele versetzen zu wollen – da vernichtest du sie. Sie ist deine Gegenwart: nur indem du sie hast, hast du Gegenwart; und du kannst sie dir zum Gegenstand machen, sie zu erfahren und zu gebrauchen, du mußt es immer wieder tun, und hast nun keine Gegenwart mehr. Zwischen dir und ihr ist Gegenseitigkeit des Gebens; du sagst Du zu ihr und gibst dich ihr, sie sagt Du zu dir und gibt sich dir. Über sie kannst du dich mit andern nicht verständigen, du bist einsam mit ihr; aber sie lehrt dich andern begegnen und ihrer Begegnung standhalten; und sie führt dich, durch die Huld ihrer Ankünfte und durch die Wehmut ihrer Abschiede, zu dem Du hin, in dem die Linien der Beziehungen, die parallelen, sich schneiden. Sie hilft dir nicht, dich im Leben zu erhalten, hilft dir nur, die Ewigkeit zu ahnen.

*

Die Eswelt hat Zusammenhang im Raum und in der Zeit.
Die Duwelt hat in Raum und Zeit keinen Zusammenhang.
Das einzelne Du *muß*, nach Ablauf des Beziehungsvorgangs, zu einem Es werden.
Das einzelne Es *kann*, durch Eintritt in den Beziehungsvorgang, zu einem Du werden.
Dies sind die zwei Grundprivilegien der Eswelt. Sie bewegen den Menschen, die Eswelt als die Welt anzusehn, in der man zu leben hat und in der sich auch leben läßt, ja die einem auch mit allerlei Anreizen und Erregungen, Betätigungen und Erkenntnissen aufwartet. Die Du-Momente erscheinen in dieser festen und zuträglichen Chronik als wunderliche lyrisch-dramatische Episoden, von einem verführenden Zauber wohl, aber gefährlich ins Äußerste reißend, den erprobten Zusammenhang lockernd, mehr Frage als Zufriedenheit hinterlassend, die Sicherheit erschütternd, eben unheimlich, und eben unentbehrlich. Da man aus ihnen doch in »die Welt« zurückkehren muß, warum nicht in ihr verbleiben? Warum das Gegenübertretende nicht zur Ordnung

rufen und in die Gegenständlichkeit heimsenden? Warum, wenn man nun einmal, etwa zu Vater, Weib, Gefährten, Du zu sagen nicht umhin kann, warum nicht Du sagen und Es meinen? Den Laut Du mit den Lautwerkzeugen hervorbringen heißt ja beileibe noch nicht das unheimliche Grundwort sprechen; ja, auch ein verliebtes Du mit der Seele flüstern ist ungefährlich, solange man nur ernstlich nichts anderes meint als: erfahren und gebrauchen.

In bloßer Gegenwart läßt sich nicht leben, sie würde einen aufzehren, wenn da nicht vorgesorgt wäre, daß sie rasch und gründlich überwunden wird. Aber in bloßer Vergangenheit läßt sich leben, ja nur in ihr läßt sich ein Leben einrichten. Man braucht nur jeden Augenblick mit Erfahren und Gebrauchen zu füllen, und er brennt nicht mehr.

Und in allem Ernst der Wahrheit, du: ohne Es kann der Mensch nicht leben. Aber wer mit ihm allein lebt, ist nicht der Mensch.

ZWEITER TEIL

Die Geschichte des Einzelnen und die der Menschengattung stimmen, worin immer sie auseinandergehen mögen, in dem einen jedenfalls überein, daß sie eine fortschreitende Zunahme der Eswelt bedeuten.

Das wird für die Geschichte der Gattung bezweifelt; man weist darauf hin, daß die einander ablösenden Reiche der Kultur jeweilig mit einer, wenn auch verschiedenartig gefärbten, so doch gleichartig gebauten Primitivität und ihr gemäß mit einer kleinen Gegenstandswelt beginnen; es würde somit dem Leben des Individuums nicht das der Gattung, sondern das der einzelnen Kultur entsprechen. Aber, wenn man von den isoliert scheinenden absieht: die unter dem geschichtlichen Einfluß anderer stehenden Kulturen übernehmen in einem bestimmten – nicht ganz frühen, dem Zeitalter der Höhe jedoch vorausgehenden – Stadium die Eswelt jener, sei es durch unmittelbares Empfangen der noch gleichzeitigen, wie das Griechentum die ägyptische, sei es durch mittelbares der vergangenen, wie die abendländische Christenheit die griechische empfing: sie vergrößern ihre Eswelt nicht bloß durch eigne Erfahrung, sondern auch durch die aufgenommenen Zuflüsse von fremder; und nun erst vollzieht sich an der so gewachsenen die entscheidende, entdeckerische Erweiterung. (Wobei vorerst außer acht gelassen sei, wie über-

mächtig daran das Schauen und die Taten der Duwelt beteiligt sind.) Es ist somit im allgemeinen die Eswelt jeder Kultur umfänglicher als die der vorangehenden, und trotz etlichen Stockungen und scheinbaren Rückläufen ist in der Geschichte die fortschreitende Zunahme der Eswelt deutlich zu erkennen. Nicht wesentlich ist hierfür, ob dem »Weltbild« einer Kultur mehr der Charakter der Endlichkeit oder der der sogenannten Unendlichkeit, richtiger Nichtendlichkeit, zukommt; eine »endliche« Welt kann recht wohl mehr Bestandteile, Dinge, Prozesse enthalten als eine »unendliche«. Zu beachten ist auch, daß es nicht bloß den Umfang der Naturerkenntnis, sondern auch den der gesellschaftlichen Differenzierung und den der technischen Leistung zu vergleichen gilt; durch beide wird die gegenständliche Welt erweitert.
Das Grundverhältnis des Menschen zur Eswelt umfaßt das Erfahren, das sie immer wieder konstituiert, und das Gebrauchen, das sie ihrem vielfältigen Zweck, der Erhaltung, Erleichterung und Ausstattung des Menschenlebens, zuführt. Mit dem Umfang der Eswelt muß auch die Fähigkeit, sie zu erfahren und zu gebrauchen, zunehmen. Der Einzelne kann zwar immer mehr unmittelbares Erfahren durch mittelbares, das »Erwerben von Kenntnissen«, ersetzen, er kann den Gebrauch immer mehr zur spezialisierten »Verwendung« abkürzen, dennoch ist eine stete Ausbildung der Fähigkeit von Generation zu Generation unerläßlich. Diese meint man zumeist, wenn man von einer fortschreitenden Entwicklung des geistigen Lebens redet. Wobei man sich freilich der eigentlichen Sprachsünde wider den Geist schuldig macht; denn jenes »gei-

stige Leben« ist zumeist das Hindernis für ein Leben des Menschen im Geist und bestenfalls die Materie, die darin, bewältigt und eingeformt, aufzugehen hat.

Das Hindernis. Denn die Ausbildung der erfahrenden und gebrauchenden Fähigkeit erfolgt zumeist durch Minderung der Beziehungskraft des Menschen – der Kraft, vermöge deren allein der Mensch im Geist leben kann.

*

Geist in seiner menschlichen Kundgebung ist Antwort des Menschen an sein Du. Der Mensch redet in vielen Zungen, Zungen der Sprache, der Kunst, der Handlung, aber der Geist ist einer, Antwort an das aus dem Geheimnis erscheinende, aus dem Geheimnis ansprechende Du. Geist ist Wort. Und wie die sprachliche Rede wohl erst im Gehirn des Menschen sich worten, dann in seiner Kehle sich lauten mag, beides aber sind nur Brechungen des wahren Vorgangs, in Wahrheit nämlich steckt die Sprache nicht im Menschen, sondern der Mensch steht in der Sprache und redet aus ihr, – so alles Wort, so aller Geist. Geist ist nicht im Ich, sondern zwischen Ich und Du. Er ist nicht wie das Blut, das in dir kreist, sondern wie die Luft, in der du atmest. Der Mensch lebt im Geist, wenn er seinem Du zu antworten vermag. Er vermag es, wenn er in die Beziehung mit seinem ganzen Wesen eintritt. Vermöge seiner Beziehungskraft allein vermag der Mensch im Geist zu leben.

Aber das Schicksal des Beziehungsvorgangs reckt sich hier am gewaltigsten auf. Je mächtiger die Antwort, um so mächtiger bindet sie das Du, bannt es zum Gegenstand. Nur das Schweigen zum Du, das Schweigen *aller* Zungen, das verschwiegene Harren im ungeformten, im ungeschiedenen, im vorzunglichen Wort läßt das Du frei, steht mit ihm in der Verhaltenheit, wo der Geist sich nicht kundgibt, sondern ist. Alle Antwort bindet das Du in die Eswelt ein. Das ist die Schwermut des Menschen, und das ist seine Größe. Denn so wird Erkenntnis, so wird Werk, so wird Bild und Vorbild in der Mitte der Lebendigen.

Was aber so zum Es sich gewandelt hat, dem ist, dem zum Ding unter Dingen Erstarrten, der Sinn und die Bestimmung eingetan, daß es sich immer wieder entwandle. Immer wieder – so war es gemeint in der Stunde des Geistes, als er sich dem Menschen antat und die Antwort in ihm zeugte – soll das Gegenständliche zu Gegenwart entbrennen, einkehren zum Element, daraus es kam, von Menschen gegenwärtig geschaut und gelebt werden.

Die Erfüllung dieses Sinns und dieser Bestimmung wird von dem Menschen vereitelt, der sich mit der Eswelt als einer zu erfahrenden und zu gebrauchenden abgefunden hat und nun das in ihr Eingebundene, statt es zu lösen, niederhält, statt ihm zuzublicken, beobachtet, statt es zu empfangen, verwertet.

Erkenntnis: Im Schauen eines Gegenüber erschließt sich dem Erkennenden das Wesen. Er wird, was er gegenwärtiglich geschaut hat, wohl als Gegenstand fassen, mit Gegenständen vergleichen, in Gegenstandsreihen einordnen, gegenständlich beschreiben und zergliedern müssen; nur als Es kann es in den Bestand der Erkenntnis eingehen. Aber im

Schauen war es kein Ding unter Dingen, kein Vorgang unter Vorgängen, sondern ausschließlich gegenwärtig. Nicht in dem Gesetz, das danach aus der Erscheinung abgeleitet wurde, sondern in ihr selber teilt sich das Wesen mit. Daß das Allgemeine gedacht wird, ist nur eine Abwicklung des knäuelhaften Ereignisses, da es im Besondern, im Gegenüber geschaut wurde. Und nun ist dieses in der Esform der begrifflichen Erkenntnis eingeschlossen. Wer es daraus erschließt und wieder gegenwärtig schaut, erfüllt den Sinn jenes Erkenntnisaktes als eines zwischen den Menschen Wirklichen und Wirkenden. Aber man kann Erkenntnis auch so betreiben, daß man feststellt: »so also verhält es sich damit, so heißt das Ding, so ist es beschaffen, da gehört es hin«, daß man das zu Es Gewordene als Es beläßt, als Es erfährt und gebraucht, es mitverwendet für die Unternehmung, sich in der Welt »auszukennen«, und sodann für die, die Welt zu »erobern«.
So auch die Kunst: Im Schauen eines Gegenüber erschließt sich dem Künstler die Gestalt. Er bannt sie zum Gebilde. Das Gebilde steht nicht in einer Götterwelt, sondern in dieser großen Welt der Menschen. Wohl ist es »da«, auch wenn kein Menschenauge es heimsucht; aber es schläft. Der chinesische Dichter erzählt, die Menschen hätten das Lied nicht hören mögen, das er auf seiner Jadeflöte spielte; da spielte er es den Göttern, und sie neigten das Ohr; seither lauschten auch die Menschen dem Lied: – so ist er denn von den Göttern zu denen gegangen, deren das Gebild nicht entraten kann. Nach des Menschen Begegnung schaut es wie im Traum aus, daß er den Bann löse und die Gestalt umfange, für einen zeitlosen Augenblick. Da kommt

er nun gegangen und erfährt, was zu erfahren ist: so ist es gemacht, oder dies ist darin ausgedrückt, oder solcherart sind seine Qualitäten, und dazu wohl auch noch, welchen Rang es einnimmt.
Nicht als ob wissenschaftlicher und ästhetischer Verstand nicht vonnöten wäre: aber um sein Werk getreu zu tun und unterzutauchen in der überverständlichen, das Verständliche umschließenden Wahrheit der Beziehung.
Und zum dritten, über Geist der Erkenntnis und Geist der Kunst erhöht, weil hier der vergängliche körperhafte Mensch sich nicht dem dauernderen Stoff einzubilden braucht, sondern ihn überdauernd selber als Gebild, von der Musik seiner lebendigen Rede umrauscht, am Sternenhimmel des Geistes aufgeht: das reine Wirken, die Handlung ohne Willkür. Hier erschien dem Menschen aus tieferem Geheimnis das Du, sprach ihn aus dem Dunkel selber an, und er antwortete mit seinem Leben. Hier ist das Wort Mal um Mal Leben geworden, und dieses Leben, ob es Gesetz erfüllte oder Gesetz brach – beides tut jeweilig not, damit der Geist auf Erden nicht sterbe –, ist Lehre. So steht es vor den Nachgeborenen, sie zu lehren, nicht was ist und nicht was sein soll, sondern wie im Geist, im Angesicht des Du, gelebt wird. Und das heißt: es steht bereit, ihnen allzeit selbst zum Du zu werden und die Duwelt aufzutun; nein, es steht nicht bereit, es kommt immerdar auf sie zu und rührt sie an. Sie aber, zum lebendigen Verkehr, dem weltauftuenden, unlustig und untauglich geworden, wissen Bescheid; sie haben die Person in der Geschichte und ihre Rede in der Bücherei eingefangen; sie haben die Erfüllung oder den Bruch, gleichviel, kodifi-

ziert; und sie geizen auch nicht mit Verehrung und gar Anbetung, hinlänglich mit Psychologie untermischt, wie es dem modernen Menschen geziemt. O einsames Angesicht sternhaft im Dunkel, o lebendiger Finger auf einer unempfindlichen Stirn, o verhallender Schritt!

*

Die Ausbildung der erfahrenden und gebrauchenden Funktion erfolgt zumeist durch Minderung der Beziehungskraft des Menschen.

Derselbe Mensch, der den Geist sich zum Genußmittel präparierte, was fängt er mit den ihn umlebenden Wesen an?

Unter dem Grundwort der Trennung stehend, das Ich und Es voneinanderhält, hat er sein Leben mit den Mitmenschen in zwei sauber umzirkte Reviere geschieden: Einrichtungen und Gefühle. Es-Revier und Ich-Revier.

Einrichtungen sind das »Draußen«, in dem man sich zu allerlei Zwecken aufhält, in dem man arbeitet, verhandelt, beeinflußt, unternimmt, konkurriert, organisiert, wirtschaftet, amtet, predigt; das halbwegs geordnete und einigermaßen stimmende Gefüge, in dem sich unter vielfältigem Anteil von Menschenköpfen und Menschengliedern der Ablauf der Angelegenheiten vollzieht.

Gefühle sind das »Drinnen«, in dem man lebt und sich von den Einrichtungen erholt. Hier schwingt einem das Spektrum der Emotionen vor dem interessierten Blick; hier genießt man seine Neigung und seinen Haß, seine Lust und, wenn ers nicht zu arg treibt, seinen Schmerz. Hier ist man daheim und streckt sich im Schaukelstuhl aus.

Die Einrichtungen sind ein kompliziertes Forum, die Gefühle eine immerhin an Abwechslungen reiche Kemenate.

Die Abgrenzung ist freilich stets gefährdet, da die mutwilligen Gefühle zuweilen in die sachlichsten Einrichtungen einbrechen, aber sie läßt sich mit einigem guten Willen wiederherstellen.

Am schwersten ist die zuverlässige Abgrenzung in den Gebieten des sogenannten persönlichen Lebens. In der Ehe etwa ist sie mitunter nicht ohne weiteres zu bewerkstelligen; aber das gibt sich. Vortrefflich führt sie sich in den Gebieten des sogenannten öffentlichen Lebens durch; man betrachte etwa, wie fehlerfrei im Jahr der Parteien, aber auch der überparteilich gemeinten Gruppen und ihrer »Bewegungen« die himmelstürmenden Tagungen und der – gleichviel, mechanisiert-gleichmäßig oder organisch-schlampig – am Boden hinkriechende Betrieb einander ablösen.

Aber das abgetrennte Es der Einrichtungen ist ein Golem und das abgetrennte Ich der Gefühle ein umherflatternder Seelenvogel. Beide kennen den Menschen nicht; jene nur das Exemplar, diese nur den »Gegenstand«, keins die Person, keins die Gemeinsamkeit. Beide kennen die Gegenwart nicht: jene, auch die modernsten, nur die starre Vergangenheit, das Fertigsein, diese, auch die ausdauerndsten, immer wieder nur den huschenden Augenblick, das Nochnichtsein. Beide haben keinen Zugang zum wirklichen Leben. Einrichtungen ergeben kein öffentliches und Gefühle kein persönliches Leben.

Daß Einrichtungen kein öffentliches Leben ergeben, verspüren Menschen in wachsender Zahl, verspüren es mit wachsendem Leid; dies ist der Ort, von dem die suchende Not des Zeitalters ausgeht. Daß Gefühle kein persönliches Leben ergeben, haben erst wenige verstanden; hier scheint ja das Allerpersönlichste zu hausen; und wenn man erst wie der moderne Mensch gelernt hat, sich ausgiebig mit den eignen Gefühlen zu befassen, wird einen auch die Verzweiflung an ihrer Unwirklichkeit nicht leicht eines Besseren belehren, da ja auch sie ein Gefühl und interessant ist.

Die Menschen, die daran leiden, daß Einrichtungen kein öffentliches Leben ergeben, sind auf ein Mittel verfallen: man müsse die Einrichtungen eben durch die Gefühle auflockern oder aufschmelzen oder aufsprengen, man müsse sie eben aus den Gefühlen erneuern, indem man die »Freiheit des Gefühls« in sie einführt. Wenn etwa der automatisierte Staat wesensfremde Bürger zusammenkoppelt, ohne ein Miteinander zu stiften oder zu fördern, sei er durch die Liebesgemeinde zu ersetzen; und Liebesgemeinde, die entstehe eben, wenn Leute aus dem freien, überschwenglichen Gefühl zueinander kommen und miteinander leben wollen. Aber dem ist nicht so; die wahre Gemeinde entsteht nicht dadurch, daß Leute Gefühle füreinander haben (wiewohl freilich auch nicht ohne das), sondern durch diese zwei Dinge: daß sie alle zu einer lebendigen Mitte in lebendig gegenseitiger Beziehung stehen und daß sie untereinander in lebendig gegenseitiger Beziehung stehen. Das zweite entspringt aus dem ersten, ist aber noch nicht mit ihm allein gegeben. Lebendig gegenseitige Beziehung schließt Gefühle ein, aber sie stammt nicht von ihnen. Die Gemeinde baut sich aus der lebendig gegenseitigen Beziehung auf, aber der Baumeister ist die lebendige wirkende Mitte.

Auch Einrichtungen des sogenannten persönlichen Lebens können nicht aus dem freien Gefühl erneuert werden (wiewohl freilich nicht ohne es). Die Ehe etwa wird sich nie aus etwas andrem erneuern, als woraus allzeit die wahre Ehe entsteht: daß zwei Menschen einander das Du offenbaren. Daraus baut das Du, das keinem von beiden Ich ist, die Ehe auf. Dies ist das metaphysische und metapsychische Faktum der Liebe, das von den Liebesgefühlen nur begleitet wird. Wer die Ehe von andrem her erneuern will, ist nicht wesensverschieden von dem, der sie aufheben will: beide sagen aus, daß sie das Faktum nicht mehr kennen. Und in der Tat, wenn man von all der vielberedeten Erotik des Zeitalters alles abrechnete, was Ichbezogenheit ist, alles Verhältnis also, worin eins dem andern gar nicht gegenwärtig, von ihm gar nicht vergegenwärtigt wird, sondern eins am andern nur sich selbst genießt, was bliebe wohl?

Wahres öffentliches und wahres persönliches Leben sind zwei Gestalten der Verbundenheit. Auf daß sie werden und bestehen, tun Gefühle not, der wechselnde Gehalt, tun Einrichtungen not, die stetige Form, aber auch beide zusammengetan schaffen das menschliche Leben noch nicht, sondern das dritte schafft es, die zentrale Gegenwart des Du, vielmehr, daß ichs wahrer sage, das in der Gegenwart empfangene zentrale Du.

*

Das Grundwort Ich-Es ist nicht vom Übel – wie die Materie nicht vom Übel ist. Es ist vom Übel – wie die Materie, die sich anmaßt, das Seiende zu sein. Wenn der Mensch es walten läßt, überwuchert ihn die unablässig wachsende Eswelt, entwirklicht sich ihm das eigene Ich, bis der Alp über ihm und das Gespenst in ihm einander das Geständnis ihrer Unerlöstheit zuraunen.

*

– Aber ist denn das Gemeinleben des modernen Menschen nicht mit Notwendigkeit in die Eswelt versenkt? Sind die zwei Kammern dieses Lebens, die Wirtschaft und der Staat, in ihrem gegenwärtigen Umfang und in ihrer gegenwärtigen Durchbildung denkbar auf einer andern Grundlage als auf der eines überlegnen Verzichts auf alle »Unmittelbarkeit«, ja einer unbeugsam entschloßnen Ablehnung jeder »fremden«, nicht diesem Gebiet selbst entstammenden Instanz? Und wenn es das erfahrende und gebrauchende Ich ist, das hier waltet, das Güter und Leistungen gebrauchende in der Ökonomie, das Meinungen und Strebungen gebrauchende in der Politik, ist nicht eben dieser uneingeschränkten Herrschaft die ausgedehnte und standfeste Struktur der großen »objektiven« Gebilde in diesen zwei Umkreisen zu verdanken? Ja, ist nicht die bildnerische Größe des führenden Staatsmanns und des führenden Wirtschaftsmanns eben daran gebunden, daß er die Menschen, mit denen er zu schaffen hat, nicht als Träger des unerfahrbaren Du, sondern als Leistungs- und Strebungszentren ansieht, die es in ihren besonderen Befähigungen zu berechnen und zu verwenden gilt? Würde seine Welt nicht über ihm zusammenbrechen, wenn er versuchte, statt Er+Er+Er zu einem Es zu addieren, die Summe von Du und Du und Du zu ziehen, die nie etwas anderes als wieder Du ergibt? Hieße das nicht die formende Meisterschaft gegen einen bastelnden Dilettantismus und die lichtmächtige Vernunft gegen eine neblichte Schwärmerei vertauschen? Und wenn wir von den Lenkern auf die Gelenkten blicken, hat nicht die Entwicklung selbst in der modernen Art der Arbeit und in der modernen Art des Besitzes fast jede Spur des Gegenüberlebens, der sinnvollen Beziehung getilgt? Es wäre absurd, sie zurückschrauben zu wollen – und gelänge das Absurde, so wäre zugleich der ungeheure Präzisionsapparat dieser Zivilisation zerstört, der allein der ungeheuer angewachsenen Menschheit das Leben ermöglicht.

– Redender, du redest zu spät. Eben noch hättest du deiner Rede glauben können, jetzt kannst du es nicht mehr. Denn vor einem Nu hast du es wie ich gesehen, daß der Staat nicht mehr gelenkt wird; die Heizer häufen noch die Kohlen, aber die Führer regieren nur noch zum Schein die dahinrasenden Maschinen. Und in diesem Nu, während du redest, kannst du es wie ich hören, daß das Hebelwerk der Wirtschaft in einer ungewohnten Weise zu surren beginnt; die Werkmeister lächeln dich überlegen an, aber der Tod sitzt in ihren Herzen. Sie sagen dir, sie paßten den Apparat den Verhältnissen an; aber du merkst, sie können fortan nur noch sich dem Apparat anpassen, solang er es eben erlaubt. Ihre Sprecher belehren dich, daß die Wirtschaft das Erbe des Staates antrete; du weißt, daß es nichts andres zu erben gibt als die Zwingherrschaft des wuchernden Es, unter der das Ich, der Bewältigung immer unmächtiger, immer noch träumt, es sei der Gebieter.

Das Gemeinleben des Menschen kann ebensowenig wie er selbst der Eswelt entraten, – als über der die Gegenwart des Du schwebt wie der Geist über den Wassern. Nutzwille und Machtwille des Menschen wirken naturhaft und rechtmäßig, solang sie an den menschlichen Beziehungswillen geschlossen sind und von ihm getragen werden. Es gibt keinen bösen Trieb, bis sich der Trieb vom Wesen löst; der ans Wesen geschlossene und von ihm bestimmte Trieb ist das Plasma des Gemeinlebens, der abgelöste ist dessen Zersetzung. Wirtschaft, das Gehäuse des Nutzwillens, und Staat, das Gehäuse des Machtwillens, haben so lange teil am Leben, als sie am Geist teilhaben. Schwören sie ihm ab, haben sies dem Leben getan; das Leben läßt sich freilich Zeit, seine Sache auszutragen, und eine gute Weile vermeint man noch ein Gebild sich regen zu sehn, wo längst schon ein Getriebe wirbelt. Mit der Einführung etwelcher Unmittelbarkeit ist da in der Tat nicht zu helfen; die Lockerung der gefügten Wirtschaft oder des gefügten Staates kann nicht aufwiegen, daß sie nicht mehr unter der Suprematie des dusagenden Geistes stehen; keine Aufrührung der Peripherie kann die lebendige Beziehung zur Mitte ersetzen. Gebilde des menschlichen Gemeinlebens haben ihr Leben aus der Fülle der Beziehungskraft, die ihre Glieder durchdringt, und ihre leibhafte Form aus der Bindung dieser Kraft im Geist. Der Staatsmann oder Wirtschaftsmann, der dem Geiste botmäßig ist, dilettiert nicht; er weiß wohl, daß er den Menschen, mit denen er zu schaffen hat, nicht schlechthin als Trägern des Du gegenübertreten kann, ohne sein Werk aufzulösen; aber er wagt es dennoch, nur eben nicht schlechthin, zu tun, bis zur Grenze nämlich, die ihm der Geist eingibt; und da gibt ihm der Geist die Grenze ein; und das Wagnis, das ein abgetrenntes Gebilde gesprengt hätte, gerät in dem von der Gegenwart des Du überschwebten. Der schwärmt nicht; er dient der Wahrheit, die, übervernünftig, die Vernunft nicht verstößt, sondern im Schoße hält. Er tut im Gemeinleben nichts andres, als im persönlichen der Mensch, der sich wohl unfähig weiß, das Du rein zu verwirklichen, und es doch alltäglich am Es bewährt, nach dem Recht und Maß dieses Tages, täglich neu die Grenze ziehend, – die Grenze entdeckend. So auch sind Arbeit und Besitz von sich aus nicht zu erlösen, nur vom Geiste aus; nur aus seiner Präsenz kann aller Arbeit Bedeutung und Freude, allem Besitz Ehrfurcht und Opferkraft einströmen, nicht randvoll, aber quantum satis, – kann alles Gearbeitete und alles Besessene, der Eswelt verhaftet bleibend, dennoch sich zum Gegenüber und zur Darstellung des Du verklären. Es gibt kein Dahinter-zurück, es gibt, noch im Augenblick der tiefsten Not, ja erst in ihm, ein vorher ungeahntes Darüber-hinaus.

Ob der Staat die Wirtschaft regelt oder die Wirtschaft den Staat beauftragt, ist, solange beide unverwandelt sind, nicht wichtig. Ob die Einrichtungen des Staates freier und die der Wirtschaft gerechter werden, ist wichtig, aber nicht für die Frage nach dem wirklichen Leben, die hier gefragt wird; frei und gerecht können sie von sich aus nicht werden. Ob der Geist, der dusagende, der antwortende Geist am Leben und an der Wirklichkeit bleibt; ob das, was noch von ihm im Gemeinleben des Menschen eingesprengt ist, weiterhin dem Staat und der Wirtschaft unterworfen ist oder selbständig wirkend wird; ob das, was von ihm noch im persönlichen Leben des Menschen ausharrt, sich dem Gemeinleben wieder einverleibt: ist entscheidend. Mit einer Aufteilung des Gemeinlebens in unabhängige Bereiche, zu denen auch »das geistige Leben« gehörte, wäre dies freilich nicht getan; das hieße nur die in die Eswelt versenkten Gebiete endgültig der Zwingherrschaft preisgeben, den Geist aber vollends entwirklichen; denn selbständig ins Leben wirkend ist der Geist niemals an sich, sondern an der Welt: mit seiner die Eswelt durchdringenden und verwandelnden Gewalt. Der Geist ist wahrhaft »bei sich«, wenn er der ihm erschloßnen Welt gegenübertreten, sich ihr hingeben, sie und an ihr sich erlösen kann. Das könnte die zerstreute, geschwächte, entartete, widerspruchdurchsetzte Geistigkeit, die heute den Geist vertritt, freilich erst, wenn sie wieder zum Wesen des Geistes, zum Dusagenkönnen gediehe.

*

In der Eswelt waltet uneingeschränkt die Ursächlichkeit. Jeder sinnlich wahrnehmbare »physische«, aber auch jeder in der Selbsterfahrung vorgefundene oder gefundene »psychische« Vorgang gilt mit Notwendigkeit als verursacht und verursachend. Davon sind auch die Vorgänge, denen der Charakter einer Zwecksetzung beigemessen werden darf, als Bestandteile des Eswelt-Kontinuums nicht ausgenommen: dieses verträgt wohl eine Teleologie, aber nur als den in einen Teil der Kausalität eingewirkten

Revers, der deren zusammenhängende Vollständigkeit nicht beeinträchtigt.

Das uneingeschränkte Walten der Ursächlichkeit in der Eswelt, für das wissenschaftliche Ordnen der Natur von grundlegender Wichtigkeit, bedrückt den Menschen nicht, der auf die Eswelt nicht eingeschränkt ist, sondern ihr immer wieder in die Welt der Beziehung entschreiten darf. Hier stehen Ich und Du einander frei gegenüber, in einer Wechselwirkung, die in keine Ursächlichkeit einbezogen und von keiner tingiert ist; hier verbürgt sich dem Menschen die Freiheit seines und des Wesens. Nur wer Beziehung kennt und um die Gegenwart des Du weiß, ist sich zu entscheiden befähigt. Wer sich entscheidet, ist frei, weil er vor das Angesicht getreten ist.

Die feurige Materie all meines Wollenkönnens unbändig wallend, all das mir Mögliche vorwelthaft kreisend, verschlungen und wie untrennbar, die lockenden Blicke der Potenzen aus allen Enden flakkernd, das All als Versuchung, und ich, im Nu geworden, beide Hände ins Feuer, tief hinein, wo die eine sich verbirgt, die mich meint, meine Tat, ergriffen: Nun! Und schon ist die Drohung des Abgrunds gebannt, nicht mehr spielt das kernlos Viele in der schillernden Gleichheit seines Anspruchs, sondern nur noch Zwei sind nebeneinander, das Andere und das Eine, der Wahn und der Auftrag. Nun aber erst hebt die Verwirklichung in mir an. Denn nicht das hieße entschieden haben, wenn das Eine getan würde und das Andere bliebe gelagert, erloschne Masse, und verschlackte mir die Seele Schicht auf Schicht. Sondern nur wer die ganze Kraft des Anderen einlenkt in das Tun des Einen, wer in das

Wirklichwerden des Gewählten die unverkümmerte Leidenschaft des Ungewählten einziehen läßt, nur wer »Gott mit dem bösen Triebe dient«, entscheidet sich, entscheidet das Geschehen. Hat man dies verstanden, so weiß man auch, daß eben dies das Gerechte zu nennen ist, das Gerichtete, wozu sich einer richtet und entscheidet; und gäbe es einen Teufel, so wäre es nicht, der sich gegen Gott, sondern der sich in der Ewigkeit nicht entschied.

Den Menschen, dem die Freiheit verbürgt ist, bedrückt die Ursächlichkeit nicht. Er weiß, daß sein sterbliches Leben seinem Wesen nach ein Schwingen zwischen Du und Es ist, und spürt dessen Sinn. Es genügt ihm, die Schwelle des Heiligtums, darin er nicht verharren könnte, immer wieder betreten zu dürfen; ja, daß er es immer wieder verlassen muß, gehört ihm innig zum Sinn und zur Bestimmung dieses Lebens. Dort, an der Schwelle, entzündet sich in ihm immer neu die Antwort, der Geist; hier, im unheiligen und bedürftigen Land, hat sich der Funke zu bewähren. Was hier Notwendigkeit heißt, kann ihn nicht schrecken; denn er hat dort die wahre erkannt, das Schicksal.

Schicksal und Freiheit sind einander angelobt. Dem Schicksal begegnet nur, wer die Freiheit verwirklicht. Daß ich die Tat, die mich meint, entdeckte, darin, in der Bewegung meiner Freiheit offenbart sich mir das Geheimnis; aber auch, daß ich sie nicht so, wie ich sie meinte, vollbringen kann, auch in dem Widerstand offenbart sich mir das Geheimnis. Wer alles Verursachtsein vergißt und sich aus der Tiefe entscheidet, wer Gut und Gewand von sich tut und bloß vor das Angesicht tritt: dem Freien schaut, als das Gegenbild seiner Freiheit, das Schicksal entgegen. Es ist nicht seine Grenze, es ist seine Ergänzung; Freiheit und Schicksal umfangen einander zum Sinn; und im Sinn schaut das Schicksal, die eben noch so strengen Augen voller Licht, wie die Gnade selber drein.

Nein, den Menschen, der, den Funken tragend, in die Eswelt zurückkehrt, bedrückt die ursächliche Notwendigkeit nicht. Und von den Männern des Geistes strömt in den Zeiten gesunden Lebens die Zuversicht zu allem Volk; allen, auch den Dumpfsten, ist da ja irgendwie, naturhaft, triebhaft, dämmerhaft, die Begegnung, die Gegenwart widerfahren, alle haben irgendwo das Du verspürt; nun deutet ihnen der Geist die Bürgschaft.

Aber in den kranken Zeiten geschieht es, daß die Eswelt, nicht mehr von den Zuflüssen der Duwelt als von lebendigen Strömen durchzogen und befruchtet: – abgetrennt und stockend, ein riesenhaftes Sumpfphantom, den Menschen übermächtigt. Indem er sich mit einer Welt von Gegenständen, die ihm nicht mehr zu Gegenwart werden, abfindet, erliegt er ihr. Da steigert sich die geläufige Ursächlichkeit zum bedrückenden, erdrückenden Verhängnis.

Jede große völkerumfassende Kultur ruht auf einem ursprünglichen Begegnungsereignis, auf einer einmal an ihrem Quellpunkt erfolgten Antwort an das Du, auf einem Wesensakt des Geistes. Dieser, verstärkt durch die gleichgerichtete Kraft der nachfolgenden Geschlechter, schafft eine eigentümliche Fassung des Kosmos im Geist – erst durch ihn wird Kosmos des Menschen immer wieder möglich; nun erst immer wieder kann der Mensch aus getroster Seele in einer eigentümlichen Fassung des Raums Gotteshäuser und Menschenhäuser bauen, kann die schwingende Zeit mit neuen Hymnen und Liedern füllen und die Gemeinschaft der Menschen selber zur Gestalt bilden. Aber eben nur, solang er jenen Wesensakt im eigenen Leben tuend und leidend besitzt, solang er selbst in die Beziehung eingeht: so lang ist er frei und somit schöpferisch. Zentriert eine Kultur nicht mehr im lebendigen, unablässig erneuten Beziehungsvorgang, dann erstarrt sie zur Eswelt, die nur noch eruptiv von Weile zu Weile die glühenden Taten vereinsamter Geister durchbrechen. Von da an steigert sich die geläufige Ursächlichkeit, die vordem nie die geistige Fassung des Kosmos zu stören vermochte, zum bedrückenden, erdrückenden Verhängnis. Das weise, meisternde Schicksal, das, der Sinnfülle des Kosmos eingestimmt, über aller Ursächlichkeit waltete, ist, zur sinnwidrigen Dämonie verwandelt, in sie gefallen. Dasselbe Karman, das den Vorfahren als wohltätige Fügung erschien – denn was uns in diesem Leben gerät, hebt uns für ein künftiges in höhere Sphären –, gibt sich nun als Tyrannei zu erkennen: denn das Tun eines früheren, uns unbewußten Lebens hat uns in den Kerker gesperrt, dem wir in diesem Leben nicht entrinnen können. Wo vordem das Sinngesetz eines Himmels sich wölbte, an dessen lichtem Bogen die Spindel der Notwendigkeit hängt, herrscht jetzt sinnlos und knechtend die Gewalt der Wandelsterne; nur der Dike, der himmlischen »Bahn«, die auch die unsere meint, galt es sich einzutun, um freien Herzens im Allmaß des Geschicks zu wohnen – nun zwingt uns, was immer wir tun, jedem Nacken die ganze Last der toten Weltmasse aufladend, die geistfremde Heimarmene. Das anstürmende Verlangen nach Erlösung bleibt in mannigfachen Versuchen am letzten unbefriedigt, bis einer es stillt, der dem Rad der Geburten entrinnen lehrt, oder einer, der die den Mächten verfallenen Seelen in die Freiheit der Gotteskinder rettet. Solches Werk kommt aus einem neuen, zur Substanz werdenden Begegnungsereïgnis, einer neuen schicksalbestimmenden Antwort eines Menschen an sein Du. In der Auswirkung dieses zentralen Wesensakts kann eine Kultur von einer andern, seinem Strahl hingegebenen abgelöst, kann eine aber auch in sich selbst erneuert werden.

Die Krankheit unseres Zeitalters gleicht der keines, sie gehört mit denen aller zusammen. Die Geschichte der Kulturen ist nicht ein Stadion der Äonen, in dem ein Läufer nach dem andern munter und ahnungslos den gleichen Todeskreis zu durchmessen hätte. Durch ihre Auf- und Niedergänge führt ein namenloser Weg. Kein Weg des Fortschritts und der Entwicklung; ein Hinabstieg durch die Spiralen der geistigen Unterwelt, wohl auch ein Aufstieg zum innersten, feinsten, verschlungensten Wirbel zu nennen, wo es kein Weiter mehr und erst recht kein Zurück gibt, nur noch die unerhörte Umkehr: den Durchbruch. Werden wir den Weg bis ans Ende gehen müssen, bis in die Probe der letzten Finsternis? Wo aber Gefahr ist, wächst das Rettende auch.

Das biologistische und das historiosophische Denken dieser Zeit haben, so verschieden sie sich sahen, zusammengewirkt, um einen Glauben an das Verhängnis herzustellen, zäher und beklommener, als je einer bestand. Es ist nicht mehr die Macht des Karman und nicht mehr die Sternenmacht, was unabwendbar das Menschenlos regiert; vielerlei Gewalten beanspruchen die Herrschaft, aber wenn mans recht betrachtet, glauben die meisten Zeitgenossen an ein

Gemisch von ihnen wie die späten Römer an ein Gemisch von Göttern. Das wird durch die Art des Anspruchs erleichtert. Ob es das »Lebensgesetz« eines Allkampfes ist, in dem jeder mitfechten oder auf das Leben verzichten muß; oder das »Seelengesetz« eines restlosen Aufbaus der psychischen Person aus eingebornen Gebrauchstrieben; oder das »Gesellschaftsgesetz« eines unaufhaltsamen sozialen Prozesses, den Wille und Bewußtsein nur begleiten dürfen; oder das »Kulturgesetz« eines unabänderlich gleichmäßigen Werdens und Vergehens der Geschichtsgebilde; und was der Formen mehr sind: immer bedeutet es, daß der Mensch in ein unentrinnbares Geschehen eingespannt sei, gegen das er sich nicht oder nur in seinem Wahn wehren könne. Vom Zwang der Sterne befreite die Mysterienweihe, vom Zwang des Karman das erkenntnisbegleitete Brahmanopfer, in beiden bildete sich die Erlösung vor; der Mischgötze duldet keinen Glauben an Befreiung. Es gilt als töricht, sich eine Freiheit zu imaginieren; man habe nur die Wahl zwischen resolutem und aussichtslos rebellischem Sklaventum. Wieviel auch in all den Gesetzen von teleologischer Entwicklung und organischem Werden die Rede geht, allen liegt die Besessenheit vom Ablauf, das heißt von der uneingeschränkten Ursächlichkeit zugrunde. Das Dogma des allmählichen Ablaufs ist die Abdikation des Menschen vor der wuchernden Eswelt. Der Name des Schicksals wird von ihm mißbraucht: Schicksal ist keine Glocke, die über die Menschenwelt gestülpt ist; keiner begegnet ihm, als der von der Freiheit ausging. Das Dogma des Ablaufs aber läßt keinen Raum für die Freiheit, keinen für ihre allerrealste Offenbarung, deren gelassene

Kraft das Angesicht der Erde ändert: die Umkehr. Das Dogma kennt den Menschen nicht, der den Allkampf durch die Umkehr überwindet; der das Gespinst der Gebrauchstriebe durch die Umkehr zerreißt; der sich dem Bann der Klasse durch die Umkehr enthebt; – der durch die Umkehr die sicheren Geschichtsgebilde aufrührt, verjüngt, verwandelt. Das Dogma des Ablaufs läßt dir vor seinem Brettspiel nur die Wahl: die Regeln beobachten oder ausscheiden; aber der Umkehrende wirft die Figuren um. Das Dogma will dir immerhin erlauben, die Bedingtheit mit dem Leben zu vollstrecken und in der Seele »frei zu bleiben«; aber diese Freiheit erachtet der Umkehrende für die schmählichste Knechtschaft.

Das einzige, was dem Menschen zum Verhängnis werden kann, ist der Glaube an das Verhängnis: er hält die Bewegung der Umkehr nieder.

Der Glaube an das Verhängnis ist ein Irrglaube von Anbeginn. Alle Ablaufbetrachtung ist nur ein Ordnen des Nichts-als-geworden-Seins, des abgetrennten Weltgeschehnisses, der Gegenständlichkeit als Geschichte; die Gegenwart des Du, das Werden aus der Verbundenheit ist ihr unzugänglich. Sie kennt die Wirklichkeit des Geistes nicht, und ihr Schema ist für ihn nicht gültig. Weissagung aus der Gegenständlichkeit gilt nur für den, der die Gegenwärtigkeit nicht kennt. Der von der Eswelt Übermächtigte muß in dem Dogma des unabänderlichen Ablaufs eine im Wuchernden Klärung schaffende Wahrheit sehen; in Wahrheit läßt es ihn nur noch tiefer der Eswelt hörig werden. Aber die Welt des Du ist nicht verschlossen. Wer mit gesammeltem Wesen, mit auferstandner Beziehungskraft zu ihr ausgeht, wird der

Freiheit inne. Und vom Glauben an die Unfreiheit frei werden heißt frei werden.

*

Wie man Gewalt über den Alp bekommt, wenn man ihm seinen wirklichen Namen zuruft, so muß sich die Eswelt, die sich eben noch unheimlich vor der kleinen Menschenkraft reckte, dem ergeben, der sie in ihrem Wesen erkennt: als die Versonderung und Verfremdung eben dessen, aus dessen anströmend naher Fülle einem jedes irdische Du entgegentritt; dessen, was einem wohl zuweilen groß und furchtbar wie die Muttergöttin, aber eben doch immer mütterlich erschien.

– Wie aber möchte der die Gewalt aufbringen, den Alp beim Namen anzurufen, dem selbst im Innern ein Gespenst hockt – das entwirklichte Ich? Wie kann in einem Wesen die verschüttete Beziehungskraft auferstehen, wo allstündlich ein rüstiges Gespenst den Schutt feststampft? Wie sammelt sich ein Wesen ein, das unablässig von der Sucht der abgelösten Ichheit im leeren Kreis gejagt wird? Wie soll einer der Freiheit innewerden, der in der Willkür lebt?

– Wie Freiheit und Schicksal zusammengehören, so gehören Willkür und Verhängnis zusammen. Aber Freiheit und Schicksal sind einander angelobt und umfangen einander zum Sinn; Willkür und Verhängnis, der Seelenspuk und der Weltmahr, vertragen sich, nebeneinander hausend und einander ausweichend, verbindungslos und reibungslos, im Sinnlosen – bis in einem Nu Blick irr an Blick prallt und das Geständnis der Unerlöstheit aus ihnen bricht. Wieviel beredte und kunstreiche Geistigkeit wird heute aufgewandt, um diese Begebenheit zu verhüten oder doch zu verhüllen!

Der freie Mensch ist der ohne Willkür wollende. Er glaubt an die Wirklichkeit; das heißt: er glaubt an die reale Verbundenheit der realen Zweiheit Ich und Du. Er glaubt an die Bestimmung und daran, daß sie seiner bedarf: sie gängelt ihn nicht, sie erwartet ihn, er muß auf sie zugehen, und weiß doch nicht, wo sie steht; er muß mit dem ganzen Wesen ausgehen, das weiß er. Es wird nicht so kommen, wie sein Entschluß es meint; aber was kommen will, wird nur kommen, wenn er sich zu dem entschließt, was er wollen kann. Er muß seinen kleinen Willen, den unfreien, von Dingen und Trieben regierten, seinem großen opfern, der vom Bestimmtsein weg und auf die Bestimmung zu geht. Da greift er nicht mehr ein, und er läßt doch auch nicht bloß geschehen. Er lauscht dem aus sich Werdenden, dem Weg des Wesens in der Welt; nicht um von ihm getragen zu werden: um es selber so zu verwirklichen, wie es von ihm, dessen es bedarf, verwirklicht werden will, mit Menschengeist und Menschentat, mit Menschenleben und Menschentod. Er glaubt, sagte ich; damit ist aber gesagt: er begegnet.

Der willkürliche Mensch glaubt nicht und begegnet nicht. Er kennt die Verbundenheit nicht, er kennt nur die fiebrige Welt da draußen und seine fiebrige Lust, sie zu gebrauchen; man muß dem Gebrauchen nur einen antiken Namen geben, und es wandelt unter den Göttern. Wenn er Du sagt, meint er: »Du mein Gebrauchenkönnen«; und was er seine Bestimmung nennt, ist nur Ausstattung und Sanktion seines Gebrauchenkönnens. In Wahrheit hat er keine Bestimmung, nur ein Bestimmtsein von Dingen und

Trieben, das er mit dem Gefühl der Selbstherrlichkeit, das heißt eben in Willkür vollzieht. Er hat keinen großen Willen; nur die Willkür, die er dafür ausgibt. Ganz unfähig ist er zum Opfer, ob ers auch etwa im Mund führen mag; du erkennst ihn daran, daß er nie konkret wird. Er greift fortwährend ein, und zwar zu dem Zweck, »es geschehen zu lassen«. Wie sollte man denn, sagt er dir, nicht der Bestimmung nachhelfen, nicht die erreichbaren Mittel verwenden, die solch ein Zweck erfordert? So sieht er auch den Freien; er kann ihn nicht anders sehen. Aber der Freie hat nicht hier einen Zweck und da holt er die Mittel dazu herbei; er hat nur das eine: immer wieder nur seinen Entschluß, auf seine Bestimmung zuzugehen. Er hat ihn gefaßt, er wird ihn zuweilen, an jeder Wegscheide erneuern; aber eher könnte er glauben, er lebe nicht, als dies, der Entschluß des großen Willens reiche nicht zu und müsse durch Mittel unterstützt werden. Er glaubt; er begegnet. Aber das ungläubige Mark des willkürlichen Menschen kann nichts anderes wahrnehmen als Unglauben und Willkür, Zwecksetzen und Mittelersinnen. Ohne Opfer und ohne Gnade, ohne Begegnung und ohne Gegenwart, eine verzweckte und vermittelte Welt ist seine Welt; keine andre kann es sein; und diese heißt Verhängnis. So ist er in all seiner Selbstherrlichkeit schier unauswirrbar ins Unwirkliche verstrickt; und er weiß es, sooft er sich auf sich besinnt, – darum richtet er den besten Teil seiner Geistigkeit darauf, die Besinnung zu verhüten oder doch zu verhüllen.

Sie aber, die Besinnung auf das Abgefallensein, auf das entwirklichte und auf das wirkliche Ich, in den Wurzelgrund sich versenken lassen, den der Mensch

Verzweiflung nennt und aus dem die Selbstvernichtung und die Wiedergeburt wachsen, wäre der Anfang der Umkehr.

*

Im Wettstreit, so erzählt das Brahmana der hundert Pfade, lagen einst Götter und Dämonen. Da sprachen die Dämonen: »Wem mögen wir wohl unsre Opfergaben bringen?« Sie legten alle Gaben in den eigenen Mund. Die Götter aber legten die Gaben einander in den Mund. Und da gab Pradschapati, der Urgeist, sich den Göttern.

*

– Daß die Es-Welt, sich selbst überlassen, das heißt: nicht vom Duwerden berührt und aufgeschmolzen, sich zum Alp verfremdet, ist zu verstehen; aber wie geht es zu, daß, wie du sagst, das Ich des Menschen sich entwirklicht? Ob in der Beziehung lebend, ob außer ihr, das Ich bleibt sich verbürgt in seinem Selbst-Bewußtsein, dem starken Goldfaden, an dem sich die wechselnden Zustände aufreihen. Ob ich nun sage: »Ich sehe dich« oder: »Ich sehe den Baum«, vielleicht nicht gleich wirklich ist in beidem das Sehen, aber gleich wirklich ist in beidem das Ich.

– Prüfen wir, prüfen wir uns, ob dem so ist. Die wörtersprachliche Form erweist nichts; meint doch auch vieles gesagte Du im Grund ein Es, zu dem man nur eben aus Gewohnheit und Stumpfheit Du sagt, und vieles gesagte Es meint im Grund ein Du, an dessen Gegenwart man sich etwa in der Ferne mit dem ganzen Wesen erinnert; so ist zahlloses Ich nur ein unentbehrliches Pronomen, nur eine notwendige Abkürzung für »Dieser da, der redet«.

Aber das Selbstbewußtsein? Wenn in dem einen Satz wahrhaft das Du der Beziehung und in dem andern das Es einer Erfahrung gemeint ist, und wenn also das Ich in beiden wahrhaft gemeint ist, ist es das gleiche, aus dessen Selbstbewußtsein beides gesagt wird?

Das Ich des Grundworts Ich-Du ist ein andres als das des Grundworts Ich-Es.

Das Ich des Grundworts Ich-Es erscheint als Eigenwesen und wird sich bewußt als Subjekt (des Erfahrens und Gebrauchens).

Das Ich des Grundworts Ich-Du erscheint als Person und wird sich bewußt als Subjektivität (ohne abhängigen Genetiv).

Eigenwesen erscheint, indem es sich gegen andere Eigenwesen absetzt.

Person erscheint, indem sie zu andern Personen in Beziehung tritt.

Das eine ist die geistige Gestalt der naturhaften Abgehobenheit, das andre die der naturhaften Verbundenheit.

Der Zweck des Sichabsetzens ist das Erfahren und Gebrauchen, und deren Zweck das »Leben«, das heißt das eine menschliche Lebensfrist dauernde Sterben.

Der Zweck der Beziehung ist ihr eigenes Wesen, das ist: die Berührung des Du. Denn durch die Berührung jedes Du rührt ein Hauch des ewigen Lebens uns an.

Wer in der Beziehung steht, nimmt an einer Wirklichkeit teil, das heißt: an einem Sein, das nicht bloß an ihm und nicht bloß außer ihm ist. Alle Wirklichkeit ist ein Wirken, an dem ich teilnehme, ohne es mir eignen zu können. Wo keine Teilnahme ist, ist keine Wirklichkeit. Wo Selbstzueignung ist, ist keine Wirklichkeit. Die Teilnahme ist um so vollkommener, je unmittelbarer die Berührung des Du ist.

Das Ich ist wirklich durch seine Teilnahme an der Wirklichkeit. Es wird um so wirklicher, je vollkommener die Teilnahme ist.

Aber das Ich, das aus dem Beziehungsereignis in die Abgelöstheit und deren Selbstbewußtsein tritt, verliert seine Wirklichkeit nicht. Die Teilnahme bleibt in ihm angelegt und lebendig bewahrt; mit einem andern Wort, das, von der höchsten Beziehung gesprochen, auf alle angewandt werden darf, »der Same bleibt in ihm«. Dies ist der Bereich der Subjektivität, darin das Ich seiner Verbundenheit und seiner Abgelöstheit in einem innewird. Die echte Subjektivität kann nur dynamisch verstanden werden, als das Schwingen des Ich in seiner einsamen Wahrheit. Hier auch ist der Ort, wo das Verlangen nach immer höherer, unbedingterer Beziehung, nach der vollkommenen Teilnahme am Sein sich bildet und emporbildet. In der Subjektivität reift die geistige Substanz der Person.

Die Person wird sich ihrer selbst als eines am Sein Teilnehmenden, als eines Mitseienden, und so als eines Seienden bewußt. Das Eigenwesen wird sich seiner selbst als eines So-und-nicht-anders-seienden bewußt. Die Person sagt: »Ich bin«, das Eigenwesen: »So bin ich«. »Erkenne dich selbst« bedeutet der Person: erkenne dich als Sein, dem Eigenwesen: erkenne dein Sosein. Indem das Eigenwesen sich gegen andre absetzt, entfernt es sich vom Sein.

Damit soll nicht gesagt sein, daß die Person ihr Sondersein, ihr Anderssein irgend »aufgäbe«; es ist ihr an ihr nur nicht Blickpunkt, nur eben da, nur eben die notwendige und sinnvolle Fassung des Seins. Das Eigenwesen dagegen schlemmt an seinem Sondersein; vielmehr zumeist an der Fiktion seines Sonderseins, die es sich zurechtgemacht hat. Denn sich erkennen bedeutet ihm im Grund zumeist: eine geltungskräftige und es selbst immer gründlicher zu täuschen fähige Selbsterscheinung herstellen und sich in deren Anschauung und Verehrung den Schein einer Erkenntnis des eigenen Soseins verschaffen; dessen wirkliche Erkenntnis es zur Selbstvernichtung – oder zur Wiedergeburt führen würde.

Die Person schaut ihr Selbst, das Eigenwesen befaßt sich mit seinem Mein: meine Art, meine Rasse, mein Schaffen, mein Genius.

Das Eigenwesen nimmt an keiner Wirklichkeit teil und gewinnt keine. Es setzt sich gegen das Andere ab und sucht so viel davon als es kann in Besitz zu nehmen, durch Erfahren und Gebrauchen. Das ist *seine* Dynamik: das Sichabsetzen und die Besitznahme, beides am Es, beides im Unwirklichen geübt. Das Subjekt, als das es sich erkennt, mag sich noch so viel zu eigen machen, ihm wächst keine Substanz daraus, es bleibt punkthaft, funktionell, das Erfahrende, das Gebrauchende, nichts weiter. All sein ausgedehntes und vielfältiges Sosein, all seine eifrige »Individualität« kann ihm zu keiner Substanz verhelfen.

Es gibt nicht zweierlei Menschen; aber es gibt die zwei Pole des Menschentums.

Kein Mensch ist reine Person, keiner reines Eigenwesen, keiner ganz wirklich, keiner ganz unwirklich. Jeder lebt im zwiefältigen Ich. Aber es gibt Menschen, die so personbestimmt sind, daß man sie Person, und so eigenwesenbestimmte, daß man sie Ei-

genwesen nennen darf. Zwischen jenen und diesen trägt sich die wahre Geschichte aus.
Je mehr der Mensch, je mehr die Menschheit vom Eigenwesen beherrscht wird, um so tiefer verfällt das Ich der Unwirklichkeit. In solchen Zeiten führt die Person im Menschen und in der Menschheit eine unterirdische, verborgne, gleichsam ungültige Existenz – bis sie aufgerufen wird.

*

Der Mensch ist um so personhafter, je stärker in der menschlichen Zwiefalt seines Ich das des Grundworts Ich-Du ist.
Nach seinem Ichsagen – danach, was er meint, wenn er Ich sagt – entscheidet sich, wohin ein Mensch gehört und wohin seine Fahrt geht. Das Wort »Ich« ist das wahre Schibboleth der Menschheit.
Hört nur darauf!
Wie mißtönig ist das Ich des Eigenmenschen! Es kann zu dem großen Mitleiden bewegen, wenn es aus einem tragischen, vom Verschweigen eines Selbst-Widerspruchs gepreßten Munde kommt. Es kann zum Grauen bewegen, wenn es aus einem chaotischen, den Widerspruch wild, sorg- und ahnungslos darstellenden Munde kommt. Wenn es aus einem eitlen und verglättenden kommt, ist es peinlich oder widerwärtig.
Wer das abgetrennte Ich mit großem Anfangsbuchstaben spricht, deckt die Schande des Weltgeistes auf, der zur Geistigkeit erniedrigt worden ist.
Aber wie schön und rechtmäßig klingt das so lebhafte, so nachdrückliche Ich des Sokrates! Es ist das Ich des unendlichen Gesprächs, und die Luft des Gesprächs umwittert es auf allen seinen We-

gen, noch vor den Richtern und noch in der letzten Gefängnisstunde. Dieses Ich lebte in der Beziehung zum Menschen, die sich im Gespräch verkörpert. Es glaubte an die Wirklichkeit der Menschen und ging zu ihnen aus. So stand es mit ihnen in der Wirklichkeit, und sie verläßt es nicht mehr. Auch seine Einsamkeit kann nie Verlassenheit sein, und wenn die Menschenwelt ihm schweigt, hört es das Daimonion Du sagen.

Wie schön und rechtmäßig klingt das volle Ich Goethes! Es ist das Ich des reinen Umgangs mit der Natur; sie ergibt sich ihm und spricht unaufhörlich mit ihm, sie offenbart ihm ihre Geheimnisse und verrät doch ihr Geheimnis nicht. Es glaubt an sie und spricht zur Rose: »Du bist es also« – da steht es mit ihr in Einer Wirklichkeit. Daher bleibt, wenn es auf sich zurückgeht, der Geist des Wirklichen bei ihm, das Schauen der Sonne haftet an dem glücklichen Auge, das sich auf seine Sonnenhaftigkeit besinnt, und die Freundschaft der Elemente geleitet den Menschen in die Stille des Sterbens und Werdens.

So tönt das »zulängliche, wahre und reine« Ichsagen der Verbundenen, der sokratischen und der goethischen Personen, durch die Zeiten.

Und um vorwegnehmend aus dem Reich der unbedingten Beziehung ein Bild hierherzustellen: wie gewaltig, bis zur Überwältigung, ist das Ichsagen Jesu, und wie rechtmäßig, bis zur Selbstverständlichkeit! Denn es ist das Ich der unbedingten Beziehung, darin der Mensch sein Du so Vater nennt, daß er selbst nur noch Sohn und nichts andres mehr als Sohn ist. Wann immer er Ich sagt, er kann nur noch das Ich des heiligen Grundworts meinen, das sich ihm ins Unbedingte hob. Rührt ihn je die Abgelöstheit an, die Verbundenheit ist größer; und nur aus ihr redet er zu den andern. Vergebens sucht ihr dieses Ich auf ein in sich Mächtiges oder dieses Du auf ein in uns Wohnendes einzuschränken und wieder einmal das Wirkliche, die gegenwärtige Beziehung, zu entwirklichen: es bleiben Ich und Du, jeder kann Du sprechen und ist dann Ich, jeder kann Vater sprechen und ist dann Sohn, die Wirklichkeit bleibt.

*

– Wie aber, wenn eines Menschen Sendung von ihm begehrt, daß er nur noch die Verbundenheit mit seiner Sache, also kein wirkliches Verhältnis zu einem Du, keine Vergegenwärtigung eines Du mehr kenne; daß alles um ihn Es, eben seiner Sache dienstbares Es werde? Wie steht es um das Ichsagen Napoleons? Ist es nicht rechtmäßig? Ist dieses Phänomen des Erfahrens und Gebrauchens keine Person?

– In der Tat, der Herr des Zeitalters kannte offenbar die Dimension des Du nicht. Man hat es richtig bezeichnet: alles Wesen war ihm *valore*. Er, der die ihn nach seinem Sturz verleugnenden Anhänger in milder Bedeutung mit Petrus verglich, hatte niemand, den er hätte verleugnen können; denn er hatte niemand, den er als Wesen anerkannte. Er war das dämonische Du der Millionen, das nicht antwortende, das auf Du mit Es antwortende, das im Persönlichen fiktiv antwortende, – das nur in seiner Sphäre, der seiner Sache, nur mit seinen Taten antwortende. Dies ist die geschichtselementare Schranke, wo das Grundwort der Verbundenheit seine Realität, seinen Charakter der Wechselwirkung verliert: das dämonische Du, dem keiner Du werden kann. Diesen Dritten zu Person und Eigenwesen, zu dem freien und dem willkürlichen Menschen, nicht zwischen ihnen, diesen Dritten gibt es, schicksalhaft ragend in Schicksalszeiten: dem alles zuglüht und der selbst in einem kalten Feuer steht; zu dem tausendfache, von dem keine Beziehung führt; der an keiner Wirklichkeit teilnimmt und an dem unermeßlich teilgenommen wird als an einer Wirklichkeit.

Wohl sieht er die Wesen um sich als zu verschiedener Leistung befähigte Motoren, die es für die Sache zu berechnen und zu verwenden gilt. So aber auch sich selber (nur daß er seine Leistungskraft immer neu im Experiment ermitteln muß und doch ihre Grenzen nicht erfährt). Auch er selbst wird von sich als Es behandelt.

So ist denn sein Ichsagen kein lebhaft nachdrückliches, kein volles; aber erst recht nicht ein (wie beim modernen Eigenmenschen) dergleichen vortäuschendes. Er spricht gar nicht von sich, er spricht nur »von sich aus«. Das Ich, das er redet und schreibt, ist das notwendige Satzsubjekt seiner Feststellungen und Anordnungen, nicht mehr und nicht weniger; es hat keine Subjektivität, aber es hat auch kein sich mit dem Sosein befassendes Selbstbewußtsein und erst recht keinen Wahn der Selbsterscheinung. »Ich bin die Uhr, die besteht und sich nicht kennt« – so hat er selbst seine Schicksalhaftigkeit, die Wirklichkeit dieses Phänomens und die Unwirklichkeit dieses Ich ausgesprochen, in der Zeit, als er aus seiner Sache geworfen war und nun erst von sich sprechen, sich denken mußte und durfte, nun erst sich auf sein Ich besinnen, – das nun erst erschien. Das erscheinende ist nicht bloßes Subjekt, aber auch zur Subjektivität gerät es nicht; entzaubert, aber nicht erlöst, spricht es sich in dem furchtbaren, so rechtmäßigen wie unrechtmäßigen Wort aus: »Das All betrachtet Uns!« Zuletzt versinkt es wieder, im Geheimnis.

Wer möchte, nach solchem Schritt und solchem Untergang, zu behaupten wagen, dieser Mensch habe seine ungeheure, ungeheuerliche Sendung verstanden, – oder, er habe sie mißverstanden? Gewiß ist, daß das Zeitalter, dessen Herr und Vorbild der Dämonische, Gegenwartslose geworden ist, ihn mißversteht. Es weiß nicht, daß hier Schickung und Vollzug, nicht Machtbrunst und Machtgenuß walten. Es begeistert sich am Gebietertum dieser Stirn und ahnt nicht, welche Zeichen darauf geschrieben stehen wie Ziffern auf dem Blatt der Uhr. Es befleißt sich, diesen Blick auf die Wesen nachzuahmen, ohne seine Not und Nötigung zu begreifen, und vertauscht die Sachstrenge dieses Ich mit gärender Eigenbewußtheit. Das Wort »Ich« bleibt das Schibboleth der Menschheit. Napoleon sprach es ohne Beziehungskraft, aber er sprach es als das Ich eines Vollzugs. Wer es ihm nachzusprechen sich bemüht, verrät nur die Heillosigkeit des eignen Selbst-Widerspruchs.

*

– Was ist das: Selbst-Widerspruch?

– Wenn der Mensch das Apriori der Beziehung nicht an der Welt bewährt, das eingeborene Du nicht am begegnenden auswirkt und verwirklicht, dann schlägt es nach innen. Es entfaltet sich am unnatürlichen, am unmöglichen Gegenstand, am Ich; das heißt: es entfaltet sich da, wo es gar keinen Ort zur Entfaltung hat. So entsteht das Gegenübertreten in sich selbst, das nicht Beziehung, Gegenwart, strömende Wechselwirkung, sondern nur Selbstwiderspruch sein kann. Der Mensch mag ihn als eine Beziehung, etwa als eine religiöse, auszudeuten versuchen, um sich dem Grauen des Doppelgängertums zu entwinden: er muß immer wieder das Trügerische der Deutung entdecken. Hier ist der Rand des Lebens. Ein Unerfülltes ist hier in den wahnwitzigen Schein einer Erfüllung geflüchtet; nun tastet es in den Irrgängen umher und verliert sich immer tiefer.

*

Zuweilen, wenn es den Menschen in der Verfremdung zwischen Ich und Welt schaudert, überkommt ihn die Erwägung, daß etwas zu tun sei. Wie wenn du in schlimmer Mitternacht vom Wachtraum gepeinigt liegst, die Bollwerke sind zerfallen und die Abgründe schreien, und du merkst mitten in der Pein: es gibt das Leben noch, ich muß nur hindurch zu ihm – wie aber, wie?: so der Mensch in den Stunden der Besinnung, schaudernd, erwägend und richtungslos. Und vielleicht weiß er die Richtung doch, ganz unten, mit dem ungeliebten Wissen der Tiefe, die Richtung der Umkehr, die über das Opfer führt. Aber er verwirft dieses Wissen; das »Mystische« hält der elektrischen Sonne nicht stand. Er ruft den Gedanken herbei, dem er – mit Recht – viel zutraut: der soll ihm alles wieder gutmachen. Es ist ja die hohe Kunst des Gedankens, ein zuverlässiges und geradezu glaubhaftes Weltbild zu malen. So sagt der Mensch zu seinem Gedanken: »Sieh diese furchtbar Lagernde da mit den grausamen Augen – ist es nicht dieselbe, mit der ich einst gespielt habe? Weißt du noch, wie sie mich damals anlachte mit eben diesen Augen, und da waren sie gut? Und sieh mein elendes Ich – ich will dirs gestehn: es ist leer, und was immer ich in mich tue, aus Erfahrung und Gebrauch, es dringt nicht in seine Höhlung. Willst dus nicht wieder gutmachen zwischen mir und ihr, daß sie ablasse und ich genese?« Und der dienst- und kunstfertige Gedanke malt mit seiner berühmten Schnelligkeit eine – nein, zwei Bildreihen, auf rechte und linke Wand. Auf der einen ist (vielmehr: geschieht, denn die Weltbilder des Gedankens sind zuverlässige Kinematographie) das Universum. Dem Wirbel der Gestirne enttaucht die kleine Erde, dem Wimmeln auf der Erde enttaucht der kleine Mensch, und nun trägt ihn die Geschichte weiter durch die Zeiten, die Ameisenhügel der Kulturen, die sie zertritt, beharrlich wieder aufzubauen. Unter der Bilderreihe steht geschrieben: »Eins und alles«. Auf der andern geschieht die Seele. Eine Spinnerin spinnt: das Kreisen aller Gestirne und das Leben aller Geschöpfe und die ganze Weltgeschichte; alles ist eines Fadens Gespinst, und heißt nicht mehr Gestirne und Geschöpfe und Welt, sondern Empfindungen und Vorstellungen, oder gar Erlebnisse und Seelenzustände. Und unter der Bilderreihe steht geschrieben: »Eins und alles«.

Wenn den Menschen fortan einmal in der Verfremdung schaudert und die Welt ihn ängstet, blickt er auf (rechtshin oder linkshin, wie es sich grad schickt) und erblickt ein Bild. Da sieht er, daß das Ich in der Welt steckt und daß es das Ich eigentlich gar nicht gibt, also kann die Welt dem Ich nichts anhaben, und er beruhigt sich; oder er sieht, daß die Welt im Ich steckt und daß es die Welt eigentlich gar nicht gibt, also kann die Welt dem Ich nichts anhaben, und beruhigt sich. Und ein andermal, wenn den Menschen in der Verfremdung schaudert und das Ich ihn ängstet, blickt er auf und erblickt ein Bild; und welches er sieht, gleichviel, das leere Ich ist mit Welt vollgestopft oder die Weltflut überströmt es, und er beruhigt sich.

Aber ein Augenblick kommt, und er ist nah, da sieht der schaudernde Mensch auf und sieht in einem Blitz beide Bilder auf einmal. Und ein tieferer Schauder erfaßt ihn.

DRITTER TEIL

Die verlängerten Linien der Beziehungen schneiden sich im ewigen Du.
Jedes geeinzelte Du ist ein Durchblick zu ihm. Durch jedes geeinzelte Du spricht das Grundwort das ewige an. Aus diesem Mittlertum des Du aller Wesen kommt die Erfülltheit der Beziehungen zu ihnen, und die Unerfülltheit. Das eingeborene Du verwirklicht sich an jeder und vollendet sich an keiner. Es vollendet sich einzig in der unmittelbaren Beziehung zu dem Du, das seinem Wesen nach nicht Es werden kann.

*

Ihr ewiges Du haben die Menschen mit vielen Namen angesprochen. Als sie von dem so Benannten sangen, meinten sie immer noch Du: die ersten Mythen waren Lobgesänge. Dann kehrten die Namen in die Essprache ein; immer stärker trieb es die Menschen, ihr ewiges Du als ein Es zu bedenken und zu bereden. Aber alle Gottesnamen bleiben geheiligt: weil in ihnen nicht bloß von Gott, sondern auch zu ihm geredet worden ist.
Manche wollen verweisen, das Wort Gott rechtmäßig zu gebrauchen, weil es so mißbraucht sei. Und gewiß ist es das beladenste aller Menschenworte. Eben darum ist es das unvergänglichste und unumgänglichste. Und was wiegt alle Irr-Rede über Gottes Wesen und Werke (wiewohl es keine

andere gegeben hat und geben kann) gegen die Eine Wahrheit, daß alle Menschen, die Gott angesprochen haben, ihn selbst meinten? Denn wer das Wort Gott spricht und wirklich Du im Sinn hat, spricht, in welchem Wahn immer er befangen sei, das wahre Du seines Lebens an, das von keinem andern eingeschränkt zu werden vermag und zu dem er in einer Beziehung steht, die alle andern einschließt.

Aber auch wer den Namen verabscheut und gottlos zu sein wähnt, wenn der mit seinem ganzen hingegebnen Wesen das Du seines Lebens anspricht, als das von keinem andern eingeschränkt zu werden vermag, spricht er Gott an.

*

Wenn wir eines Wegs gehen und einem Menschen begegnen, der uns entgegenkam und auch eines Wegs ging, kennen wir nur unser Stück, nicht das seine, das seine nämlich erleben wir nur in der Begegnung.

Von dem vollkommnen Beziehungsvorgang wissen wir, in der Art des Gelebthabens, unser Ausgegangensein, unser Wegstück. Das andre widerfährt uns nur, wir wissen es nicht. Es widerfährt uns in der Begegnung. Aber wir verheben uns daran, wenn wir davon als von einem Etwas jenseits der Begegnung reden.

Womit wir uns zu befassen, worum wir uns zu bekümmern haben, ist nicht die andre, sondern unsre Seite; ist nicht die Gnade, sondern der Wille. Die Gnade geht uns insofern an, als wir zu ihr ausgehn und ihrer Gegenwart harren; unser Gegenstand ist sie nicht.

Das Du tritt mir gegenüber. Aber ich trete in die unmittelbare Beziehung zu ihm. So ist die Beziehung Erwähltwerden und Erwählen, Passion und Aktion in einem. Wie denn eine Aktion des ganzen Wesens, als die Aufhebung aller Teilhandlungen und somit aller (nur in deren Grenzhaftigkeit gegründeter) Handlungsempfindungen, der Passion ähnlich werden muß.

Das ist die Tätigkeit des ganz gewordenen Menschen, die man das Nichttun genannt hat, wo sich nichts Einzelnes mehr, nichts Teilhaftes mehr am Menschen regt, also auch nichts von ihm in die Welt eingreift; wo der ganze, in seiner Ganzheit geschloßne, in seiner Ganzheit ruhende Mensch wirkt; wo der Mensch eine wirkende Ganzheit geworden ist. In dieser Verfassung Stetigkeit gewonnen haben heißt zur höchsten Begegnung ausgehen können.

Dazu bedarf es nicht eines Abstreifens der Sinnenwelt als einer Scheinwelt. Es gibt keine Scheinwelt, es gibt nur die Welt; die uns freilich zwiefältig erscheint nach unserer zwiefältigen Haltung. Nur der Bann der Abgetrenntheit ist abzutun. Es bedarf auch keines »Überschreitens der sinnlichen Erfahrung«; jede Erfahrung, auch die geistigste, könnte uns nur ein Es ergeben. Es bedarf auch keiner Hinwendung zu einer Welt der Ideen und Werte: die uns nicht Gegenwart werden kann. All dessen bedarf es nicht. Kann man sagen, wessen es bedarf? Nicht im Sinn einer Vorschrift. Alles, was je in den Zeiten des Menschengeistes ersonnen und erfunden worden ist an Vorschrift, an angebbarer Vorbereitung, Übung, Versenkung, hat mit dem ureinfachen Faktum der Begegnung nichts zu schaffen. Was immer für Vorteile an Erkenntnis oder Machtwirkung dieser oder jener Übung zu verdanken sein möchten, all das rührt nicht daran, wovon hier gesprochen wird. Es hat in der Eswelt seinen Platz und führt nicht einen Schritt, führt nicht *den* Schritt aus ihr. Im Sinn von Vorschriften ist das Ausgehen unlehrbar. Es ist nur aufzeigbar, so nämlich, daß man einen Kreis zieht, der alles ausschließt, was nicht dieses ist. Dann wird das eine sichtbar, worauf es ankommt: die vollkommne Akzeptation der Gegenwart.

Freilich setzt die Akzeptation, je weiter der Mensch sich in das Abgetrenntsein verlaufen hat, ein um so schwereres Wagnis, eine um so elementarere Umkehr voraus; ein Aufgeben nicht etwa des Ich, wie die Mystik zumeist meint: das Ich ist wie zu jeder Beziehung so auch zur höchsten unerläßlich, da sie nur zwischen Ich und Du geschehen kann; ein Aufgeben also nicht des Ich, aber jenes falschen Selbstbehauptungstriebs, der den Menschen vor der unzuverlässigen, undichten, dauerlosen, unübersehbaren, gefährlichen Welt der Beziehung in das Haben der Dinge flüchten läßt.

*

Jede wirkliche Beziehung zu einem Wesen oder einer Wesenheit in der Welt ist ausschließlich. Losgemacht, herausgetreten, einzig und gegenüber wesend ist ihr Du. Es füllt den Himmelskreis: nicht als ob nichts anderes wäre, aber alles andre lebt in *seinem* Licht. Solang die Gegenwart der Beziehung währt, ist diese ihre Weltweite unantastbar. Sowie jedoch ein Du zu Es wird, erscheint die Weltweite der Beziehung als ein Unrecht an der Welt, ihre Ausschließlichkeit als eine Ausschließung des Alls.

In der Beziehung zu Gott sind unbedingte Ausschließlichkeit und unbedingte Einschließlichkeit eins. Wer in die absolute Beziehung tritt, den geht nichts Einzelnes mehr an, nicht Dinge und nicht Wesen, nicht Erde und nicht Himmel; aber alles ist in der Beziehung eingeschlossen. Denn nicht von allem absehen heißt in die reine Beziehung treten, sondern alles im Du sehen; nicht der Welt entsagen, sondern sie in ihren Grund stellen. Von der Welt wegblicken, das hilft nicht zu Gott; auf die Welt hinstarren, das hilft auch nicht zu ihm; aber wer die Welt in ihm schaut, steht in seiner Gegenwart. »Hier Welt, dort Gott« – das ist Es-Rede; und »Gott in der Welt« – das ist andre Es-Rede; aber nichts ausschalten, nichts dahinterlassen, alles – all die Welt mit im Du begreifen, der Welt ihr Recht und ihre Wahrheit geben, nichts neben Gott, aber auch alles in ihm fassen, das ist vollkommne Beziehung.

Man findet Gott nicht, wenn man in der Welt bleibt, man findet Gott nicht, wenn man aus der Welt geht. Wer mit dem ganzen Wesen zu seinem Du ausgeht und alles Weltwesen ihm zuträgt, findet ihn, den man nicht suchen kann.

Gewiß ist Gott »das ganz Andere«; aber er ist auch das ganz Selbe: das ganz Gegenwärtige. Gewiß ist er das Mysterium tremendum, das erscheint und niederwirft; aber er ist auch das Geheimnis des Selbstverständlichen, das mir näher ist als mein Ich.

Wenn du das Leben der Dinge und der Bedingtheit ergründest, kommst du an das Unauflösbare, wenn du das Leben der Dinge und der Bedingtheit bestreitest, gerätst du vor das Nichts; wenn du das Leben heiligst, begegnest du dem lebendigen Gott.

*

Der Du-Sinn des Menschen, dem aus den Beziehungen zu allem einzelnen Du die Enttäuschung des Eswerdens widerfährt, strebt über sie alle hinaus und doch nicht hinweg seinem ewigen Du zu. Nicht wie man etwas sucht: es gibt in Wahrheit kein Gott-Suchen, weil es nichts gibt, wo man ihn nicht finden könnte. Wie töricht und hoffnungslos wäre einer, der vom Weg seines Lebens abwiche, um Gott zu suchen: ob er auch alle Weisheit der Einsamkeit und alle Macht der Sammlung gewänne, ihn verfehlte er. Vielmehr ist es, wie wenn einer seines Wegs geht und nur eben wünscht, es möchte *der* Weg sein; in der Kraft seines Wunsches äußert sich sein Streben. Jedes Beziehungsereignis ist eine Station, die ihm einen Blick in das erfüllende auftut; so ist er in allen des einen unteilhaftig, aber teilhaftig auch, weil er gewärtig ist. Gewärtig, nicht suchend, geht er seines Wegs; daher hat er die Gelassenheit zu allen Dingen und die Berührung, die ihnen hilft. Aber wenn er gefunden hat, ist sein Herz ihnen nicht abgewandt, ob ihm nun auch alles in einem begegnet. Er segnet alle Zellen, die ihn beherbergt haben, und alle, in denen er noch einkehren wird. Denn dieses Finden ist nicht ein Ende des Wegs, nur seine ewige Mitte.

Es ist ein Finden ohne Suchen; ein Entdecken dessen, was das Ursprünglichste und der Ursprung ist. Der Du-Sinn, der sich nicht ersättigen kann, bis er das unendliche Du findet, hatte es vom Anfang sich gegenwärtig: die Gegenwart mußte ihm nur ganz wirklich werden, aus der Wirklichkeit des geheiligten Weltlebens.

Es ist nicht so, daß Gott aus irgend etwas erschlossen werden könnte, etwa aus der Natur als ihr Urheber, oder aus der Geschichte als ihr Lenker, oder auch aus dem Subjekt als das Selbst, das sich in ihm denkt. Es ist nicht so, daß irgend etwas anderes »gegeben« und dies erst daraus abgeleitet wäre, sondern dies ist das uns unmittelbar und zunächst und dauernd gegenüber Wesende: das rechtmäßig nur angesprochen, nicht ausgesagt werden kann.

*

Man will als das wesentliche Element in der Beziehung zu Gott ein Gefühl ansehn, das man Abhängigkeitsgefühl, neuerdings genauer Kreaturgefühl nennt. So richtig die Heraushebung und Bestimmung dieses Elements ist, so sehr wird durch dessen gegengewichtslose Betonung der Charakter der vollkommnen Beziehung verkannt.

Was von der Liebe schon gesagt worden ist, gilt hier noch gewisser: Gefühle begleiten nur das Faktum der Beziehung, die sich ja nicht in der Seele, sondern zwischen Ich und Du vollzieht. Man mag ein Gefühl noch so essentiell verstehen, es bleibt der Dynamik der Seele unterworfen, wo eins vom andern überholt, übertroffen, aufgehoben wird; es steht – zum Unterschied von der Beziehung – in einer Skala. Vor allem aber hat jedes Gefühl seinen Platz innerhalb einer polaren Spannung; es zieht seine Farbe und seine Bedeutung nicht aus sich allein, sondern aus seinem Gegenpol auch; jedes Gefühl ist gegensatzbedingt. So wird die absolute Beziehung, die in der Wirklichkeit alle relativen einschließt und kein Teil mehr wie sie sondern das Ganze als ihrer aller Vollendung und Einswerden ist, in der Psychologie relativiert, indem sie auf ein herausgehobnes und abgegrenztes Gefühl zurückgeführt wird.

Von der Seele aus kann die vollkommne Beziehung nur bipolar, nur als die coincidentia oppositorum, als die Einung der Gefühlsgegensätze erfaßt werden. Freilich entschwindet der eine Pol oft – von der religiösen Grundeinstellung der Person niedergehalten – dem rückschauenden Bewußtsein und kann nur in der reinsten, unbefangensten Tiefenbesinnung erinnert werden.

Ja, du hast dich in der reinen Beziehung schlechthin abhängig gefühlt, wie du dich in keiner andern irgend zu fühlen vermögend bist, – und schlechthin frei auch, wie nie und nirgends sonst; kreaturhaft – und kreatorisch. Da hattest du nicht mehr das eine, vom andern eingeschränkt, sondern beides schrankenlos, und beides mitsammen.

Daß du Gott brauchst, mehr als alles, weißt du allzeit in deinem Herzen; aber nicht auch, daß Gott dich braucht, in der Fülle seiner Ewigkeit dich? Wie gäbe es den Menschen, wenn Gott ihn nicht brauchte, und wie gäbe es dich? Du brauchst Gott, um zu sein, und Gott braucht dich – zu eben dem, was der Sinn deines Lebens ist. Belehrungen und Gedichte mühen sich mehr zu sagen, und sagen zuviel: welch ein trübes und überhebliches Gerede, das vom »werdenden Gott« – aber ein Werden des seienden Gottes ist, das wissen wir unverbrüchlich in unserem Herzen. Die Welt ist nicht göttliches Spiel, sie ist göttliches Schicksal. Daß es die Welt, daß es den

Menschen, daß es die menschliche Person, dich und mich gibt, hat göttlichen Sinn.
Schöpfung – sie geschieht an uns, sie glüht sich uns ein, glüht uns um, wir zittern und vergehn, wir unterwerfen uns. Schöpfung – wir nehmen an ihr teil, wir begegnen dem Schaffenden, reichen uns ihm hin, Helfer und Gefährten.
Zwei große Diener gehen durch die Zeiten, das Gebet und das Opfer. Der Beter schüttet sich in rückhaltloser Abhängigkeit hin, und weiß sich – unbegreifbar – auf Gott wirken, wenn auch nicht eben von Gott erwirken; denn wenn er sich nichts mehr begehrt, sieht er sein Wirken in der höchsten Flamme brennen. Und der Opferer? Ich kann ihn nicht verachten, den redlichen Knecht der Vorzeit, der meinte, Gott habe Verlangen nach dem Duft seines Brandopfers: er wußte, in einer närrischen und kräftigen Weise, daß man Gotte geben kann und soll; und das weiß auch, wer seinen kleinen Willen Gott darbringt und ihm im großen begegnet. »Dein Wille geschehe«, nicht mehr als das spricht er, aber die Wahrheit spricht weiter für ihn: »durch mich, den du brauchst«. Was unterscheidet Opfer und Gebet von aller Magie? Diese will wirken, ohne in die Beziehung einzutreten, und übt Künste im Leeren; sie aber stellen sich »vor das Angesicht«, in die Vollendung des heiligen Grundworts, das Wechselwirkung bedeutet. Sie sprechen Du, und vernehmen.
Die reine Beziehung als Abhängigkeit verstehen wollen heißt den einen Träger der Beziehung und damit sie selber entwirklichen wollen.

*

Von der entgegengesetzten Seite aus geschieht das gleiche, wenn man als das wesentliche Element im religiösen Akt die Versenkung oder Einwandlung in das Selbst ansieht – sei es durch dessen Entledigung von aller ichhaften Bedingtheit, sei es durch dessen Erfassung als des Einen Denkenden und Seienden. Die erste Betrachtungsweise meint, daß Gott in das ichledige Wesen eingehe oder dieses in Gott aufgehe, die andre, daß es unmittelbar in sich selbst als dem göttlichen Einen stehe; die erste also, daß in einem höchsten Moment das Dusagen aufhöre, weil keine Zweiheit mehr sei, die andre, daß das Dusagen überhaupt nicht in Wahrheit bestehe, weil in Wahrheit keine Zweiheit sei; die erste glaubt an die Vereinigung, die andre an die Identität des Menschlichen mit dem Göttlichen. Beide behaupten ein Jenseits von Ich und Du, die erste ein – etwa in der Ekstase – werdendes, die andre ein seiendes und sich – etwa in der Selbstschau des denkenden Subjekts – offenbarendes. Beide heben die Beziehung auf, die erste gleichsam dynamisch durch das Verschlungenwerden des Ich vom Du, das nun aber eben nicht mehr Du, sondern das Alleinseiende ist, die andre gleichsam statisch durch das sich als das Alleinseiende Erkennen des zum Selbst gelösten Ich. Wenn die Abhängigkeitslehre den Ich-Träger des Weltbogens der reinen Beziehung so schwach und nichtig sieht, daß seine Tragfähigkeit nicht mehr glaubhaft ist, läßt die eine Versenkungslehre den Bogen in seiner Vollendung verschwinden, die andre behandelt ihn als ein zu überwindendes Wahnbild.

Die Versenkungslehren berufen sich auf die großen Sprüche der Identifizierung – die eine vor allem

auf das johanneische »Ich und der Vater sind eins«, die andre auf die Lehre des Sandilya: »Das Allumfassende, dieses ist mein Selbst im inneren Herzen«.
Die Wege dieser Sprüche sind einander entgegengesetzt. Der erste entspringt (nach unterirdischem Strömen) dem mythengroßen Leben einer Person und entfaltet sich in einer Lehre, der andre taucht in einer Lehre auf und mündet (vorerst) im mythengroßen Leben einer Person. Auf diesen Wegen wandelt sich der Charakter des Spruchs. Der Christus der johanneischen Tradition, das einmalig fleischgewordene Wort, führt zum eckhartschen, den Gott ewiglich in der Menschenseele zeugt; die upanischadische Krönungsformel des Selbst: »Das ist das Wirkliche, es ist das Selbst, und das bist du« führt in weit kürzerer Frist zu der buddhischen Absetzungsformel: »Ein Selbst und ein Selbstgehöriges ist in Wahrheit und Wirklichkeit nicht zu erfassen«.
Beider Wege Anfang und Ende wollen gesondert betrachtet sein.
Daß die Berufung auf das »sind eins« nicht begründet ist, wird jedem offenbar, der unbefangen Abschnitt für Abschnitt das Evangelium nach Johannes liest. Es ist recht eigentlich das Evangelium der reinen Beziehung. Hier ist Wahreres als der geläufige Mystenvers: »Ich bin du und du bist ich«. Der Vater und der Sohn, die Wesensgleichen – wir dürfen sagen: Gott und der Mensch, die Wesensgleichen, sind die unaufhebbar wirklichen Zwei, die zwei Träger der Urbeziehung, die von Gott zum Menschen Sendung und Befehl, vom Menschen zu Gott Schauen und Vernehmen, zwi-

schen beiden Erkenntnis und Liebe heißt und in der der Sohn, wiewohl der Vater in ihm wohnt und wirkt, sich dem »Größeren« beugt und zu ihm betet. Alle modernen Versuche, diese Urwirklichkeit der Zwiesprache in ein Verhältnis des Ich zum Selbst oder dergleichen, in einen in der sich genügenden Innerlichkeit des Menschen beschlossenen Vorgang umzudeuten, sind vergeblich; sie gehören mit in die abgründige Geschichte der Entwirklichung.

– Aber die Mystik? Sie berichtet, wie Einheit ohne Zweiheit erlebt wird. Darf die Treue ihres Berichts angezweifelt werden?

– Ich weiß nicht von einem allein, sondern von zweierlei Geschehnis, darin man keiner Zweiheit mehr gewahr wird. Die Mystik vermengt sie zuweilen in ihrer Rede; auch ich habe es einst getan.

Das eine ist das Einswerden der Seele. Das ist nicht etwas, was sich zwischen dem Menschen und Gott, sondern etwas, was sich im Menschen ereignet. Die Kräfte sammeln sich in den Kern ein, alles, was sie abziehn will, wird einbewältigt, das Wesen steht allein in sich selbst und jubiliert, wie Paracelsus sagt, in seiner Exaltation. Das ist der entscheidende Augenblick des Menschen. Ohne ihn ist er zum Werk des Geistes nicht tauglich. Mit ihm: es entscheidet sich in einem Innersten, ob dies Rüste oder Genügen bedeutet. Der Mensch kann, zur Einheit eingesammelt, zur nun erst vollkommen geratenden Begegnung mit dem Geheimnis und Heil ausgehn. Er kann aber auch die Seligkeit der Sammlung auskosten und, ohne sich in die höchste Pflicht zu nehmen, in die Zerstreuung zurückkehren. Alles auf unserm Weg ist Entscheidung: gemeinte, geahnte, geheime; diese im Innersten ist die urgeheime und an Bestimmung mächtigste.

Das andre Geschehnis ist jene unausforschliche Art des Beziehungsakts selbst, darin man Zwei zu Eins werden wähnt: »ein und ein vereinet da liuhtet bloz in bloz«. Ich und Du versinken, die Menschheit, die eben noch der Gottheit gegenüberstand, geht in ihr auf, Verherrlichung, Vergottung, Alleinheit ist erschienen. Wenn einer aber verklärt und erschöpft in die Not des irdischen Getriebes zurückkehrt und mit wissendem Herzen beides besinnt, muß ihm da das Sein nicht gespalten und mit dem einen Teil der Heillosigkeit preisgegeben vorkommen? Was hilft es meiner Seele, daß sie aus dieser Welt hier von neuem in die Einheit entrückt werden kann, da doch diese Welt selbst der Einheit notwendigerweise gänzlich unteilhaftig bleibt – was frommt aller »Gottesgenuß« einem entzweigerissenen Leben? Hat jenes überschwenglich reiche himmlische Nu mit meinem armen Erdennu nichts zu tun – was soll es mir, da ich doch auf Erden noch zu leben, in allem Ernst noch zu leben habe? So sind die Meister zu verstehen, die den Wonnen der »Einungs«-Ekstase entsagt haben.

Die keine Einung war. Ich nehme die Menschen zum Gleichnis, die in der Leidenschaft des erfüllenden Eros so vom Wunder der Umschlingung verzückt werden, daß ihnen das Wissen um Ich und Du im Gefühl einer Einheit untergeht, die nicht besteht und nicht bestehen kann. Was der Ekstatiker Einung nennt, das ist die verzückende Dynamik der Beziehung; nicht eine in diesem

Augenblick der Weltzeit entstandene Einheit, die Ich und Du verschmilzt, sondern die Dynamik der Beziehung selbst, die sich vor deren einander unverrückbar gegenüberstehende Träger stellen und sie dem Gefühl des Verzückten verdecken kann. Hier waltet dann eine randhafte Übersteigerung des Beziehungsakts; die Beziehung selbst, ihre vitale Einheit wird so vehement empfunden, daß ihre Glieder vor ihr zu verblassen scheinen, daß über *ihrem* Leben das Ich und das Du, zwischen denen sie gestiftet ist, vergessen werden. Hier ist eine der Erscheinungen des Randes, zu dem sich die Wirklichkeit hinbreitet und an dem sie verschwimmt. Aber größer als alle Rätselwebe am Rande des Seins ist uns die zentrale Wirklichkeit der alltäglichen Erdenstunde, mit einem Streifen Sonne auf einem Ahornzweig und der Ahnung des ewigen Du.

Dem jedoch will sich der Anspruch der andern Versenkungslehre widersetzen, daß das Allwesen und das Selbstwesen dasselbe seien und also kein Dusagen eine letzte Wirklichkeit zu gewähren vermöge.

Diesen Anspruch beantwortet die Lehre selbst. Eine Upanischad erzählt, wie der Götterfürst Indra zu Pradschapati, dem Schöpfergeist, kommt, um zu erfahren, wie man das Selbst finde und erkenne. Er weilt ein Jahrhundert im Schülerstand, wird zweimal mit unzulänglicher Auskunft entlassen, bis sich ihm endlich die rechte zuteilt: »Wenn einer im Tiefschlaf beschlossen traumlos ruht, dies ist das Selbst, dies ist das Unsterbliche, das Gesicherte, das Allwesen«. Indra zieht von dannen, aber bald beschleicht ihn ein Bedenken; er kehrt um und fragt: »In solcher Verfassung, o Erhabener, weiß einer doch nicht von seinem Selbst: ›Das bin ich‹, und nicht: ›Das sind die Wesen‹. Der Vernichtung ist er anheimgefallen. Ich sehe hier kein Frommen.« »Ganz so, Herr, verhält es sich damit«, entgegnet Pradschapati.

Insofern die Lehre eine Aussage über das wahre Sein enthält, hat sie, wie immer es um ihren – in diesem Leben nicht zu ermittelnden – Wahrheitsgehalt steht, mit Einem nichts gemein: mit der gelebten Wirklichkeit; sie muß diese denn auch zur Scheinwelt erniedern. Und insofern die Lehre eine Anleitung zur Versenkung in das wahre Sein enthält, führt sie nicht in gelebte Wirklichkeit, sondern in die »Vernichtung«, in der kein Bewußtsein waltet, aus der kein Gedächtnis leitet, und als deren Erfahrung der Mensch, der ihr enttaucht ist, immerhin das Grenzwort der Nichtzweiheit bekennen mag, doch ohne diese als die Einheit proklamieren zu dürfen.

Wir aber wollen das heilige Gut unserer Wirklichkeit, das uns für dieses Leben, und vielleicht für kein anderes, wahrheitsnäheres, geschenkt ist, heilig pflegen.

In der gelebten Wirklichkeit gibt es keine Einheit des Seins. Wirklichkeit besteht nur im Wirken, ihre Kraft und Tiefe in der seinen. Auch »innere« Wirklichkeit ist nur, wenn Wechselwirkung ist. Die stärkste und tiefste Wirklichkeit ist, wo alles ins Wirken eingeht, der ganze Mensch ohne Rückhalt und der allumfassende Gott, das geeinte Ich und das schrankenlose Du.

Das geeinte Ich: denn es gibt (ich sprach schon davon) in der gelebten Wirklichkeit das Einswerden der Seele, die Einsammlung der Kräfte in den Kern, den entscheidenden Augenblick des Menschen. Aber das ist nicht wie jene Versenkung ein *Absehen* von der wirklichen Person. Die Versenkung will nur das »Reine«, das Eigentliche, das Dauernde wahren und alles andere abstreifen; die Einsammlung achtet das Triebhafte nicht zu unrein, das Sinnenhafte nicht zu peripher, das Gemüthafte nicht zu flüchtig, – alles muß einbezogen, einbewältigt werden. Sie will nicht das abgezogene Selbst, sie will den ganzen, ungeschmälerten Menschen. Sie meint Wirklichkeit und ist es.

Die Versenkungslehre fordert und verheißt die Einkehr in das Eine Denkende, »das wovon diese Welt gedacht wird«, in das reine Subjekt. Aber in der gelebten Wirklichkeit gibt es kein Denkendes ohne Gedachtes, vielmehr ist hier das Denkende auf das Gedachte nicht minder als dieses auf jenes angewiesen. Ein Subjekt, das sich des Objektes enthebt, hebt sich als wirkliches auf. Ein Denkendes für sich gibt es – im Denken, als dessen Erzeugnis und Gegenstand nämlich, als vorstellungsfreien Grenzbegriff; sodann in der vorwegnehmenden Determination des Todes, für den man auch sein Gleichnis, den schier ebenso undurchdringlichen Tiefschlaf setzen kann; und endlich in der Aussage der Lehre über einen tiefschlafähnlichen Zustand der Versenkung, der seinem Wesen nach ohne Bewußtsein und ohne Gedächtnis ist. Dies sind die höchsten Aufgipflungen der Es-Sprache. Man muß die sublime Kraft ihres Absehens verehren, und mit eben diesem verehrenden Blick sie erkennen als das immerhin zu Erlebende, aber nicht zu Lebende.

Buddha, der »Vollendete« und der Vollender, sagt nicht aus. Er weigert sich zu behaupten, daß Einheit sei, und daß sie nicht sei; daß der durch alle Proben der Versenkung Gegangene nach dem Tod in der Einheit bestehe, und daß er nicht in ihr bestehe. Diese Weigerung, dieses »edle Schweigen« wird auf zweierlei Art erklärt; theoretisch: weil die Vollendung den Kategorien des Denkens und der Aussage entzogen sei; praktisch: weil die Enthüllung ihres Wesensbestands nicht ein wahrhaftes Heilsleben begründe. Beide Erklärungen gehören als Wahrheit zusammen: wer das Seiende als Gegenstand einer Aussage behandelt, zieht es in die Schiedlichkeit, die Antithetik der Eswelt – in der es kein Heilsleben gibt. »Wenn, o Mönch, die Ansicht obwaltet, Seele und Körper seien wesenseins, gibt es kein Heilsleben; wenn, o Mönch, die Ansicht obwaltet, die Seele sei eins und der Körper ein andres, auch dann gibt es kein Heilsleben.« Im geschauten Geheimnis, wie in der gelebten Wirklichkeit, waltet nicht das »So ist es« und nicht das »So ist es nicht«, nicht das Sein und nicht das Nichtsein, sondern das So-und-anders, das Sein-und-Nichtsein, das Unauflösbare. Dem unschiedlichen Geheimnis unschiedlich gegenüberstehen ist die Urbedingung des Heils. Daß Buddha zu denen gehört, die dies erkannt haben, ist gewiß. Wie alle rechten Lehrer, will er keine Ansicht, sondern den Weg lehren. Nur *eine* Aussage bestreitet er, die der »Toren«, es gebe kein Handeln, es gebe keine Tat, es gebe keine Kraft: man kann den Weg gehen. Nur *eine* Aussage wagt er, die entscheidende: »Es gibt, ihr Mönche, ein Ungeborenes, Ungewordenes, Ungeschaffenes, Ungestaltetes«; gäbe es dieses nicht, es gäbe kein Ziel, es gibt dieses, der Weg hat ein Ziel.

So weit dürfen wir, der Wahrheit unserer Begegnung getreu, Buddha folgen: ein weiterer Schritt wäre Untreue an der Wirklichkeit unseres Lebens. Denn nach der Wahrheit und Wirklichkeit, die wir nicht aus uns holen, die uns eingegeben und zugeteilt ist, wissen wir: Ist jenes eins der Ziele nur, so kann es nicht das unsere sein, ist es das Ziel, so ist es falsch bezeichnet. Und: Ist es eins der Ziele, so mag der Weg bis zu ihm führen, ist es das Ziel, so führt er ihm nur näher.

Als das Ziel bezeichnet Buddha die »Aufhebung des Leidens«, das ist des Werdens und Vergehens: die Erlösung aus dem Rad der Geburten. »Nicht gibt es hinfort eine Wiederkehr« sei die Formel dessen, der sich von der Begierde nach dem Dasein und damit von dem Immer-wieder-werden-müssen befreit habe. Wir wissen nicht, ob es Wiederkehr gibt; wir ziehen die Linie dieser Zeitdimension, in der wir leben, nicht über dieses Leben hinaus, und versuchen nicht aufzudecken, was sich uns zu seiner Frist und in seinem Gesetz offenbaren will; aber wüßten wir, daß es Wiederkehr gibt, wir würden keiner zu entrinnen suchen, und wohl nicht nach dem krassen Dasein, aber danach begehren, in jedem Dasein, in dessen Art und Sprache, das ewige Ich des Vergänglichen und das ewige Du des Unvergänglichen sprechen zu dürfen.

Ob Buddha zum Ziel der Erlösung vom Wiederkehren-müssen führt, wissen wir nicht. Zu einem Zwischenziel führt er gewiß, das auch uns angeht: zum Einswerden der Seele. Aber er führt dahin nicht bloß, wie es notwendig ist, abseits vom »Dikkicht der Meinungen«, sondern auch vom »Trug der Gestaltungen« – der für uns kein Trug, vielmehr (trotz aller subjektivierenden Paradoxien der Anschauung, *die für uns eben dazu gehören)* die zuverlässige Welt ist; auch sein Weg ist ein Absehen, und wenn er uns etwa der Vorgänge in unserem Körper innewerden heißt, meint er damit fast das Gegenteil unserer sinngewissen Leibeseinsicht. Und er führt das geeinte Wesen nicht weiter zu jenem höchsten Dusagen, das ihm erschlossen ist. Seine Entscheidung im Innersten scheint auf die Aufhebung des Dusagenkönnens zu gehen.

Buddha kennt das Dusagen zum Menschen – das zeigt der groß überlegene, aber auch groß unmittelbare Verkehr mit den Schülern –, doch er lehrt es nicht; denn dieser Liebe, die »alles was geworden ist unbegrenzbar einbegreifen in der Brust« heißt, ist das schlichte Gegenüberstehen von Wesen zu Wesen fremd. Gewiß kennt er in der Tiefe seines Schweigens auch das Dusagen zum Urgrund, über all die von ihm wie Schüler behandelten »Götter« hinweg, – aus einem zur Substanz gewordenen Beziehungsvorgang ist seine Tat gekommen, auch sie eine Antwort an das Du; aber er verschweigt es.

Seine Völker-Nachfolge jedoch, »das Große Fahrzeug«, hat ihn herrlich verleugnet. Sie hat das ewige Du des Menschen angesprochen – unter Buddhas Namen. Und als den kommenden Buddha, den letzten dieses Weltalters, erwartet sie den, der die Liebe erfüllen soll.

Alle Versenkungslehre gründet in dem gigantischen Wahn des in sich zurückgebognen menschlichen Geistes: er geschehe im Menschen. In Wahrheit geschieht er vom Menschen aus – zwischen dem Menschen und Dem, was nicht er ist. Indem der zurückgebogne Geist diesem seinem Sinn, diesem seinem Beziehungssinn absagt, muß er Das, was nicht der

Mensch ist, in den Menschen hereinziehen, er muß Welt und Gott verseelen. Dies ist der Seelenwahn des Geistes.
»Ich verkündige, Freund«, spricht Buddha, »daß in diesem klaftergroßen, empfindungsbehafteten Asketenleibe die Welt wohnt und die Entstehung der Welt und die Aufhebung der Welt und der Weg, der zur Aufhebung der Welt führt.«
Das ist wahr, aber im letzten ist es nicht mehr wahr.
Gewiß »wohnt« die Welt in mir als Vorstellung, geradeso wie ich in ihr als Ding wohne. Aber darum ist sie doch nicht in mir, geradeso wie ich doch nicht in ihr bin. Sie und ich sind wechselseitig einbezogen. Dieser Denkwiderspruch, dem Esverhältnis inhärent, wird vom Duverhältnis aufgehoben, das mich von der Welt löst, um mich mit ihr zu verbinden.
Den Selbst-Sinn, das nicht mit in die Welt Einbeziehbare, trage ich in mir. Den Seins-Sinn, das nicht mit in die Vorstellung Einbeziehbare, trägt die Welt in sich. Dieses aber ist nicht ein denkbarer »Wille«, sondern eben die ganze Welthaftigkeit der Welt, wie jenes nicht ein »erkennendes Subjekt«, sondern die ganze Ichhaftigkeit des Ich ist. Hier gilt kein weiteres »Zurückführen«: wer die letzten Einheiten nicht ehrt, vereitelt den nur begreifbaren, nicht begrifflichen Sinn.
Die Entstehung der Welt und die Aufhebung der Welt sind nicht in mir; sie sind aber auch nicht außer mir; sie sind überhaupt nicht, sie geschehen immerdar, und ihr Geschehen hängt auch mit mir, mit meinem Leben, meiner Entscheidung, meinem Werk, meinem Dienst zusammen, hängt auch von mir,

von meinem Leben, meiner Entscheidung, meinem Werk, meinem Dienst ab. Aber nicht davon, ob ich die Welt in meiner Seele »bejahe« oder »verneine«, sondern davon, wie ich meine Seelenhaltung zur Welt zu Leben, zu welteinwirkendem Leben, zu Wirklichem Leben werden lasse, – und im Wirklichen Leben können die Wege von sehr verschiednen Seelenhaltungen aus einander kreuzen. Wer aber seine Haltung nur »erlebt«, nur in der Seele vollzieht, der mag noch so gedankenvoll sein, er ist weltlos – und alle Spiele, Künste, Räusche, Enthusiasmen und Mysterien, die sich in ihm begeben, rühren an die Haut der Welt nicht. Solang sich einer nur in seinem Selbst erlöst, kann er der Welt weder Liebes noch Leides tun, er geht sie nicht an. Nur wer an die Welt glaubt, bekommt es mit ihr selbst zu tun; und gibt er sich dran, kann er auch nicht gottlos bleiben. Lieben wir die wirkliche, die sich nie aufheben lassen will, nur wirklich in all ihrem Grauen, wagen wir es nur, die Arme unseres Geistes um sie zu legen: und unsre Hände begegnen den Händen, die sie halten.

Ich weiß nichts von einer »Welt« und von einem »Weltleben«, die einen von Gott trennten; was so genannt wird, ist das Leben mit einer verfremdeten Eswelt, das erfahrende und gebrauchende. Wer wahrhaft zur Welt ausgeht, geht zu Gott aus. Sammlung und Ausgehn, beide wahrhaft, das Ein-und-andre, welches das Eine ist, tut not.

Gott umfaßt das All, und ist es nicht; so aber auch umfaßt Gott mein Selbst, und ist es nicht. Um dieses Unbesprechbaren willen kann ich in meiner Sprache, wie jegliches in seiner, Du sagen; um dieses willen gibt es Ich und Du, gibt es Zwiesprache, gibt es

Sprache, gibt es den Geist, dessen Urakt sie ist, gibt es in Ewigkeit das Wort.

*

Die »religiöse« Situation des Menschen, sein Dasein in der Präsenz, ist durch ihre wesenhafte und unauflösbare Antinomik gekennzeichnet. Daß diese Antinomik unauflösbar ist, macht ihr Wesen aus. Wer die These annimmt und die Antithese ablehnt, verletzt den Sinn der Situation. Wer eine Synthese zu denken versucht, zerstört den Sinn der Situation. Wer die Antinomik zu relativieren strebt, hebt den Sinn der Situation auf. Wer irgendwie anders als mit dem Leben den Widerstreit der Antinomik austragen will, vergeht sich gegen den Sinn der Situation. Der Sinn der Situation ist, daß sie in all ihrer Antinomik gelebt und nur gelebt und immer wieder, immer neu, unvorsehbar, unvordenkbar, unvorschreibbar gelebt wird.

Ein Vergleich der religiösen mit der philosophischen Antinomie wird dies verdeutlichen. Kant mag den philosophischen Widerstreit zwischen Notwendigkeit und Freiheit relativieren, indem er jene der Welt der Erscheinung, diese der des Seins zuweist, so daß die beiden Setzungen einander nicht mehr eigentlich entgegenstehn, vielmehr sich miteinander ebenso vertragen, wie die Welten, für die sie gültig sind. Aber wenn ich Notwendigkeit und Freiheit nicht in gedachten Welten meine, sondern in der Wirklichkeit meines Vor-Gott-stehens, wenn ich weiß: »Ich bin anheimgegeben« und zugleich weiß: »Es kommt auf mich an«, dann darf ich dem Paradox, das ich zu leben habe, nicht durch Zuweisung der unverträglichen Sätze an zwei gesonderte Geltungsbereiche zu entkommen suchen, dann darf ich mir auch von keinem theologischen Kunstgriff zu einer begrifflichen Versöhnung helfen lassen, ich muß beide in einem zu leben auf mich nehmen, und gelebt sind sie eins.

*

Die Augen des Tiers haben das Vermögen einer großen Sprache. Selbständig, ohne einer Mitwirkung von Lauten und Gebärden zu bedürfen, am wortmächtigsten, wenn sie ganz in ihrem Blick ruhen, sprechen sie das Geheimnis in seiner naturhaften Einriegelung, das ist in der Bangigkeit des Werdens aus. Diesen Stand des Geheimnisses kennt nur das Tier, nur es kann ihn uns eröffnen, – der sich eben nur eröffnen, nicht offenbaren läßt. Die Sprache, in der es geschieht, ist, was sie sagt: Bangigkeit – die Regung der Kreatur zwischen den Reichen der pflanzenhaften Sicherung und des geistigen Wagnisses. Diese Sprache ist das Stammeln der Natur unter dem ersten Griff des Geistes, ehe sie sich ihm zu seinem kosmischen Wagnis, das wir Mensch nennen, ergibt. Aber kein Reden wird je wiederholen, was das Stammeln mitzuteilen weiß.

Ich sehe zuweilen in die Augen einer Hauskatze. Das domestizierte Tier hat nicht etwa von uns, wie wir uns zuweilen einbilden, die Gabe des wahrhaft »sprechenden« Blicks empfangen, sondern nur – um den Preis der elementaren Unbefangenheit – die Befähigung, ihn uns Untieren zuzuwenden. Wobei nun aber in ihn, in seine Morgendämmerung und noch in seinen Aufgang, ein Etwas aus Staunen und Frage gekommen ist, das dem ursprünglichen, in all seiner Bangigkeit, doch wohl gänzlich fehlt. Diese

Katze begann ihren Blick unbestreitbar damit, mich mit dem unter dem Anhauch meines Blicks aufglimmenden zu fragen: »Kann das sein, daß du mich meinst? Willst du wirklich nicht bloß, daß ich dir Späße vormache? Gehe ich dich an? Bin ich dir da? Bin ich da? Was ist das da von dir her? Was ist das da um mich her? Was ist das an mir? Was ist das?!« (»Ich« ist hier eine Umschreibung für ein Wort der ichlosen Selbstbezeichnung, das wir nicht haben; unter »das« stelle man sich den strömenden Menschenblick in der ganzen Realität seiner Beziehungskraft vor.) Da war der Blick des Tiers, die Sprache der Bangigkeit, groß aufgegangen – und da ging er schon unter. Mein Blick war freilich ausdauernder; aber er war der strömende Menschenblick nicht mehr.

Der Weltachsendrehung, die den Beziehungsvorgang einleitet, war fast unmittelbar die andre gefolgt, die ihn endet. Eben noch hatte die Eswelt das Tier und mich umgeben, ausgestrahlt war einen Blick lang Duwelt aus dem Grunde, nun war sie schon in jene zurückgelöschen.

Um der Sprache dieses fast unmerklichen Geistsonnen-Aufgangs und -Untergangs willen erzähle ich die winzige Begebenheit, die mir etliche Male widerfuhr. An keiner andern habe ich so tief die Vergänglichkeit der Aktualität in allen Beziehungen zu den Wesen erkannt, die erhabne Schwermut unsres Loses, das schicksalhafte Eswerden alles geeinzelten Du. Denn sonst gab es zwischen Morgen und Abend des Ereignisses seinen ob auch kurzen Tag, hier aber flossen Morgen und Abend grausam ineinander, das lichte Du erschien und schwand: war die Bürde der Eswelt wirklich dem Tier und mir einen Blick lang abgenommen worden? Ich konnte mich immerhin noch darauf besinnen, das Tier aber war aus dem Stammeln seines Blicks in die sprachlose, fast gedächtnislose Bangigkeit zurückgesunken.

Wie ist es doch mächtig, das Kontinuum der Eswelt, und wie zart die Erscheinungen des Du!

So vieles kann die Kruste der Dinglichkeit nie durchbrechen! O Glimmerstück, welches anschauend ich einst zuerst verstand, daß Ich nicht etwas »in mir« ist, – mit dir war ich dennoch nur in mir verbunden; nur in mir, nicht zwischen mir und dir hat es sich damals begeben. Wenn aber eins hervorsteigt aus den Dingen, ein Lebendes, und mir Wesen wird, und sich in Nähe und Sprache zu mir begibt, wie unabwendbar kurz ist es mir nichts als Du! Nicht die Beziehung ist es, die notwendig nachläßt, aber die Aktualität ihrer Unmittelbarkeit. Die Liebe selber kann nicht in der unmittelbaren Beziehung verharren; sie dauert, aber im Wechsel von Aktualität und Latenz. Jedem Du in der Welt ist seinem Wesen nach geboten, uns Ding zu werden oder doch immer wieder in die Dinghaftigkeit einzugehn.

Nur in einer, der allumfassenden Beziehung ist die Latenz noch Aktualität. Nur Ein Du hört seinem Wesen nach nie auf, uns Du zu sein. Wohl kennt, wer Gott kennt, die Gottferne auch und die Pein der Dürre über dem geängstigten Herzen; aber die Präsenzlosigkeit nicht. Nur wir sind nicht immer da.

Der Liebende der Vita Nova sagt richtig und rechtmäßig zumeist Ella und nur zuweilen Voi. Der Schauende des Paradiso, wenn er Colui sagt, redet – aus dichterischer Notdurft – uneigentlich, und weiß es. Ob man Gott als Er oder als Es beredet, es ist immer Allegorie. Sprechen wir aber Du zu ihm, dann ist die ungebrochene Wahrheit der Welt von sterblichem Sinn gewortet.

*

Jede wirkliche Beziehung in der Welt ist ausschließlich; das Andere bricht in sie ein und rächt seine Ausschließung. Einzig in der Beziehung zu Gott sind unbedingte Ausschließlichkeit und unbedingte Einschließlichkeit eins, darin das All begriffen ist.
Jede wirkliche Beziehung in der Welt ruht auf der Individuation; die ist ihre Wonne, denn nur so ist Einandererkennen der Verschiedenen gewährt, und ist ihre Grenze, denn so ist das vollkommne Erkennen und Erkanntwerden versagt. Aber in der vollkommnen Beziehung umfaßt mein Du mein Selbst, ohne es zu sein; mein eingeschränktes Erkennen geht in einem schrankenlosen Erkanntwerden auf.
Jede wirkliche Beziehung in der Welt vollzieht sich im Wechsel von Aktualität und Latenz, jedes geeinzelte Du muß sich zum Es verpuppen, um wieder neu sich zu beflügeln. In der reinen Beziehung aber ist die Latenz nur das Atemholen der Aktualität, darin das Du präsent bleibt. Das ewige Du ist es seinem Wesen nach; nur unser Wesen nötigt uns, es in die Eswelt und Esrede zu ziehen.

*

Die Eswelt hat Zusammenhang im Raum und in der Zeit.
Die Duwelt hat in beiden keinen Zusammenhang.
Sie hat ihren Zusammenhang in der Mitte, in der

die verlängerten Linien der Beziehungen sich schneiden: im ewigen Du.

In dem großen Privileg der reinen Beziehung sind die Privilegien der Eswelt aufgehoben. Kraft seiner gibt es das Kontinuum der Duwelt: die isolierten Momente der Beziehungen verbinden sich zu einem Weltleben der Verbundenheit. Kraft seiner steht der Duwelt die gestaltende Macht zu: der Geist kann die Eswelt durchdringen und verwandeln. Kraft seiner sind wir der Verfremdung der Welt und der Entwirklichung des Ich, sind wir der Übermächtigung durch das Gespenstische nicht ausgeliefert. Umkehr ist das Wiedererkennen der Mitte, das Sich-wieder-hinwenden. In dieser Wesenstat ersteht die verschüttete Beziehungskraft des Menschen auf, aller Beziehungssphären Welle schwillt in lebendigen Strömen und erneuert unsre Welt.

Vielleicht nicht die unsre allein. Denn als die metakosmische: der Welt als Ganzem in ihrem Verhältnis zu dem, was nicht Welt ist, einwohnende Urform der Zwiefalt, deren menschliche Gestalt die Zwiefalt der Haltungen, der Grundworte und der Weltaspekte ist, dürfen wir diese Doppelbewegung ahnen: Abwendung vom Urgrund, vermöge deren sich das All im Werden erhält, – Hinwendung zum Urgrund, vermöge deren sich das All im Sein erlöst. Beides in der Zeit schicksalhaft entfaltet, gnadenhaft eingehegt in der zeitlosen Schöpfung, die unbegreiflich zugleich Entlassen und Bewahren, zugleich Freigabe und Bindung ist. Unser Wissen um die Zwiefalt verstummt vor der Paradoxie des Urgeheimnisses.

*

Drei sind die Sphären, in denen sich die Welt der Beziehung baut.

Die erste: das Leben mit der Natur, darin die Beziehung an der Schwelle der Sprache haftet.

Die zweite: das Leben mit den Menschen, darin sie sprachgestaltig wird.

Die dritte: das Leben mit den geistigen Wesenheiten, darin sie sprachlos, aber sprachzeugend ist.

In jeder Sphäre, in jedem Beziehungsakt, durch jedes uns gegenwärtig Werdende blicken wir an den Saum des ewigen Du hin, aus jedem vernehmen wir ein Wehen von ihm, in jedem Du reden wir das ewige an, in jeder Sphäre nach ihrer Weise. Alle Sphären sind in ihm beschlossen, es in keiner.

Durch alle strahlt die eine Gegenwart.

Wir aber können jede der Gegenwart entheben.

Wir können aus dem Leben mit der Natur die »physische« Welt heben, die der Konsistenz; aus dem Leben mit den Menschen die »psychische« Welt, die der Affizierbarkeit; aus dem Leben mit den geistigen Wesenheiten die »noetische« Welt, die der Gültigkeit. Nun ist ihnen die Transparenz und damit der Sinn genommen, jede ist brauchbar und trüb geworden, und bleibt trüb, ob wir sie auch mit leuchtenden Namen – Kosmos, Eros, Logos – belehnen. In Wahrheit nämlich gibt es dem Menschen Kosmos nur, wenn das All ihm zum Haus wird mit heiligem Herd, daran er opfert; und gibt es ihm Eros nur, wenn die Wesen ihm zu Bildern des Ewigen werden und die Gemeinschaft mit ihnen zur Offenbarung; und gibt es ihm Logos nur, wenn er das Geheimnis anspricht mit Werk und Dienst am Geist.

Das heischende Schweigen der Gestalt, das liebende

Sprechen des Menschen, die kundtuende Stummheit der Kreatur: alle sind sie Pforten in die Präsenz des Worts.

Wenn aber die vollkommne Begegnung geschehen soll, sind die Pforten vereinigt zum Einen Tor des Wirklichen Lebens, und du weißt nicht mehr, durch welche du eingetreten bist.

*

Unter den drei Sphären ist eine ausgezeichnet: das Leben mit den Menschen. Hier vollendet sich die Sprache als Folge, in Rede und Gegenrede. Hier allein begegnet das sprachgeformte Wort seiner Antwort. Hier nur geht das Grundwort gleichgestaltig hin und wider, in Einer Zunge sind das der Ansprache und das der Entgegnung lebendig, Ich und Du stehen nicht bloß in der Beziehung, – auch in der festen »Redlichkeit«. Die Beziehungsmomente sind hier, und nur hier, verbunden durch das Element der Sprache, in das sie eingetaucht sind. Hier ist das Gegenüber zur vollen Wirklichkeit des Du erblüht. Hier allein gibt es denn auch als unverlierbare Wirklichkeit Schauen und Geschautwerden, Erkennen und Erkanntwerden, Lieben und Geliebtwerden.

Dies ist das Hauptportal, in dessen umfangende Öffnung die beiden Seitenpforten eingehn.

»Wenn ein Mann mit seinem Weibe innig beisammen ist, sind sie von der Sehnsucht der ewigen Hügel umweht.«

Die Beziehung zum Menschen ist das eigentliche Gleichnis der Beziehung zu Gott: darin wahrhafter Ansprache wahrhafte Antwort zuteil wird. Nur daß in Gottes Antwort sich alles, sich das All als Sprache offenbart.

*

– Aber ist nicht auch die Einsamkeit eine Pforte? Tut sich nicht zuweilen im stillsten Alleinsein ein unvermutetes Schauen auf? Kann sich nicht der Verkehr mit sich selbst geheimnishaft in einen mit dem Geheimnis verwandeln? Ja, ist nicht erst der keinem Wesen mehr Verhaftete würdig, dem Wesen gegenüberzutreten? »Komm, Einsamer, zum Einsamen«, ruft Symeon der Neue Theologe seinen Gott an.

– Es gibt zweierlei Einsamkeit, nach dem, wovon sie sich kehrt. Heißt dies Einsamkeit, sich aus dem erfahrenden und gebrauchenden Umgang mit den Dingen zu lösen: ihrer bedarf es stets, um überhaupt zum Akt der Beziehung, nicht erst der höchsten, zu kommen. Meint Einsamkeit aber Beziehungslosigkeit: wen die Wesen, zu denen er das wahre Du sprach, verlassen haben, wird von Gott aufgenommen, nicht so wer die Wesen verließ. Verhaftet etwelchen unter ihnen ist nur, wer Gier trägt, sie zu gebrauchen; wer in der Kraft der Vergegenwärtigung lebt, kann ihnen nur verbunden sein. Der Verbundene aber, der allein ist der für Gott Bereite. Denn er allein bringt Gottes Wirklichkeit eine menschliche entgegen.

Und wieder gibt es zweierlei Einsamkeit, nach dem, wozu sie sich wendet. Ist Einsamkeit der Ort der Reinigung, wie sie auch dem Verbundenen nottut, ehe er das Allerheiligste betritt, wie sie ihm aber auch mitten in seinen Proben, zwischen dem unvermeidlichen Versagen und dem Aufstieg zur Bewährung nottut: dazu sind wir beschaffen. Ist sie jedoch die Burg der Absonderung, wo der Mensch mit sich selbst Zwiesprache führt, nicht um sich für das Erwartende zu prüfen und zu meistern, sondern im Selbstgenuß seiner Seelenfiguration: dies ist der eigentliche Abfall des Geistes zur Geistigkeit. Der sich bis zur letzten Abgründlichkeit steigern kann, wo der Selbstbetörte wähnt, Gott in sich zu haben und mit ihm zu reden. Aber so wahr Gott uns umfaßt und in uns wohnt: wir haben ihn in uns nie. Und wir reden mit ihm nur, wenn es in uns nicht mehr redet.

*

Ein moderner Philosoph meint, jeder Mensch glaube notwendig entweder an Gott oder an »Götzen«, das heißt an irgendein endliches Gut – seine Nation, seine Kunst, die Macht, das Wissen, den Gelderwerb, die »immer neue Überwältigung des Weibes« –, ein Gut, das ihm zum absoluten Wert geworden sei und sich zwischen ihn und Gott gestellt habe; man brauche ihm nur die Bedingtheit dieses Gutes zu erweisen, den Götzen zu »zerschmettern«, und der abgelenkte religiöse Akt kehre von selbst zu dem ihm gemäßen Gegenstand zurück.
Diese Auffassung setzt voraus, daß das Verhältnis des Menschen zu den von ihm »vergötzten« endlichen Gütern dem zu Gott im Wesen gleich und nur am Gegenstand verschieden sei; denn nur dann könnte die bloße Substitution des rechten Gegenstandes für den falschen den Fehlgehenden erretten. Aber das Verhältnis eines Menschen zu dem »besonderen Etwas«, das sich den höchsten Wertthron seines Lebens anmaßt und die Ewigkeit verdrängt, ist

stets auf Erfahren und Gebrauchen eines Es, eines Dings, eines Genußobjekts gerichtet. Denn nur dieses Verhältnis kann den Ausblick auf Gott versperren: durch die undurchdringliche Eswelt; die dusagende Beziehung eröffnet ihn immer wieder. Wer von dem Götzen, den er gewinnen, haben und behalten will, beherrscht, von einem Besitzenwollen besessen ist, hat keinen Weg zu Gott als die Umkehr, die eine Änderung nicht des Ziels allein, sondern der Bewegungsart ist. Man heilt den Besessenen, indem man ihn zur Verbundenheit erweckt und erzieht, nicht indem man seine Besessenheit auf Gott hinleitet. Wenn einer in der Verfassung der Besessenheit bleibt, was bedeutet es, daß er nicht mehr den Namen eines Dämons oder eines ihm dämonisch verzerrten Wesens, sondern den Gottes anruft? Es bedeutet, daß er nunmehr lästert. Es ist Lästerung, wenn einer, nachdem der Götze hinterm Altar hinstürzte, das auf dem entweihten aufgeschichtete unheilige Opfer Gott darbringen will.

Wer ein Weib, ihr Leben im eignen vergegenwärtigend, liebt: das Du ihrer Augen läßt ihn in einen Strahl des ewigen Du schauen. Aber wer nach der »immer neuen Überwältigung« begierig ist, – seiner Begier wollt ihr ein Phantom des Ewigen hinhalten? Wer einem Volk, aufglühend im unermeßlichen Schicksal, dient: wenn er sich ihm hingeben will, meint er Gott. Wem aber die Nation ein Götze ist, dem er alles dienstbar machen möchte, weil er in dessen Bild das eigne erhöht, – wähnt ihr, ihr brauchtet es ihm nur zu verleiden und er schaute die Wahrheit? Und was soll es gar heißen, daß einer das Geld, das leibhaftige Un-Wesen, behandle, »als wäre es Gott«? Was hat die Wollust des Erraffens und

Schatzhütens mit der Freude an der Gegenwart des Gegenwärtigen gemein? Kann der Mammonsknecht zum Geld Du sagen? Und was soll er mit Gott anfangen, wenn er nicht Du zu sagen versteht? Er kann nicht zwei Herren dienen – auch nicht einem nach dem andern; er muß erst *anders* dienen lernen. Der durch die Substitution Bekehrte »hat« nun ein Phantom, das er Gott nennt. Gott aber, die ewige Gegenwart, läßt sich nicht haben. Wehe dem Besessenen, der Gott zu besitzen meint!

*

Man spricht von dem »religiösen« Menschen als einem, der in keiner Beziehung zur Welt und zu den Wesen zu stehen brauche, weil die Stufe des Sozialen, das von außen bestimmt werde, hier durch eine von innen allein wirkende Kraft überstiegen sei. Aber unter dem Begriff des Sozialen wird zweierlei Grundverschiedenes verquickt: die sich aus der Beziehung aufbauende Gemeinschaft und die Massierung beziehungsloser Mensch-Einheiten, die handgreiflich gewordene Beziehungslosigkeit des modernen Menschen. Der lichte Bau der Gemeinschaft aber, zu dem auch noch aus dem Verlies der »Sozialität« eine Befreiung führt, ist das Werk derselben Kraft, die in der Beziehung zwischen Mensch und Gott wirkt. Es ist jedoch diese nicht eine Beziehung neben den andern; sie ist die Allbeziehung, in die alle Ströme sich ausgießen, ohne darum zu versiegen. Meer und Ströme – wer will hier scheiden und Grenzen bestimmen? Da ist nur das eine Fluten von Ich zu Du, immer unendlicher, die eine grenzenlose Flut des Wirklichen Lebens. Man kann sein Leben nicht zwischen eine wirkliche Beziehung zu Gott und ein unwirkliches Ich-Es-Verhältnis zur Welt aufteilen, – zu Gott wahrhaft beten und die Welt benützen. Wer die Welt als das zu Benützende kennt, kennt auch Gott nicht anders. Sein Gebet ist eine Entlastungsprozedur; es fällt ins Ohr der Leere. Er – nicht der »Atheist«, der aus der Nacht und Sehnsucht seines Kammerfensters das Namenlose anspricht – ist der Gottlose.

Des weitern sagt man, der »religiöse« Mensch trete als Einzelner, als Einziger, als Abgelöster vor Gott, weil er auch die Stufe des »sittlichen« Menschen überschritten habe, der noch in Pflicht und Schuld der Welt stehe. Der freilich sei noch mit der Verantwortung für das Handeln der Handelnden beladen, weil er nämlich ganz bestimmt sei von der Spannung zwischen Sein und Seinsollen, und in die unausfüllbare Kluft zwischen beiden werfe er in grotesk aussichtslosem Opfermut Stück um Stück seines Herzens. Der »Religiöse« aber sei jener Spannung in die zwischen Welt und Gott entstiegen; da herrsche das Gebot, die Unruhe der Verantwortlichkeit und auch die des Von-sich-forderns abzustreifen, da gebe es kein eigenes Wollen, nur noch das in die Fügung Gefügt-sein, da gehe alles Sollen im unbedingten Sein auf, und die Welt bestehe wohl noch, aber sie gelte nicht mehr; man habe das Seine in ihr zu verrichten, doch gleichsam unverbindlich, im Aspekt der Nichtigkeit alles Tuns. Aber das heißt wähnen, Gott habe seine Welt zum Schein und seinen Menschen zum Taumel geschaffen. Wohl hat, der vor das Angesicht tritt, Pflicht und Schuld überflogen – aber nicht weil er sich von der Welt entfernt: weil er sich ihr wahrhaft genähert hat. Pflichtig und schuldig ist man nur dem Fremden: dem

Vertrauten ist man geneigt und liebevoll. Wer vor das Angesicht tritt, in der Fülle der Gegenwart wird ihm erst, von der Ewigkeit erleuchtet, die Welt ganz gegenwärtig, und er kann in Einem Spruch zur Wesenheit aller Wesen Du sagen. Da ist keine Spannung mehr zwischen Welt und Gott, nur die Eine Wirklichkeit. Der Verantwortung ist er nicht ledig geworden: er hat für die Pein der endlichen, den Wirkungen nachspürenden, die Schwungkraft der unendlichen eingetauscht, die Gewalt der Liebesverantwortung für das ganze, unaufspürbare Weltgeschehen, das tiefe Welteinbezogensein im Angesicht Gottes. Das sittliche Urteilen hat er freilich für immer abgetan: der »Böse«, das ist nur eben der ihm zu tieferer Verantwortung Empfohlene, der Liebesbedürftigere; aber das Sichentscheiden wird er in den Tiefen der Spontaneität üben müssen bis an den Tod, das gelassene Sich-immer-wieder-entscheiden zum rechten Tun. Da ist das Tun nicht nichtig; es ist gemeint, es ist aufgetragen, es wird gebraucht, es gehört zur Schöpfung; aber dieses Tun legt sich der Welt nicht mehr auf, es wächst an ihr daher, wie wenn es Nichttun wäre.

*

Was ist das ewige: das im Jetzt und Hier gegenwärtige Urphänomen dessen, was wir Offenbarung nennen? Es ist dies, daß der Mensch aus dem Moment der höchsten Begegnung nicht als der gleiche hervorgeht, als der er in ihn eingetreten ist. Der Moment der Begegnung ist nicht ein »Erlebnis«, das sich in der empfänglichen Seele erregt und selig rundet: es geschieht da etwas am Menschen. Das ist zuweilen wie ein Anhauch, zuweilen wie ein Ringkampf, gleichviel: es geschieht. Der Mensch, der aus dem Wesensakt der reinen Beziehung tritt, hat in seinem Wesen ein Mehr, ein Hinzugewachsenes, von dem er zuvor nicht wußte und dessen Ursprung er nicht rechtmäßig zu bezeichnen vermag. Wie immer die wissenschaftliche Weltorientierung in ihrem befugten Streben nach einer lückenlosen Ursächlichkeit die Herkunft des Neuen einreiht: uns, denen es um die wirkliche Betrachtung des Wirklichen geht, kann kein Unterbewußtsein und kein andrer Seelenapparat taugen. Die Wirklichkeit ist, daß wir empfangen, was wir zuvor nicht hatten, und es so empfangen, daß wir wissen: es ist uns gegeben worden. In der Sprache der Bibel: »Die auf Gott harren, werden Kraft eintauschen.« In der Sprache Nietzsches, der der Wirklichkeit in seinem Bericht noch treu ist: »Man nimmt, man fragt nicht, wer da gibt.«

Der Mensch empfängt, und er empfängt nicht einen »Inhalt«, sondern eine Gegenwart, eine Gegenwart als Kraft. Diese Gegenwart und Kraft schließt dreierlei ein, ungeschieden, und doch so, daß wir es als drei gesondert betrachten dürfen. Zum ersten die ganze Fülle der wirklichen Gegenseitigkeit, des Aufgenommenwerdens, des Verbundenseins; ohne daß man irgend anzugeben vermöchte, wie das beschaffen sei, womit man verbunden ist, und ohne daß das Verbundensein einem das Leben irgend erleichterte, – es macht das Leben schwerer, aber es macht es sinnschwer. Und das ist das zweite: die unaussprechliche Bestätigung des Sinns. Er ist verbürgt. Nichts, nichts kann mehr sinnlos sein. Die Frage nach dem Sinn des Lebens ist nicht mehr da. Aber wenn sie da wäre, wäre sie nicht etwa zu beantworten. Du weißt den Sinn nicht aufzuzeigen und weißt ihn nicht zu bestimmen, du hast keine Formel und hast kein Bild für ihn, und doch ist er dir gewisser als die Empfindungen deiner Sinne. Was meint er nur mit uns, was begehrt er von uns, der offenbarte und verhohlene? Nicht gedeutet – das vermögen wir nicht –, nur getan will er von uns werden. Dies ist das dritte: es ist nicht der Sinn eines »andern Lebens«, sondern dieses unseres Lebens, nicht der eines »Drüben«, sondern dieser unserer Welt, und er will in diesem Leben, an dieser Welt von uns bewährt werden. Der Sinn kann empfangen werden, aber er kann nicht erfahren werden; er kann nicht erfahren werden, aber er kann getan werden; und dies meint er mit uns. Die Bürgschaft will nicht in mir verschlossen, sondern durch mich in die Welt geboren werden. Aber wie der Sinn selber sich nicht übertragen, nicht zu einem allgemein gültigen und allgemein annehmbaren Wissen ausprägen läßt, so kann seine Bewährung nicht als ein geltendes Sollen tradiert werden, sie ist nicht vorgeschrieben, sie steht auf keiner Tafel verzeichnet, die über aller Köpfen aufzurichten wäre. Zu bewähren vermag den empfangenen Sinn jeder nur mit der Einzigkeit seines Wesens und in der Einzigkeit seines Lebens. Wie uns zur Begegnung keine Vorschrift führen kann, so führt auch aus ihr keine. Wie es zum Zu-ihr-kommen nur der Akzeptation der Gegenwart bedarf, so in einem neuen Sinn zum Aus-ihr-gehen. Wie man mit dem bloßen Du auf den Lippen in die Begegnung gelangt, so wird man mit ihm auf den Lippen aus ihr zur Welt entlassen.

Das wovor wir leben, das worin wir leben, woraus und worein wir leben, das Geheimnis: es ist geblieben, was es war. Es ist uns gegenwärtig geworden und hat sich mit seiner Gegenwart uns kundgetan als das Heil, wir haben es »erkannt«, aber wir haben keine Erkenntnis von ihm, die uns seine Geheimnishaftigkeit minderte – milderte. Wir sind Gott nahe gekommen, aber einer Enträtselung, Entschleierung des Seins nicht näher. Erlösung haben wir verspürt, aber keine »Lösung«. Was wir empfangen haben, damit können wir nicht zu den andern gehen und sagen: Dieses ist zu wissen, dieses ist zu tun. Wir können nur gehen und bewähren. Und auch dies »sollen« wir nicht – wir können – wir müssen.

Das ist die ewige, die im Jetzt und Hier gegenwärtige Offenbarung. Ich weiß von keiner, die nicht im Urphänomen die gleiche wäre, ich glaube an keine. Ich glaube nicht an eine Selbstbenennung Gottes, nicht an eine Selbstbestimmung Gottes vor den Menschen. Das Wort der Offenbarung ist: Ich bin da als der ich da bin. Das Offenbarende ist das Offenbarende. Das Seiende ist da, nichts weiter. Der ewige Kraftquell strömt, die ewige Berührung harrt, die ewige Stimme tönt, nichts weiter.

*

Das ewige Du kann seinem Wesen nach nicht zum Es werden; weil es seinem Wesen nach nicht in Maß und Grenze, auch nicht in das Maß des Unermeßlichen und die Grenze des Unbegrenztseins gesetzt werden kann; weil es seinem Wesen nach nicht als eine Summe von Eigenschaften, auch nicht als eine unendliche Summe zur Transzendenz erhobener Eigenschaften gefaßt werden kann; weil es weder in noch außer der Welt vorgefunden werden kann;

weil es nicht erfahren werden kann; weil es nicht gedacht werden kann; weil wir uns an ihm, dem Seienden verfehlen, wenn wir sagen: »Ich glaube, daß er ist« – auch »er« ist noch eine Metapher, »du« aber nicht.

Und doch machen wir das ewige Du immer wieder zum Es, zum Etwas, machen Gott zum Ding – unserem Wesen nach. Nicht aus Willkür. Die dingliche Geschichte Gottes, der Gang des Gott-Dings durch die Religion und ihre Randgebilde, durch ihre Erleuchtungen und Verfinsterungen, ihre Lebenserhöhungen und -zerstörungen, der Gang vom lebendigen Gott weg und wieder zu ihm hin, die Wandlungen von Gegenwart, Eingestaltung, Vergegenständlichung, Verbegrifflichung, Auflösung, Erneuerung sind ein Weg, sind der Weg.

Das ausgesagte Wissen und das gesetzte Tun der Religionen – woher kommen sie? Die Gegenwart und Kraft der Offenbarung (denn alle berufen sich notwendig auf irgendeine Art der Offenbarung, worthafte, naturhafte, seelenhafte – es gibt, genau genommen, nur Offenbarungsreligionen), die Gegenwart und Kraft, die der Mensch in der Offenbarung empfängt, wie werden sie zu »Inhalt«?

Die Erklärung hat zwei Schichten. Die äußere, psychische erkennen wir, wenn wir den Menschen für sich, von der Geschichte abgelöst betrachten; die innere, faktische, das Urphänomen der Religion, wenn wir ihn sodann in die Geschichte wiedereinstellen. Beide gehören zusammen.

Der Mensch begehrt Gott zu haben; er begehrt nach einer Kontinuität des Gotthabens in der Zeit und im Raum. Er will sich mit der unaussprechlichen Bestätigung des Sinns nicht begnügen, er will sie ausgebreitet sehen als etwas, was man immer wieder vornehmen und handhaben kann, ein zeitlich und räumlich lückenloses Kontinuum, das ihm das Leben an jedem Punkt und in jedem Moment versichert.

Der Lebensrhythmus der reinen Beziehung, der Wechsel von Aktualität und einer Latenz, in der nur unsere Beziehungskraft und darum die Gegenwart, nicht aber die Urpräsenz abnimmt, genügt dem Kontinuitätsdurst des Menschen nicht. Er verlangt nach zeitlicher Ausbreitung, nach Dauer. So wird Gott zum Glaubensobjekt. Ursprünglich ergänzt der Glaube in der Zeit die Beziehungsakte; allmählich ersetzt er sie. An die Stelle der stets erneuten Wesensbewegung der Einsammlung und des Ausgehens tritt das Ruhen in einem geglaubten Es. Die Dennoch-Zuversicht des Kämpfers, der Gottferne und Gottnähe kennt, verwandelt sich immer vollständiger in die Sicherheit des Nutznießers, ihm könne nichts geschehen, weil er glaube, daß Einer sei, der ihm nichts geschehen lasse.

Auch die Lebensstruktur der reinen Beziehung, die »Einsamkeit« des Ich vor dem Du, das Gesetz, daß der Mensch, wie er auch die Welt in die Begegnung einbezieht, doch nur als Person zu Gott ausgehn und ihm begegnen kann, tut dem Kontinuitätsdurst des Menschen nicht Genüge. Er verlangt nach räumlicher Ausbreitung, nach der Darstellung, in der sich die Gemeinschaft der Gläubigen mit ihrem Gott vereint. So wird Gott zum Kultobjekt. Auch der Kult ergänzt ursprünglich die Beziehungsakte: indem er das lebendige Gebet, das unmittelbare Dusagen, in einen räumlichen Zusammenhang von großer Bildkraft einfügt und mit dem Leben der

Sinne verknüpft; und auch er wird allmählich zum Ersatz, indem das persönliche Gebet vom Gemeindegebet nicht mehr getragen, sondern verdrängt wird und, da nun einmal die Wesenstat keine Regel zuläßt, die geregelte Andacht an ihre Stelle tritt.

In Wahrheit aber kann die reine Beziehung zu raumzeitlicher Stetigkeit nur auferbaut werden, indem sie sich an der ganzen Materie des Lebens verleiblicht. Sie kann nicht bewahrt, nur bewährt, sie kann nur getan, nur in das Leben eingetan werden. Der Mensch kann der Beziehung zu Gott, deren er teilhaftig geworden ist, nur gerecht werden, wenn er nach seiner Kraft, nach dem Maß jedes Tages neu Gott in der Welt verwirklicht. Darin liegt die einzige echte Bürgschaft der Kontinuität. Die echte Bürgschaft der Dauer besteht darin, daß die reine Beziehung erfüllt werden kann im Du-werden der Wesen, in ihrer Erhebung zum Du, daß das heilige Grundwort sich in allen austönt; so bildet sich die Zeit des Menschenlebens zu einer Fülle der Wirklichkeit auf, und ob es auch das Esverhältnis nicht überwinden kann und soll, ist das Menschenleben dann so von Beziehung durchwirkt, daß sie in ihm eine strahlende, durchstrahlende Stetigkeit gewinnt; die Momente der höchsten Begegnung sind da nicht Blitze in der Finsternis, sondern wie aufsteigender Mond in einer klaren Sternennacht. Und so besteht die echte Bürgschaft der Raumstetigkeit darin, daß die Beziehungen der Menschen zu ihrem wahren Du, die Radien, die von all den Ichpunkten zur Mitte ausgehn, einen Kreis schaffen. Nicht die Peripherie, nicht die Gemeinschaft ist das erste, sondern die Radien, die Gemeinsamkeit der Beziehung zur Mitte. Sie allein gewährleistet den echten Bestand der Gemeinde.

Nur wenn die beiden entstehen und nur solang sie bestehen, die Bindung der Zeit im beziehungsgemäßen Heilsleben und die Bindung des Raums in der mittegeeinten Gemeinde, nur dann entsteht und nur so lang besteht um den unsichtbaren Altar, aus dem Weltstoff des Äons im Geist gefaßt, ein menschlicher Kosmos.

Die Gottesbegegnung widerfährt dem Menschen nicht, auf daß er sich mit Gott befasse, sondern auf daß er den Sinn an der Welt bewähre. Alle Offenbarung ist Berufung und Sendung. Aber wieder und wieder vollzieht der Mensch statt der Verwirklichung eine Rückbiegung auf den Offenbarenden; er will sich statt mit der Welt mit Gott befassen. Nur steht ihm nun, dem Rückgebogenen, kein Du mehr gegenüber, er kann nichts anderes als ein Gottes-Es in die Dinglichkeit einstellen, von Gott als von einem Es zu wissen glauben und von ihm reden. Wie der ichsüchtige Mensch, statt irgend etwas, eine Wahrnehmung, eine Zuneigung, unmittelbar zu leben, auf sein wahrnehmendes oder zugeneigtes Ich reflektiert und damit die Wahrheit des Vorgangs verfehlt, so reflektiert der gottsüchtige Mensch (der sich übrigens mit jenem recht gut in einer Seele verträgt), statt die Gabe sich auswirken zu lassen, auf das Gebende, und verfehlt beides.

Im Ausgesandtsein bleibt Gott dir Gegenwart; der in der Sendung Wandelnde hat Gott stets vor sich: je treuer die Erfüllung, um so stärker und stetiger die Nähe; befassen kann er sich freilich mit Gott nicht, aber unterreden kann er sich mit ihm. Die

Rückbiegung dagegen macht Gott zum Gegenstand. Ihre scheinbare Hinwendung zum Urgrund gehört in Wahrheit zur Weltbewegung der Abwendung, wie die scheinbare Abwendung des die Sendung Erfüllenden in Wahrheit zur Weltbewegung der Hinwendung gehört.

Denn die beiden metakosmischen Grundbewegungen der Welt: die Ausbreitung in das Eigensein und die Umkehr zur Verbundenheit finden ihre höchste menschliche Gestalt, die eigentliche Geistesform ihres Kampfs und Ausgleichs, ihrer Mischung und Entmischung in der Geschichte des menschlichen Verhältnisses zu Gott. In der Umkehr wird das Wort auf Erden geboren, in der Ausbreitung verpuppt es sich zur Religion, in neuer Umkehr gebiert es sich neu beflügelt wieder.

Nicht Willkür waltet hier; ob auch die Bewegung zum Es zuweilen so weit geht, daß sie die des Wiederausgehns zum Du niederhält und zu ersticken droht.

Die gewaltigen Offenbarungen, auf die sich die Religionen berufen, sind der stillen wesensgleich, die sich allerorten und allezeit begibt. Die gewaltigen Offenbarungen, die im Anfang großer Gemeinschaften, an den Wenden der Menschenzeit stehen, sind nicht etwas anderes als die ewige Offenbarung. Aber die Offenbarung schüttet sich ja nicht durch ihren Empfänger wie durch einen Trichter in die Welt, sie tut sich ihm an, sie ergreift sein ganzes Element in all seinem Sosein und verschmilzt damit. Auch der Mensch, der »Mund« ist, ist eben dies, nicht Sprachrohr, – nicht Werkzeug, sondern Organ, eigengesetzliches lautendes Organ, und lauten heißt umlauten.

Es gibt aber eine qualitative Verschiedenheit der Geschichtszeiten. Es gibt ein Reifwerden der Zeit, wo das niedergehaltene, verschüttete wahre Element des Menschengeistes zu unterirdischer Bereitschaft gerät, in solcher Drängung und solcher Spannung, daß es nur einer Berührung des Berührenden harrt, um hervorzubrechen. Die Offenbarung, die da erscheint, ergreift das ganze bereite Element in all seiner Beschaffenheit, sie schmilzt es um und treibt darin eine Gestalt, eine neue Gestalt Gottes in der Welt.

So aber wird im Weg der Geschichte, in den Wandlungen des menschlichen Elements immer neuer Bezirk der Welt und des Geistes in die Gestalt gehoben, zur göttlichen Gestalt berufen. Immer neue Sphären werden zum Ort der Theophanie. Es ist nicht Eigenmacht des Menschen, die hier wirkt, es ist auch nicht reiner Durchgang Gottes, es ist Mischung von Göttlichem und Menschlichem. Der in der Offenbarung Ausgesandte nimmt in seinen Augen ein Gottesbild mit – so übersinnenhaft es ist, er nimmt es im Auge seines Geistes mit, in der gar nicht metaphorischen, ganz realen Augenkraft seines Geistes. Der Geist antwortet auch durch ein Schauen, durch ein *bildendes* Schauen. Ob wir Irdischen auch nie Gott ohne Welt, nur die Welt in Gott schauen, schauend bilden wir ewig Gottes Gestalt.

Gestalt ist Mischung auch von Du und Es. Sie kann in Glauben und Kult zum Gegenstand erstarren; aber aus der Essenz der Beziehung, die in ihr fortlebt, wird sie immer wieder zur Gegenwart. Gott ist seinen Gestalten nah, solang sie der Mensch ihm nicht entrückt. Im wahren Gebet vereinigen und reinigen sich Kult und Glaube zur lebendigen Beziehung. Daß das wahre Gebet in den Religionen lebt, ist das Zeugnis ihres wahren Lebens; solang es in ihnen lebt, leben sie. Entartung der Religionen bedeutet die Entartung des Gebets in ihnen: die Beziehungskraft wird in ihnen immer mehr von der Gegenständlichkeit verschüttet, es wird in ihnen immer schwerer, mit dem ganzen, ungeteilten Wesen Du zu sagen, und der Mensch muß endlich, um es zu können, aus der falschen Geborgenheit in das Wagnis des Unendlichen, aus der nur noch von der Tempelkuppel, nicht auch vom Firmament überwölbten Gemeinschaft in die letzte Einsamkeit ziehen. Es heißt diesen Antrieb zutiefst verkennen, wenn man ihn dem »Subjektivismus« zurechnet: das Leben im Angesicht ist das Leben in der Einen Wirklichkeit, dem einzigen wahren »Objektivum«, und der ausziehende Mensch will sich in das wahrhaft seiende vor dem scheinhaften, illusionären Objektivum retten, ehe es ihm seine Wahrheit verstört hat. Subjektivismus ist Verseelung, Objektivismus Vergegenständlichung Gottes, dieser falsche Verfestigung, jener falsche Befreiung, beides Abbiegung vom Weg der Wirklichkeit, beides Ersatzversuch für sie.

Gott ist seinen Gestalten nah, wenn der Mensch sie ihm nicht entrückt. Wenn aber die ausbreitende Bewegung der Religion die umkehrende niederhält und die Gestalt Gott entrückt, verlischt das Antlitz der Gestalt, ihre Lippen sind tot, ihre Hände hängen herab, Gott kennt sie nicht mehr, und das Welthaus, das um ihren Altar gebaut ist, der menschliche Kosmos zerfällt. Und es gehört zu dem, was da geschieht, daß der Mensch in der Ver-

störung seiner Wahrheit nicht mehr sieht, was da geschehen ist.
Zersetzung des Worts ist geschehen.
Das Wort ist in der Offenbarung wesend, im Leben der Gestalt wirkend, in der Herrschaft der erstorbenen wird es geltend.
So die Bahn und Widerbahn des ewigen und ewig gegenwärtigen Worts in der Geschichte.
Die Zeiten, in denen das wesende Wort erscheint, sind die, in denen sich die Verbundenheit von Ich und Welt erneuert; die Zeiten, in denen das wirkende Wort regiert, sind die, in denen sich das Einvernehmen zwischen Ich und Welt erhält; die Zeiten, in denen das Wort geltend wird, sind die, in denen sich die Entwirklichung, die Verfremdung zwischen Ich und Welt, das Werden des Verhängnisses vollzieht, – bis der große Schauder kommt, und das Atemanhalten im Dunkel, und das bereitende Schweigen.
Aber die Bahn ist kein Kreislauf. Sie ist der Weg. Das Verhängnis wird in jedem neuen Äon erdrükkender, die Umkehr sprengender. Und die Theophanie wird immer *näher*, sie nähert sich immer mehr der Sphäre *zwischen den Wesen:* nähert sich dem Reich, das in unsrer Mitte, im Dazwischen sich birgt. Die Geschichte ist eine geheimnisvolle Annäherung. Jede Spirale ihres Wegs führt uns in tiefres Verderben und in grundhaftere Umkehr zugleich. Das Ereignis aber, dessen Weltseite Umkehr heißt, dessen Gottesseite heißt Erlösung.

NACHWORT

I

Als ich (vor mehr als 40 Jahren) die erste Skizze dieses Buches entwarf, trieb mich eine innere Notwendigkeit an. Eine Sicht, die mich seit meiner Jugend immer wieder heimgesucht hatte und immer wieder getrübt worden war, hatte nun eine beständige Klarheit erlangt, und diese war so offenbar von überpersönlicher Art, daß ich alsbald wußte, für sie Zeugnis ablegen zu sollen. Einige Zeit, nachdem ich mir auch das zuständige Wort erdient hatte und das Buch in seiner endgültigen Gestalt niederschreiben durfte [1], ergab sich, daß zwar noch manches zu ergänzen war, aber eben an eigenem Ort und in selbständiger Form. So sind einige kleinere Schriften entstanden [2], die die Sicht, um die es ging, teils an Beispielen verdeutlichten, teils zur Widerlegung von Einwürfen erläuterten, teils auch an Anschauungen Kritik übten, denen sie wohl Wichtiges zu verdanken hat, denen jedoch mein wesentlichstes Anliegen, die enge Verbundenheit der Beziehung zu Gott mit der Beziehung zum Mitmenschen, nicht in seiner zentralen Bedeutung aufgegangen ist. Später sind weitere Hinweise, sei es auf die anthropologi-

[1] Es erschien 1923. – [2] [Zwiesprache. Traktat vom dialogischen Leben. (Erstfassung 1929). Neuausgabe (3. Aufl.) Heidelberg 1978, mit einem Anhang zur Editionsgeschichte; Text im vorliegenden Band, S. 137–196. – Die Frage an den Einzelnen. (1936). Jetzt im vorliegenden Band, S. 197–267. – Über das Erzieherische. (1926). In: Reden über Erziehung. 7. Aufl. Heidelberg 1986. – Das Problem des Menschen. (Zuerst hebr. 1942). 5., verb. Aufl. Heidelberg 1982.]

schen Grundlagen[3], sei es auf soziologische Konsequenzen[4], hinzugekommen. Dennoch hat es sich erwiesen, daß noch keineswegs alles hinreichend geklärt ist. Mal um Mal haben sich Leser an mich gewandt, um zu erfragen, was mit jenem und diesem gemeint sei. Ich habe lange Zeit jedem einzelnen geantwortet, aber allmählich merkte ich, daß ich der Anforderung nicht gerecht zu werden vermag, und überdies darf ich doch das dialogische Verhältnis nicht auf diejenigen Leser beschränken, die sich zum Reden entschließen, – vielleicht sind gerade unter den Schweigenden manche, die besondere Beachtung verdienen würden. So habe ich denn darangehen müssen, öffentlich zu antworten, zunächst auf einige essentielle Fragen, die sinnmäßig untereinander zusammenhängen.

2

Die erste Frage läßt sich mit einiger Präzision etwa so formulieren: Wenn wir, wie in dem Buche gesagt ist, nicht bloß zu anderen Menschen, sondern auch zu Wesen und Dingen, die uns in der Natur entgegentreten, im Ich-Du-Verhältnis stehen können, was ist es, das den eigentlichen Unterschied zwischen jenen und diesen ausmacht? Oder, noch genauer: wenn das Ich-Du-Verhältnis eine beide, das Ich und das Du, faktisch umfangende Wechselseitigkeit bedingt, wie darf die Beziehung zu Naturhaftem als

3 [Urdistanz und Beziehung. (Beiträge zu einer philosophischen Anthropologie I). (Erstfassung 1950). 4., verb. Aufl. Heidelberg 1978, mit ergänzenden Texten.] – 4 Elemente des Zwischenmenschlichen. (1954). Jetzt auf S. 269–298 dieses Bandes.

ein solches Verhältnis verstanden werden? Noch exakter: wenn wir annehmen sollen, daß auch Wesen und Dinge der Natur, denen wir als unserem Du begegnen, uns eine Art von Gegenseitigkeit gewähren, was ist dann der Charakter dieser Gegenseitigkeit und was berechtigt uns, darauf diesen fundamentalen Begriff anzuwenden?

Offenbar gibt es auf diese Frage keine einheitliche Antwort; wir müssen hier, statt die Natur gewohnterweise als ein Ganzes zu fassen, ihre verschiedenen Bezirke gesondert betrachten. Der Mensch hat einst Tiere »gezähmt« und er ist jetzt noch fähig, diese eigentümliche Wirkung auszuüben. Er zieht Tiere in seine Atmosphäre und bewegt sie dazu, ihn, den Fremden, auf eine elementare Weise anzunehmen und »auf ihn einzugehen«. Er erlangt von ihnen eine, oft erstaunliche, aktive Erwiderung auf seine Annäherung, auf seine Anrede, und zwar im allgemeinen eine um so stärkere und direktere Erwiderung, je mehr sein Verhältnis ein echtes Dusagen ist. Tiere wissen ja nicht selten, wie Kinder, eine geheuchelte Zärtlichkeit zu durchschauen. Aber auch außerhalb des Zähmungsbezirks findet zuweilen ein ähnlicher Kontakt zwischen Menschen und Tieren statt: es handelt sich da um Menschen, die eine potentielle Partnerschaft zum Tier im Grunde ihres Wesens tragen, – vorwiegend übrigens nicht etwa »animalische«, sondern eher naturhaft geistige Personen.

Das Tier ist nicht, wie der Mensch, zwiefältig: die Zwiefalt der Grundworte Ich-Du und Ich-Es ist ihm fremd, wiewohl es sich sowohl einem anderen Wesen zuwenden als auch Gegenstände betrachten kann. Wir mögen immerhin sagen, die Zwiefalt sei

hier latent. Darum dürfen wir diese Sphäre, auf unser zur Kreatur ausgehendes Dusagen hin betrachtet, die Schwelle der Mutualität nennen.
Ganz anders verhält es sich mit jenen Bezirken der Natur, denen die uns mit dem Tier gemeinsame Spontaneität fehlt. Zu unserem Begriff der Pflanze gehört, daß sie auf unsere Aktion zu ihr hin nicht reagieren, daß sie nicht »erwidern« kann. Doch bedeutet dies nicht, daß uns hier schlechthin keinerlei Reziprozität zuteil werde. Die Tat oder Haltung eines Einzelwesens gibt es hier freilich nicht, wohl aber eine Reziprozität des Seins selber, eine nichts als seiende. Jene lebende Ganzheit und Einheit des Baums, die sich dem schärfsten Blick des nur Forschenden versagt und dem des Dusagenden erschließt, ist eben dann da, wenn *er* da ist, er gewährt es dem Baum, sie zu manifestieren, und nun manifestiert sie der seiende Baum. Unsere Denkgewohnheiten erschweren uns die Einsicht, daß hier, durch unser Verhalten erweckt, vom Seienden her etwas uns entgegen aufleuchtet. In der Sphäre, um die es geht, gilt es, der sich uns eröffnenden Wirklichkeit unbefangen gerecht zu werden. Ich möchte diese weite, von Steinen zu Sternen reichende Sphäre als die der Vorschwelle, d. h. der vor der Schwelle liegenden Stufe bezeichnen.

3

Nun aber erhebt sich die Frage nach der Sphäre, die in der gleichen Bildsprache die der »Überschwelle« (superliminare) genannt werden mag, d. h. die des Balkens, der die Tür oben deckt: der Sphäre des Geistes.

Auch hier muß eine Scheidung zwischen zwei Bezirken vollzogen werden; hier aber reicht sie tiefer als jene innerhalb der Natur. Es ist die zwischen dem, was an Geist schon in die Welt eingegangen und unter der Vermittlung unserer Sinne in ihr wahrnehmbar ist, einerseits und dem, was noch nicht in die Welt eingegangen, aber bereit ist in sie einzugehen und uns gegenwärtig wird, anderseits. Diese Scheidung ist in der Tatsache begründet, daß ich dir, mein Leser, das schon in die Welt eingegangene Geistgebild gleichsam zeigen kann, das andere aber nicht. Ich kann dich auf die Geistgebilde, die in der uns gemeinsamen Welt nicht weniger denn ein Ding oder Wesen der Natur »vorhanden sind«, als auf etwas dir in Wirklichkeit oder Möglichkeit Zugängliches hinweisen, – nicht aber auf das noch nicht in die Welt Eingegangene. Wenn ich auch hier, auch für dieses Grenzgebiet noch, gefragt werde, wo denn da die Mutualität zu finden sei, bleibt mir nur die indirekte Hindeutung auf bestimmte, aber kaum beschreibbare Vorgänge im Leben des Menschen, denen Geist als Begegnung widerfuhr, und letztlich, wenn es am Indirekten nicht genug ist, bleibt mir nichts mehr als an das Zeugnis deiner eigenen – etwa verschütteten, aber wohl doch noch erreichbaren Geheimnisse, mein Leser, zu appellieren.
Kehren wir denn nun zu jenem ersten Gebiet, dem des »Vorhandenen«, zurück. Hier ist es möglich, Beispiele heranzuziehen.
Der Fragende vergegenwärtige sich einen der überlieferten Sprüche eines vor Jahrtausenden gestorbenen Meisters und versuche es, so gut er kann, den Spruch nunmehr mit den Ohren, also als von dem Sprecher in seinem Beisein gesprochen, ja etwa

gar ihm zugesprochen, aufzufangen und zu empfangen. Dazu muß er sich mit seinem ganzen Wesen dem nicht vorhandenen Sprecher des vorhandenen Spruches zuwenden, das heißt, er muß ihm, dem Toten und Lebendigen, gegenüber, die Haltung einnehmen, die ich das Dusagen nenne. Wenn es ihm gerät (wozu freilich der Wille und die Bemühung nicht hinreichen, aber es kann wieder und wieder unternommen werden), wird er, vielleicht nur erst undeutlich, eine Stimme hören, mit der identisch, die ihm aus anderen echten Sprüchen desselben Meisters entgegentönen wird. Er wird jetzt nicht mehr können, was er konnte, solange er den Spruch als einen Gegenstand behandelte: er wird aus ihm keinen Inhalt und keinen Rhythmus heraussondern können; er empfängt nur die unteilbare Ganzheit einer Gesprochenheit.

Aber dies ist noch an eine Person, an die jeweilige Kundgabe der Person in ihrem Wort gebunden. Was ich meine, ist aber nicht auf das Fortwirken eines personhaften Daseins im Wort beschränkt. Darum muß ich zur Ergänzung auf ein Beispiel hindeuten, dem nichts Persönliches mehr anhaftet. Ich wähle, wie stets, ein Beispiel, das für manchen mit starken Erinnerungen verknüpft ist. Es ist die dorische Säule, wo immer sie einem Menschen erscheint, der fähig und bereit ist, sich ihr zuzuwenden. Mir trat sie zuerst aus einer Kirchenmauer in Syrakus entgegen, in die sie einst eingemauert worden war: geheimes Urmaß sich in so schlichter Gestalt darstellend, daß nichts Einzelnes dran zu besehn, nichts Einzelnes zu genießen war. Zu leisten war, was ich zu leisten vermochte: diesem Geistgebild da, diesem durch Sinn und Hand des Menschen Hindurchgegangenen und Leibgewordenen gegenüber Stand zu fassen und zu halten. Verschwindet hier der Begriff der Mutualität? Er taucht nur ins Dunkel zurück – oder er wandelt sich in einen konkreten Sachverhalt, die Begrifflichkeit spröd abweisend, aber hell und zuverlässig.

Von hier aus dürfen wir auch in jenes andere Gebiet, das Gebiet des »nicht Vorhandenen«, das des Kontaktes mit »geistigen Wesenheiten«, das der *Entstehung* von Wort und Form hinüberblicken.

Wort gewordener Geist, Form gewordener Geist, – in irgendeinem Grade weiß jeder, den der Geist berührte und der sich ihm nicht verschloß, um das grundlegend Faktische: daß solches nicht ungesät in der Menschenwelt keimt und wächst, sondern aus ihren Begegnungen mit dem Anderen hervorgeht. Nicht Begegnungen mit platonischen Ideen (von denen ich keinerlei unmittelbare Kenntnis habe und die als Seiendes zu verstehen ich nicht imstande bin), wohl aber mit dem Geist, der uns umweht und sich uns einweht. Wieder werde ich an das seltsame Bekenntnis Nietzsches gemahnt, der den Vorgang der »Inspiration« dahin umschrieb, man nehme, aber man frage nicht, wer da gibt. Es sei immerhin – man fragt nicht, doch man dankt.

Wer den Anhauch des Geistes kennt, vergeht sich, wenn er sich des Geistes bemächtigen oder dessen Beschaffenheit ermitteln will. Aber Untreue übt er auch dann, wenn er die Gabe sich selber zuschreibt.

4

Betrachten wir erneut, was hier von den Begegnungen mit Naturhaftem und denen mit Geisthaftem gesagt worden ist, in einem.

Dürfen wir denn – so mag nun gefragt werden – von »Erwiderung« oder »Anrede«, die von außerhalb all dessen kommen, dem wir in unserer Betrachtung der Seinsordnungen Spontaneität und Bewußtsein zuerkennen, als von etwas sprechen, das eben so, als eine Erwiderung oder eine Anrede, in der Menschenwelt geschieht, in der wir leben? Kommt dem, was hier davon gesagt wurde, eine andere Gültigkeit zu als die einer »personifizierenden« Metapher? Droht hier nicht die Gefahr einer problematischen »Mystik«, die die von aller rationalen Erkenntnis gezogenen und notwendigerweise zu ziehenden Grenzen verwischt?

Die klare und feste Struktur des Ich-Du-Verhältnisses, jedem vertraut, der ein unbefangenes Herz und den Mut hat, es einzusetzen, ist nicht mystischer Natur. Aus unseren Denkgewohnheiten müssen wir zuweilen treten, um sie zu verstehen, nicht aber aus den Urnormen, die das menschliche Denken der Wirklichkeit bestimmen. Wie im Bereich der Natur, so darf im Bereich des Geistes – des Geistes, der in Spruch und Werk fortlebt, und des Geistes, der zu Spruch und Werk werden will – das Wirken an uns als ein Wirken von Seiendem verstanden werden.

5

In der nächsten Frage geht es nicht mehr um Schwelle, Vorschwelle und Überschwelle der Mutualität, sondern um sie selber als um die Eingangstür unseres Daseins.

Gefragt wird: Wie verhält es sich mit dem Ich-Du-Verhältnis zwischen Menschen? Steht dieses denn immer in voller Gegenseitigkeit? Kann es das immer, darf es das immer? Ist es nicht, wie alles Menschliche, der Beschränkung durch unsere Unzulänglichkeit ausgeliefert, aber auch der Beschränkung durch innere Gesetze unseres Miteinanderlebens unterstellt?

Das erste von diesen beiden Hindernissen ist ja bekannt genug. Von deinem eigenen Blick Tag um Tag in die befremdet aufschauenden Augen deines deiner doch bedürfenden »Nächsten« bis zur Wehmut der heiligen Männer, die Mal um Mal das große Geschenk vergebens anboten, – alles sagt dir, daß die volle Mutualität nicht dem Miteinanderleben der Menschen inhäriert. Sie ist eine Gnade, für die man stets bereit sein muß und die man nie als gesichert erwirbt.

Es gibt jedoch auch manches Ich-Du-Verhältnis, das sich seiner Art nach nicht zur vollen Mutualität entfalten darf, wenn es in dieser seiner Art dauern soll. Als ein solches Verhältnis habe ich an anderem Ort[1] das des echten Erziehers zu seinem Zögling charakterisiert. Um den besten Möglichkeiten im Wesen des Schülers helfen zu können, sich zu verwirklichen, muß der Lehrer ihn als diese bestimmte Per-

[1] Rede über das Erzieherische (jetzt in »Reden über Erziehung«).

son in ihrer Potentialität und ihrer Aktualität meinen, genauer, er muß ihn nicht als eine bloße Summe von Eigenschaften, Strebungen und Hemmungen kennen, er muß seiner als einer Ganzheit inne werden und ihn in dieser seiner Ganzheit bejahen. Das aber vermag er nur, wenn er ihm jeweils als seinem Partner in einer bipolaren Situation begegnet. Und damit seine Einwirkung auf ihn eine einheitlich sinnvolle sei, muß er diese Situation jeweils nicht bloß von seinem eigenen Ende aus, sondern auch von dem seines Gegenüber aus in all ihren Momenten erleben; er muß die Art von Realisation üben, die ich Umfassung nenne. Obzwar es aber darauf ankommt, daß er auch im Zögling das Ich-Du-Verhältnis erwecke, daß dieser also ebenfalls ihn als diese bestimmte Person meine und bejahe, so könnte doch die besondere erzieherische Beziehung nicht Bestand haben, wenn der Zögling seinerseits die Umfassung übte, also den Anteil des Erziehers an der gemeinsamen Situation erlebte. Ob das Ich-Du-Verhältnis nun endet oder aber den ganz andersartigen Charakter einer Freundschaft annimmt, es erweist sich, daß der spezifisch erzieherischen Beziehung als solcher die volle Mutualität versagt ist.

Ein anderes, nicht minder aufschlußreiches Beispiel für die normative Beschränkung der Mutualität bietet uns die Beziehung zwischen einem echten Psychotherapeuten und seinem Patienten. Wenn er sich damit begnügt, diesen zu »analysieren«, d. h. aus seinem Mikrokosmos unbewußte Faktoren ans Licht zu holen und die durch ein solches Hervortreten verwandelten Energien an eine bewußte Lebensarbeit zu setzen, mag ihm manche Reparatur gelingen. Er mag bestenfalls einer diffusen, strukturarmen Seele helfen, sich einigermaßen zu sammeln und zu ordnen. Aber das, was ihm hier eigentlich aufgetragen ist, die Regeneration eines verkümmerten Person-Zentrums wird er nicht zu Werke bringen. Das vermag nur, wer mit dem großen Blick des Arztes die verschüttete latente Einheit der leidenden Seele erfaßt, und das ist eben nur in der partnerischen Haltung von Person zu Person, nicht durch Betrachtung und Untersuchung eines Objekts zu erlangen. Damit er die Befreiung und Aktualisierung jener Einheit in einem neuen Einvernehmen der Person mit der Welt kohärent fördere, muß er, wie jener Erzieher, jeweils nicht bloß hier, an seinem Pol der bipolaren Beziehung, sondern auch mit der Kraft der Vergegenwärtigung am anderen Pol stehen und die Wirkung seines eigenen Handelns erfahren. Wieder aber würde die spezifische, die »heilende« Beziehung in dem Augenblick enden, wo es dem Patienten beifiele und gelänge, seinerseits die Umfassung zu üben und das Geschehen auch am ärztlichen Pol zu erleben. Heilen wie erziehen kann nur der gegenüber Lebende und doch Entrückte.

Am nachdrücklichsten wäre die normative Beschränkung der Mutualität wohl am Beispiel des Seelsorgers darzulegen, weil hier eine Umfassung von der Gegenseite her die sakrale Authentizität des Auftrags antasten würde.

Jedes Ich-Du-Verhältnis innerhalb einer Beziehung, die sich als ein zielhaftes Wirken des einen Teils auf den anderen spezifiziert, besteht kraft einer Mutualität, der es auferlegt ist, keine volle zu werden.

6

In diesem Zusammenhang kann nur noch eine einzige Frage erörtert werden, diese muß es aber auch, weil sie die unvergleichlich wichtigste ist.
Wie kann – so wird gefragt – das ewige Du in der Beziehung zugleich exklusiv und inklusiv sein? Wie kann das Du-Verhältnis des Menschen zu Gott, das die unbedingte und durch nichts abgelenkte Hinwendung zu ihm bedingt, dennoch alle anderen Ich-Du-Beziehungen dieses Menschen mit umfassen und sie gleichsam Gott zubringen?
Wohlgemerkt, es wird nicht nach Gott gefragt, nur nach unserer Beziehung zu ihm. Und doch muß ich, um antworten zu können, von ihm reden. Denn unsere Beziehung zu ihm ist so übergegensätzlich wie sie ist, weil er so übergegensätzlich ist wie er ist.
Selbstverständlich ist nur davon zu reden, was Gott in seiner Beziehung zu einem Menschen ist. Und auch das ist nur im Paradox auszusagen, genauer: durch den paradoxen Gebrauch eines Begriffs; noch genauer: durch die paradoxe Verbindung eines Nominalbegriffs mit einem Adiectum, das dessen uns geläufigem Inhalt widerspricht. Die Geltendmachung dieses Widerspruchs muß der Einsicht weichen, daß so und nur so die unentbehrliche Bezeichnung des Gegenstands durch diesen Begriff zu rechtfertigen ist. Der Inhalt des Begriffs erfährt eine umwälzende, umwandelnde Erweiterung, – aber so ergeht es uns ja mit jedem Begriff, den wir, von der Glaubenswirklichkeit genötigt, der Immanenz entnehmen und auf das Wirken der Transzendenz anwenden.

Die Bezeichnung Gottes als einer Person ist unentbehrlich für jeden, der wie ich mit »Gott« kein Prinzip meint, wiewohl Mystiker wie Eckhart zuweilen »das Sein« mit ihm gleichsetzen, und der wie ich mit »Gott« keine Idee meint, wiewohl Philosophen wie Plato ihn zeitweilig für eine solche halten konnten; der vielmehr wie ich mit »Gott« den meint, der – was immer er sonst noch sei – in schaffenden, offenbarenden, erlösenden Akten zu uns Menschen in eine unmittelbare Beziehung tritt und uns damit ermöglicht, zu ihm in eine unmittelbare Beziehung zu treten. Dieser Grund und Sinn unseres Daseins konstituiert je und je eine Mutualität, wie sie nur zwischen Personen bestehen kann. Der Begriff der Personhaftigkeit ist freilich völlig außerstande das Wesen Gottes zu deklarieren, aber es ist erlaubt und nötig zu sagen, Gott sei *auch* eine Person. Wenn ich, was darunter zu verstehen ist, ausnahmsweise in die Sprache eines Philosophen, die Spinozas, übersetzen wollte, müßte ich sagen, von Gottes unendlich vielen Attributen seien uns Menschen nicht zwei, wie Spinoza meint, sondern drei bekannt: zu Geisthaftigkeit – in der das seinen Ursprung hat, was wir Geist nennen – und Naturhaftigkeit – die sich darin darstellt, was uns als Natur bekannt ist – als drittes das Attribut der Personhaftigkeit. Von ihm, von diesem Attribut stamme mein und aller Menschen Personsein, wie von jenen mein und aller Menschen Geistsein und Natursein stammt. Und nur dieses Dritte, das Attribut der Personhaftigkeit, gebe sich uns in seiner Eigenschaft als Attribut unmittelbar zu erkennen.

Nun aber meldet sich, unter Berufung auf den allbekannten Inhalt des Begriffs Person, der Widerspruch an. Zu einer Person, erklärt er, gehöre doch wohl, daß ihre Eigenständigkeit zwar in sich bestehe, aber im Gesamtsein durch die Pluralität anderer Eigenständigkeiten relativiert werde; und das könne selbstverständlich von Gott nicht gelten. Diesem Widerspruch entgegnet die paradoxe Bezeichnung Gottes als der absoluten Person, d. h. der nicht relativierbaren. In die unmittelbare Beziehung zu uns tritt Gott als die absolute Person. Der Widerspruch muß der höheren Einsicht weichen.

Gott nimmt – so dürfen wir nun sagen – seine Absolutheit in die Beziehung mit auf, in die er zum Menschen tritt. Der Mensch, der sich ihm zuwendet, braucht sich daher von keiner andern Ich-Du-Beziehung abzuwenden: rechtmäßig bringt er sie alle ihm zu und läßt sie sich »in Gottes Angesicht« verklären.

Man muß sich aber überhaupt davor hüten, das Gespräch mit Gott, das Gespräch, von dem ich in diesem Buch und in fast allen, die darauf folgten, zu reden hatte, als etwas lediglich neben oder über dem Alltag sich Begebendes zu verstehen. Gottes Sprache an die Menschen durchdringt das Geschehen in eines jeden von uns eigenem Leben und alles Geschehen in der Welt um uns her, alles biographische und alles geschichtliche, und macht es für dich und mich zu Weisung, zu Forderung. Ereignis um Ereignis, Situation um Situation ist durch die Personsprache befähigt und ermächtigt, von der menschlichen Person Standhalten und Entscheidung zu heischen. Wir meinen gar oft, es sei nichts zu vernehmen, und haben uns doch vorlängst selber Wachs in die Ohren gesteckt.

Die Existenz der Mutualität zwischen Gott und

Mensch ist unbeweisbar, wie die Existenz Gottes unbeweisbar ist. Wer dennoch von ihr zu reden wagt, legt Zeugnis ab und ruft das Zeugnis dessen an, zu dem er redet, gegenwärtiges oder künftiges Zeugnis.

Jerusalem, Oktober 1957

Zwiesprache

An P.

Der Abgrund und das Weltenlicht,
Zeitnot und Ewigkeitsbegier,
Vision, Ereignis und Gedicht:
Zwiesprache wars und ists mit dir.

ERSTER ABSCHNITT: BESCHREIBUNG

Urerinnerung

In allerlei Abwandlungen kehrt mir, zuweilen nach einem Zwischenraum von mehreren Jahren, der gleiche Traum wieder. Ich nenne ihn den Traum vom Doppelruf. Seine Umwelt bleibt sich stets darin ähnlich, daß es eine apparatarme, »primitive« Welt ist: ich befinde mich in einer großen Höhle, wie die Syrakuser Latomien, oder in einem Lehmbau, der mich im Erwachen an die Fellachendörfer erinnert, oder aber auch am Saum eines riesenhaften Waldes, dessengleichen gesehen zu haben ich mich nicht entsinne. Der Traum beginnt auf sehr verschiedene Weise, immer aber damit, daß mir etwas Außergewöhnliches widerfährt, zum Beispiel, daß ein kleines, löwenjungenähnliches Tier, dessen Namen ich im Traum, aber nicht im Erwachen kenne, mir den Arm zerfleischt und von mir nur mit Mühe bezwungen wird. Das Seltsame nun ist, daß dieser erste und sowohl der Dauer wie der äußeren Bedeutung der Vorgänge nach weitaus belangreichste Teil der Traumgeschichte stets in einem jagenden Tempo abgespielt wird, als komme es auf ihn nicht an. Dann verlangsamt es sich plötzlich: ich stehe da und rufe. Meiner wachbewußten Übersicht der Ereignisse nach müßte ich ja annehmen, daß der Ruf, je nach dem, was ihm vorausging, einmal freudig, einmal schreckhaft und einmal wohl zugleich schmerzlich und triumphierend sei. Aber mein Gedächtnis am Morgen meldet ihn mir nicht so gefühlsbetont und wandlungsreich; es ist jedesmal derselbe Ruf, nicht artikuliert, aber rhythmisch streng, ab und wieder ansetzend, schwellend bis zu einer Fülle, die meine wache Kehle nicht trüge, lang und langsam, ganz langsam und sehr lang, ein Lied-Ruf – wenn er endet, stockt mir der Herzschlag. Dann aber erregt sich irgendwo, in der Ferne, auf mich zu ein anderer Ruf, ein anderer und der gleiche, der gleiche von einer anderen Stimme gerufen oder gesungen, dennoch nicht der gleiche, nein, ganz und gar nicht ein »Widerhall« des meinen, vielmehr sein wahrer Gegenhall, Ton um Ton die meinen nicht, auch nicht abgeschwächt, wiederholend, sondern den meinen entsprechend, entgegnend, – so sehr, daß die meinen, die eben erst meinem eigenen Ohr durchaus nicht fragend klangen, nun als Fragen, als eine lange Reihe von Fragen erscheinen, die jetzt alle eine Antwort empfangen, unausdeutbar so Antwort wie Frage. Und doch scheinen die dem einen gleichen Ruf entgegnenden Rufe einander nicht zu gleichen. Die Stimme ist jedesmal eine neue. Wie nun aber die Erwiderung zu Ende ist, im ersten Nu nach ihrem abscheidenden Schall, gerät eine Gewißheit, eine echte Traumgewißheit über mich: Nun ist es geschehen. Nichts weiter. Nur eben dies, gerade so: Nun ist es geschehen. Wenn ich es zu erklären versuchen soll, bedeutet es, daß jene Begebenheit, die meinen Ruf erzeugte, jetzt erst, mit dem Gegenhall, sich wirklich und unanzweifelbar begeben hat.

So ist der Traum jedesmal wiedergekehrt – bis auf eins, das letzte Mal, nun vor zwei Jahren. Erst wars wie sonst (es war der Traum von dem Tier), mein Ruf verklang, wieder stand das Herz mir still. Dann aber war Stille. Kein Gegenruf kam. Ich horchte hin,

erhorchte keinen Laut. Ich *erwartete* nämlich, zum erstenmal, die Antwort, die mich sonst stets, als hätte ich sie nie zuvor erfahren, überrascht hatte; und die erwartete blieb aus. Nun jedoch geschah etwas mit mir: als hätte ich bisher keine anderen Zugangswege von der Welt zur Empfindung gehabt, als die über die Ohren führen, jetzt aber entdeckte ich mich als schlechthin mit Sinnen, organbekleideten und nackten, ausgestattetes Wesen, so reichte ich mich offen, zu aller Empfangnahme, Wahrnahme aufgeschlossen, an die Ferne. Und da kam, nicht aus ihr, sondern aus der Luft nah um mich, lautlos die Antwort. Eigentlich kam sie nicht, sie war da. Sie war – so darf ich wohl erklärend sagen – schon vor meinem Ruf dagewesen, war überhaupt da und ließ sich nun, da ich mich ihr auftat, von mir empfangen. Ich habe sie so vollständig wahrgenommen wie nur je den Gegenhall in einem der früheren Träume. Wenn ich berichten sollte, womit, würde ich berichten müssen: mit allen Poren meines Leibes. Wie nur je der Gegenhall in einem der früheren Träume, entsprach, entgegnete sie. Sie übertraf ihn noch in einer ungekannten, schwer zu bezeichnenden Vollkommenheit: eben daß sie schon da war.
Als ich geendet hatte sie aufzunehmen, verspürte ich wieder, glockenhafter als je, jene Gewißheit: Nun ist es geschehen.

Das mitteilende Schweigen

Wie auch das eifrigste Aufeinanderzu-Reden kein Gespräch ausmacht (am deutlichsten zeigt das jener absonderliche Sport einigermaßen denkbegabter Menschen, den man zutreffend Diskussion, Auseinanderschlagung, nennt), so bedarf es hinwieder zu einem Gespräch keines Lauts, nicht einmal einer Gebärde. Sprache kann sich aller Sinnenfälligkeit begeben und bleibt Sprache.

Ich meine natürlich nicht das zärtliche Ineinanderschweigen der Liebesleute, das in einem Blick, ja in der bloßen Gemeinsamkeit eines beziehungsreichen Vorsichhinsehens sich an Äußerung und Einvernehmen genugtun kann. Aber auch nicht das mystische Miteinanderschweigen meine ich, wie es von dem Franziskusjünger Ägidius und Ludwig von Frankreich (oder fast ebenso von zwei chassidischen Rabbis) berichtet wird, die in einer einmaligen Zusammenkunft kein Wort redeten, sondern »im Spiegel des göttlichen Angesichts stehend« einander erfuhren; denn auch hier noch ist Gebärde, eine körperliche Haltung des einen zum andern, äußernd.

Was ich meine, will ich an einem Beispiel verdeutlichen.

Man stelle sich zwei Männer vor, in irgendeiner Einsamkeit der Welt nebeneinander sitzend. Sie reden nicht miteinander, sie sehen einander nicht an, sie haben sich nicht einmal einander zugewandt. Sie sind nicht miteinander vertraut, einer weiß nichts vom Lebenslauf des andern, heute frühmorgens auf der Wanderschaft haben sie einander kennengelernt. Keiner denkt in diesem Augenblick an den andern; wir brauchen nicht zu wissen, woran sie denken. Der eine sitzt auf der gemeinsamen Bank so, wie es offenbar seine Art ist: gelassen, allem gastfrei zugeneigt, was kommen mag; sein Wesen scheint zu sagen, es sei zu wenig, bereit zu sein, man müsse auch wirklich *da* sein. Der andere: seine Haltung verrät ihn nicht, er ist ein gehaltener, verhaltener

Mann; aber wer um ihn weiß, weiß, daß ein Kindheitsbann auf ihm liegt, daß seine Verhaltenheit noch anderes als Haltung ist, hinter aller Haltung lagert das undurchdringliche Sich-nicht-mitteilenkönnen. Und nun – stellen wir uns vor, daß dies eine der Stunden ist, die es fertigbringen, die sieben Eisenbande um unser Herz aufzubrechen – löst sich unversehens der Bann. Aber auch jetzt spricht der Mann kein Wort, rührt keinen Finger. Dennoch tut er etwas. Die Lösung hat sich ohne sein Tun an ihm ereignet, gleichviel woher; jetzt aber tut er dies, daß er einen Rückhalt, über den nur er selber Macht hat, in sich aufhebt. Rückhaltlos strömt die Mitteilung aus ihm, und das Schweigen trägt sie zu seinem Nachbarn, dem sie ja doch zugedacht war und der sie, wie alles echte Schicksal, das ihm begegnet, rückhaltlos aufnimmt. Er wird niemand, auch nicht sich selbst, erzählen können, was er erfahren hat. Was »weiß« er nun vom andern? Es bedarf keines Wissens mehr. Denn wo Rückhaltlosigkeit zwischen Menschen, sei es auch wortlose, gewaltet hat, ist das dialogische Wort sakramental geschehen.

Meinungen und das Faktische

Die menschliche Zwiesprache kann also, wiewohl sie im Zeichen, also in Laut und Gebärde (der Buchstabe gehört nur in besonderen Fällen hierher, etwa wo zwischen Freunden in einer Versammlung die stimmungsbeschreibenden Bulletins über den Tisch hin und her wandern), ihr eigentümliches Leben hat, ohne das Zeichen bestehn; freilich nicht in einer sachlich erfaßbaren Form. Hingegen scheint ein –

noch so innerliches – Element der Mitteilung zu ihrem Wesen zu gehören. Aber in seinen höchsten Momenten langt der Dialog auch über diese Grenzen hinaus. Er vollendet sich außerhalb der mitgeteilten oder mitteilbaren Inhalte, auch der persönlichsten, und doch nicht etwa in einem »mystischen«, sondern in einem im genauen Sinn faktischen, durchaus der gemeinsamen Menschenwelt und der konkreten Zeitfolge eingefügten Vorgang.

Man möchte wohl geneigt sein, das für das Sondergebiet des Erotischen zuzugeben. Aber eben dieses gedenke ich hier nicht zur Erläuterung heranzuziehen. Denn Eros ist in der Wirklichkeit noch viel wunderlicher zusammengesetzt, als in Platons genealogischer Mythe, und das Erotische keineswegs, wie zu vermuten naheliegt, rein Verdichtung und Entfaltung der Zwiesprache. Vielmehr kenne ich keinen andern Bereich, in dem so wie in diesem (ich werde davon noch zu reden haben) das Dialogische und das Monologische sich miteinander vermengen, aber auch wieder gegeneinander streiten. Manche berühmten Liebesverzückungen sind nichts als Ergötzen an den in nicht geahnter Fülle aktualisierten Möglichkeiten der eigenen Person.

Eher noch würde ich an einen unscheinbaren, aber bedeutenden Winkel des Daseins denken: an die Blicke, die im Getümmel der Straße aufflattern zwischen Unbekannten, die aneinander gleichbleibenden Schritts vorübergehen; es sind Blicke darunter, die schicksallos schwingend zwei dialogische Naturen einander offenbaren.

Aber eigentlich aufzeigen kann ich, was ich im Sinn habe, nur an Begebenheiten, die in einer echten Wandlung aus der Kommunikation zur Kommunion, also in einer Verleiblichung des dialogischen Wortes münden.

In Begriffen ist das, um was es hier geht, dem lesenden Menschen nicht zu überreichen. Aber in Beispielen dürfen wirs darstellen, nur haben wir, wo es Wichtiges gilt, uns nicht zu scheuen, sie aus den innersten Kammern des persönlichen Lebens zu holen. Denn wo sonst sollte dergleichen zu finden sein?

Meine Freundschaft mit einem nun Toten ist in einem Ereignis entstanden, das man, wenn man will, als abgebrochenes Gespräch bezeichnen kann. Das Datum ist Ostern 1914. Einige Männer aus verschiedenen europäischen Völkern waren zusammengekommen, um im unbestimmten Vorgefühl der Katastrophe einen Versuch zur Aufrichtung einer übernationalen Autorität vorzubereiten. Die Unterredungen waren von jener Rückhaltlosigkeit getragen, deren substantielle Fruchtbarkeit ich kaum je so stark erfahren habe: sie wirkte auf alle Teilnehmer so, daß das Fiktive zerfiel und jedes Wort Tatsache war. Als wir nun die Zusammensetzung des größeren Kreises besprachen, von dem die öffentliche Initiative ausgehen sollte (man beschloß, ihn im August desselben Jahres zusammentreten zu lassen), erhob einer von uns, ein Mann von leidenschaftlicher Konzentration und richterlicher Liebeskraft, das Bedenken, es seien zu viele Juden genannt worden, so daß etliche Länder in ungehöriger Proportion durch ihre Juden vertreten sein würden. Obgleich mir selber ähnliche Erwägungen nicht fremd waren, da ich meine, das Judentum könne nur in seiner Gemeinschaft, nicht in zersprengten Gliedern einen mehr als anregerischen, einen werkhaften Anteil am Bau einer standfesten

Friedenswelt gewinnen, erschienen sie mir, so ausgesprochen, in ihrer Rechtmäßigkeit beeinträchtigt. Hartnäckiger Jude, der ich bin, protestierte ich gegen den Protest. Ich weiß nicht mehr, auf welchem Weg ich dabei auf Jesus zu sprechen kam und darauf, daß wir Juden ihn von innen her auf eine Weise kennten, eben in den Antrieben und Regungen seines Judenwesens, die den ihm untergebenen Völkern unzugänglich bleibe. »Auf eine Weise, die Ihnen unzugänglich bleibt« – so sprach ich den früheren Pfarrer unmittelbar an. Er stand auf, auch ich stand, wir sahen einander ins Herz der Augen. »Es ist versunken«, sagte er, und wir gaben einander vor allen den Bruderkuß.
Die Erörterung der Lage zwischen Juden und Christen hatte sich in einen Bund zwischen dem Christen und dem Juden verwandelt; in dieser Wandlung erfüllte sich die Dialogik. Die Meinungen waren versunken, leibhaft geschah das Faktische.

Religionsgespräche

Hier erwarte ich zwei Einwände, einen gewichtigen und einen gewaltigen.
Man kann mir entgegnen: Wo es um wesentliche, »weltanschauliche« Ansichten geht, *darf* das Gespräch gar nicht solcherart abgebrochen werden; jeder der beiden muß sich real, in seiner menschhaft unvermeidlichen Einseitigkeit, restlos exponieren und sich eben dadurch real als vom andern begrenzt erfahren, so daß beide gemeinsam das Schicksal unserer Bedingtheit erleiden und einander in ihm begegnen.

Darauf antworte ich: Die Erfahrung des Begrenztseins ist in dem, worauf ich hinweise, eingeschlossen, aber auch die seiner gemeinschaftlichen Überwindung, die sich freilich nicht auf »weltanschaulichem« Boden vollziehen kann, sondern auf dem der Wirklichkeit. Keiner jener beiden braucht seine Ansicht aufzugeben, nur eben betreten sie, indem sie unversehens etwas tun und ihnen unversehens etwas widerfährt, das Bund heißt, ein Reich, in dem das Gesetz der Ansicht nicht mehr gilt. Auch sie erleiden das Schicksal unserer Bedingtheit, aber sie ehren es zuhöchst, wenn sie es, wie uns verstattet ist, für einen unsterblichen Augenblick sich lösen lassen. Begegnet waren sie sich schon vorher, als sie sich, jeder in seiner Seele, so zueinander hinwandten, daß jeder hinfort, den anderen vergegenwärtigend, wahrhaft zu ihm und an ihn sprach.

Der andre Einwand, der von ganz verschiedner, geradezu entgegengesetzter Seite kommt, besagt: Das mag zutreffen, soweit eben der Bezirk der Ansicht reicht, für das Bekenntnis trifft es nicht mehr zu. Zwei Bekennern, die miteinander um ihre Glaubenslehren streiten, geht es um die Vollstrekkung des göttlichen Willens, nicht um ein flüchtiges, persönliches Einvernehmen. Wer zu seinem Glauben so steht, daß er für ihn zu sterben oder für ihn zu töten vermag, dem kann es kein Reich geben, wo das Gesetz des Glaubens nicht mehr gilt. Ihm liegt ob, der Wahrheit zum Sieg zu verhelfen, von Sentiments läßt er sich nicht betören. Der Anders-, das heißt Irrgläubige muß bekehrt oder zumindest belehrt werden, eine unmittelbare Berührung mit ihm vermag nur außerhalb der Glau-

bensvertretung, nicht von ihr aus zu erfolgen. Die These des Religionsgesprächs *darf* nicht »versinken«.
Auf diesen Einwand, der seine Gewalt daher hat, daß er sich um die als selbstverständlich herrschende Unverbindlichkeit des relativierten Geistes nicht kümmert, kann ich nur mit einem Bekenntnis zulänglich antworten.
Ich habe nicht die Möglichkeit über Luther zu urteilen, der Zwinglin in Marburg die Gemeinschaft absagt, und auch nicht über Calvin, der Servetos Tod befördert; denn Luther und Calvin glauben, das Wort Gottes sei so unter die Menschen niedergegangen, daß es eindeutig gekannt werden könne und also ausschließend vertreten werden müsse, ich aber glaube das nicht, sondern das Wort Gottes fährt vor meinen Augen nieder wie ein fallender Stern, von dessen Feuer der Meteorstein zeugen wird, ohne es mir aufleuchten zu machen, und ich selber kann nur das Licht bezeugen, nicht aber den Stein hervorholen und sagen: Das ist es. Aber diese Glaubensverschiedenheit ist keineswegs bloß als eine subjektive zu verstehen, sie ist nicht darin begründet, daß wir heute Lebenden glaubensschwach sind, und sie wird bleiben, wenn unser Glaube noch so sehr erstarkt. Die Weltsituation selber im ernstesten Sinn, genauer: das Verhältnis zwischen Gott und Mensch hat sich geändert. Und diese Änderung wird durchaus nicht in ihrem Wesen erfaßt, wenn man nur an die uns so vertraute Verfinsterung des höchsten Lichts, an die offenbarungslose Nacht unsres Daseins denkt. Es ist die Nacht eines Harrens – nicht einer vagen Hoffnung, sondern eines Harrens. Wir harren einer Theophanie, von der wir

nichts wissen als den Ort, und der Ort heißt Gemeinschaft.

In den öffentlichen Katakomben dieses Harrens gibt es ein eindeutig kennbares und vertretbares Gotteswort nicht, sondern die überlieferten Worte deuten sich uns in unserem menschlichen Einandergewandtsein aus. Kein Gehorsam zum Kommenden besteht ohne die Treue zu seiner Kreatur. Dies erfahren zu haben ist unser Weg – kein »Fortschritt«, aber ein Weg.

Eine Zeit echter Religionsgespräche beginnt, – nicht jener so benannten Scheingespräche, wo keiner seinen Partner in Wirklichkeit schaute und anrief, sondern echter Zwiesprache, von Gewißheit zu Gewißheit, aber auch von aufgeschloßner Person zu aufgeschloßner Person. Dann erst wird sich die echte Gemeinschaft weisen, nicht die eines angeblich in allen Religionen aufgefundenen gleichen Glaubensinhalts, sondern die der Situation, der Bangnis und der Erwartung.

Fragestellung

Das Dialogische ist nicht auf den Verkehr der Menschen miteinander beschränkt: es ist, so hat es sich uns gezeigt, ein Verhalten der Menschen zueinander, das sich in ihrem Verkehr nur eben darstellt.

Demnach scheint, mag auch Rede, mag auch Mitteilung zu entbehren sein, eins denn doch zum Mindestbestand des Dialogischen sinngemäß unablösbar zu gehören: die Gegenseitigkeit der inneren Handlung. Zwei Menschen, die dialogisch verbunden sind, müssen doch offenbar einander zugekehrt sein, sich

also – gleichviel, mit welchem Maß von Aktivität oder gar von Aktivitätsbewußtsein – einander zugekehrt haben.
Es ist gut, sich das so kraß formelhaft vorzurücken. Denn hinter der formulierenden Frage nach den Grenzen einer erörterten Kategorie birgt sich eine Frage, die alle Formeln zersprengt.

Beobachten, Betrachten, Innewerden

Es gilt drei Arten zu unterscheiden, auf die wir einen Menschen, der vor unsern Augen lebt (ich meine nicht ein Objekt der Wissenschaft, von der ich hier nicht rede), wahrzunehmen vermögen. Der Gegenstand unsrer Wahrnehmung braucht von uns, von unserm Dabeisein nichts zu wissen; ob er zum Wahrnehmen ein Verhältnis, ein Verhalten hat, ist hier gleichgültig.
Der *Beobachter* ist ganz darauf gespannt, den Beobachteten sich einzuprägen, ihn zu »notieren«. Er sucht ihn ab und zeichnet ihn auf. Und zwar ist er beflissen, so viele »Züge« als möglich aufzuzeichnen. Er lauert den Zügen auf, daß ihm keiner entgehe. Der Gegenstand besteht aus Zügen, und von jedem weiß man, was dahintersteckt. Die Kenntnis des menschlichen Expressionssystems verleibt sich die neuerscheinenden individuellen Variationen stets im Nu ein und bleibt verwendbar. Ein Gesicht ist nichts als Physiognomie, Bewegungen nichts als Ausdrucksgebärde.
Der *Betrachter* ist überhaupt nicht gespannt. Er nimmt die Haltung ein, die ihm den Gegenstand frei zu sehen gibt, und erwartet unbefangen, was

sich ihm darbieten wird. Nur zu Anfang darf bei ihm die Absicht walten, alles weitere ist unwillkürlich. Er notiert nicht drauflos, läßt sich gehn, er fürchtet sich gar nicht, etwas zu vergessen (»Vergessen ist gut«, sagt er). Er gibt seinem Gedächtnis keine Aufgaben, er vertraut dessen organischer Arbeit, die das Erhaltenswerte erhält. Er fährt nicht, wie der Beobachter, das Gras als Grünfutter ein, er wendet es und läßt es von der Sonne bescheinen. Auf Züge paßt er nicht auf (»Züge«, sagt er, »führen irre«). Am Gegenstand ist ihm das erheblich, was nicht »Charakter« und nicht »Ausdruck« ist (»Das Interessante«, sagt er, »ist nicht wichtig«). Alle großen Künstler sind Betrachter gewesen.

Es gibt aber eine Wahrnehmung, die von entscheidend anderer Art ist.

Dem Betrachter und dem Beobachter ist das gemeinsam, daß sie eine Einstellung haben, eben den Wunsch, den vor unsern Augen lebenden Menschen wahrzunehmen; sodann, daß dieser für sie ein von ihnen selber und ihrem persönlichen Leben abgetrennter Gegenstand ist, der eben nur deshalb »richtig« wahrgenommen werden kann; daß somit das, was sie so erfahren, ob es nun wie beim Beobachter eine Summe von Zügen oder wie beim Betrachter eine Existenz ist, ihnen weder Tat abfordert noch Schicksal zufügt; daß das Ganze sich vielmehr in den abgeschiedenen Gefilden der Ästhesie begibt.

Anders geht es zu, wenn mir, in einer empfänglichen Stunde meines persönlichen Lebens, ein Mensch begegnet, an dem mir etwas, was ich gar nicht gegenständlich zu erfassen vermag, »etwas sagt«. Das heißt keineswegs: mir sagt, wie dieser Mensch sei, was in ihm vorgehe und dergleichen.

Sondern: *mir* etwas sagt, mir etwas zuspricht, mir etwas in mein eigenes Leben hineinspricht. Das kann etwas über diesen Menschen sein, zum Beispiel, daß er mich braucht. Es kann aber auch etwas über mich sein. Der Mensch selber in seinem Verhalten zu mir hat mit diesem Sagen nichts zu schaffen; er verhält sich nicht zu mir, er hat mich wohl gar nicht bemerkt. Nicht er sagt es mir, wie jener Einsame seinem Nachbarn auf der Bank schweigsam sein Geheimnis gestand: *es* sagt.

Wer hier »sagen« als Metapher versteht, versteht nicht. Die Phrase »das sagt mir nichts« ist metaphorisch verschliffen; aber das Sagen, auf das ich hinzeige, ist wirkliche Sprache. Im Haus der Sprache sind viele Wohnungen, und das ist eine der innern.

Die Wirkung dieses Gesagtbekommens ist eine völlig andere als die des Betrachtens und des Beobachtens. Ich kann den Menschen, an dem, durch den mir etwas gesagt worden ist, nicht abmalen, nicht erzählen, nicht beschreiben; versuchte ich es, wärs schon aus mit dem Gesagtsein. Dieser Mensch ist nicht mein Gegenstand; ich habe mit ihm zu tun bekommen. Vielleicht habe ich etwas an ihm zu vollbringen; aber vielleicht habe ich nur etwas zu lernen, und es kommt nur darauf an, daß ich »annehme«. Es kann sein, daß ich sogleich zu antworten habe, eben an diesen Menschen hier hin; es kann auch sein, daß dem Sagen eine lange, vielfältige Transmission bevorsteht und daß ich darauf anderswo, anderswann, anderswem antworten soll, wer weiß in was für einer Sprache, und es kommt jetzt nur darauf an, daß ich das Antworten auf mich nehme. Immer aber ist mir ein Wort geschehen, das eine Antwort heischt.

Diese Wahrnehmungsweise sei *Innewerden* genannt.

Es muß keineswegs ein Mensch sein, dessen ich innewerde; es kann ein Tier sein, ein Gewächs, ein Stein. Keine Art von Erscheinung, keine Art von Begebenheit ist grundsätzlich aus der Reihe derer geschaltet, durch die mir jeweils etwas gesagt wird. Nichts kann sich weigern, dem Wort Gefäß zu sein. Die Möglichkeitsgrenzen des Dialogischen sind die des Innewerdens.

Die Zeichen

Jeder von uns steckt in einem Panzer, dessen Aufgabe ist, die Zeichen abzuwehren. Zeichen geschehen uns unablässig, leben heißt angeredet werden, wir brauchten nur uns zu stellen, nur zu vernehmen. Aber das Wagnis ist uns zu gefährlich, die lautlosen Donner scheinen uns mit Vernichtung zu bedrohen, und wir vervollkommnen von Geschlecht zu Geschlecht den Schutzapparat. All unsere Wissenschaft versichert uns: »Sei ruhig, das geschieht eben alles wie es geschehen muß, aber an dich ist nichts gerichtet, du bist nicht gemeint, das ist eben ›die Welt‹, du kannst sie erleben wie du willst, aber was immer du in dir damit anfängst geht von dir allein aus, man fordert dir nichts ab, man redet dich nicht an, alles ist still.«

Jeder von uns steckt in einem Panzer, den wir bald vor Gewöhnung nicht mehr spüren. Nur Augenblicke gibt es, die ihn durchdringen und die Seele zur Empfänglichkeit aufrühren. Und wenn sich dergleichen uns angetan hat und wir dann aufmerken und uns fragen: »Was hat sich denn da Besondres ereignet? Wars nicht von der Art, wie es mir alle Tage begegnet?«, so dürfen wir uns erwidern: »Freilich, nichts Besondres, so ist es alle Tage, nur wir sind alle Tage nicht da.«

Die Zeichen der Anrede sind nicht etwas Außerordentliches, etwas was aus der Ordnung der Dinge tritt, sie sind eben das, was sich je und je begibt, eben das, was sich ohnehin begibt, durch die Anrede kommt nichts hinzu. Die Ätherwellen brausen immer, aber wir haben zumeist unsern Empfänger abgestellt.

Was mir widerfährt ist Anrede an mich. Als das, was mir widerfährt, ist das Weltgeschehen Anrede an mich. Nur indem ich es sterilisiere, es von Anrede entkeime, kann ich das, was mir widerfährt, als einen Teil des mich nicht meinenden Weltgeschehens fassen. Das zusammenhängende, sterilisierte System, in das sich all dies nur einzufügen braucht, ist das Titanenwerk der Menschheit. Auch die Sprache ist ihm dienstbar gemacht worden.

Von diesem Turm der Zeiten aus wird mir, wenn etwelche seiner Torwächter solchen Gedankengängen irgend Beachtung schenken sollten, entgegengehalten werden, das sei doch nichts andres als eine Abart des uralten Aberglaubens, daß die kosmischen und tellurischen Vorgänge eine zu erfassende unmittelbare Bedeutung für das Leben der menschlichen Person hätten: statt einen Vorgang physikalisch, biologisch, soziologisch zu begreifen (wofür ich, von je zum Bewundern echter Forschungsakte geneigt, sehr viel übrig habe, wenn die es tun nur wissen, was sie tun, und die Grenzen des Bereichs, in dem sie sich bewegen, nicht aus den

Augen verlieren), suche man hinter seine angebliche Signifikanz zu kommen, für die in einem vernunftgemäßen raumzeitlichen Weltkontinuum kein Platz sei.
So wäre ich ungeahnterweise in die Gesellschaft der Auguren geraten, von denen es ja bekanntlich merkwürdige moderne Spielarten gibt.
Aber ob Leber-, ob Sternenschau: ihren Zeichen ist dies eigentümlich, daß sie in einem Wörterbuch, wenn auch nicht notwendig in einem niedergeschriebenen, stehn. Und mag es noch so heimlich überlieferte Kunde sein: der nach ihnen ausguckt, *kennt sich darin aus*, welche Lebenswendung dieses, welche jenes Zeichen nun einmal bedeutet; und mag auch das Zusammentreffen mehrerer verschiedenartigen besondere Schwierigkeiten des Trennens und Kombinierens schaffen, es gibt ein »Nachschlagen«. Die gemeinsame Signatur all des Treibens ist die Allmaligkeit: das Gleichbleibende, das ein für allemal Ermittelte, die durchgehende Anwendbarkeit von Regeln, Gesetzen und Analogieschlüssen. Was man so Aberglauben nennt, kommt mir eher wie ein Aberwissen vor. Vom »Aberglauben« an den Dreizehnten führt eine ununterbrochene Leiter bis in die schwindligsten Höhen der Gnosis; von einem wirklichen Glauben ist dies nicht einmal der Affe.
Der wirkliche Glaube – wenn ich denn das Sichstellen und Vernehmen so nennen darf – fängt da an, wo das Nachschlagen aufhört, wo es einem vergeht. Was mir widerfährt, sagt mir etwas, aber was das ist, das es mir sagt, kann mir durch keine geheime Kunde eröffnet werden, denn es ist noch nie zuvor gesagt worden und es setzt sich nicht aus

Lauten zusammen, die je gesagt worden sind. Es ist undeutbar, wie es unübersetzbar ist, ich kanns nicht erklärt bekommen und ich kanns nicht darlegen, es ist ja gar nicht ein Was, es ist ja mir in mein Leben hinein gesagt, es ist keine Erfahrung, die sich unabhängig von ihrer Situation erinnern läßt, es bleibt immer die Anrede jenes Augenblicks, unisolierbar, es bleibt die Frage eines Fragenden, die ihre Antwort will.

(Die Frage. Denn das ist ja der andere große Gegensatz zwischen allem Zeichenwesen der Deuterei und der Zeichensprache, die hier gemeint ist: sie ist nie Auskunft, nie Bescheid, nie Beruhigung.)

Der Glaube steht in der Flut der Einmaligkeit, die vom Wissen überspannt wird. Unentbehrlich für die Arbeit des Menschengeistes sind all die Notbauten der Analogik, der Typologik, aber Flucht wärs, sie zu betreten, wenn dich, mich die Frage des Fragenden antritt. In der Flut allein erprobt und erfüllt sich das gelebte Leben.

Das raumzeitliche Weltkontinuum in Ehren – lebensmäßig kenne ich nur das Weltkonkretum, das mir jeweils, in jedem Augenblick zugereicht wird. Ich kann es in seine Bestandteile zerlegen, kann sie vergleichend Gruppen ähnlicher Phänomene zuteilen, kann sie von früheren ableiten, auf einfachere zurückführen – und habe nach alledem es, mein Weltkonkretum, nicht angerührt: unzerlegbar, unvergleichbar, unzurückführbar, nun schauervoll einmalig blickt es mich an. So will in Strawinskys Ballett der Direktor des wandernden Puppentheaters dem Jahrmarktspublikum zeigen, daß ein Pierrot, der es erschreckte, nichts als ein bekleideter Strohwisch ist, er reißt ihn auseinander – und bricht schlotternd

zusammen, denn auf dem Dach der Bude sitzt der *lebende* Petruschka und lacht ihn aus.
Der wahre Name des Weltkonkretums ist: die mir, jedem Menschen anvertraute Schöpfung. In ihr werden uns die Zeichen der Anrede gegeben.

Eine Bekehrung

In jüngeren Jahren war mir das »Religiöse« die Ausnahme. Es gab Stunden, die aus dem Gang der Dinge herausgenommen wurden. Die feste Schale des Alltags wurde irgendwoher durchlöchert. Da versagte die zuverlässige Stetigkeit der Erscheinungen; der Überfall, der geschah, sprengte ihr Gesetz. Die »religiöse Erfahrung« war die Erfahrung einer Anderheit, die in den Zusammenhang des Lebens nicht einstand. Das konnte mit etwas Geläufigem beginnen, mit der Betrachtung irgendeines vertrauten Gegenstandes, der dann aber unversehens heimlich und unheimlich wurde, zuletzt durchsichtig in die Finsternis des Geheimnisses selber mit ihren zuckenden Blitzen. Doch konnte auch ganz unvermittelt die Zeit zerreißen, – erst der feste Weltbau, danach die noch festere Selbstgewißheit versprühte, und man, das wesenlose Man, das man eben nur noch war, das man nicht mehr wußte, wurde der Fülle ausgeliefert. Das »Religiöse« hob einen heraus. Drüben war nun die gewohnte Existenz mit ihren Geschäften, hier aber waltete Entrückung, Erleuchtung, Verzückung, zeitlos, folgelos. Das eigene Dasein umschloß also ein Dies- und ein Jenseits, und es gab kein Band außer jeweils dem tatsächlichen Augenblick des Übergangs.

Die Unrechtmäßigkeit einer solchen Aufteilung des auf Tod und Ewigkeit zuströmenden Zeitlebens, das sich ihnen gegenüber nicht anders erfüllen kann, als wenn es eben seine Zeitlichkeit erfüllt, ist mir durch ein Ereignis des Alltags aufgegangen, ein richtendes Ereignis, richtend mit jenem Spruch geschlossener Lippen und unbewegten Blicks, wie ihn der gängige Gang der Dinge zu fällen liebt.

Es ereignete sich nichts weiter, als daß ich einmal, an einem Vormittag nach einem Morgen »religiöser« Begeisterung, den Besuch eines unbekannten jungen Menschen empfing, ohne mit der Seele dabei zu sein. Ich ließ es durchaus nicht an einem freundlichen Entgegenkommen fehlen, ich behandelte ihn nicht nachlässiger als alle seine Altersgenossen, die mich um diese Tageszeit wie ein Orakel das mit sich reden läßt aufzusuchen pflegten, ich unterhielt mich mit ihm aufmerksam und freimütig – und unterließ nur, die Fragen zu erraten, die er nicht stellte. Diese Fragen habe ich später, nicht lange darauf, von einem seiner Freunde – er selber lebte schon nicht mehr – ihrem wesentlichen Gehalt nach erfahren, habe erfahren, daß er nicht beiläufig, sondern schicksalhaft zu mir gekommen war, nicht um Plauderei, sondern um Entscheidung, gerade zu mir, gerade in dieser Stunde. Was erwarten wir, wenn wir verzweifeln und doch noch zu einem Menschen gehen? Wohl eine Gegenwärtigkeit, durch die uns gesagt wird, daß es ihn dennoch gibt, den Sinn.

Seither habe ich jenes »Religiöse«, das nichts als Ausnahme ist, Herausnahme, Heraustritt, Ekstasis, aufgegeben oder es hat mich aufgegeben. Ich besitze nichts mehr als den Alltag, aus dem ich nie genommen werde. Das Geheimnis tut sich nicht mehr auf,

es hat sich entzogen oder es hat hier Wohnung genommen, wo sich alles begibt wie es sich begibt. Ich kenne keine Fülle mehr als die Fülle jeder sterblichen Stunde an Anspruch und Verantwortung. Weit entfernt ihr gewachsen zu sein, weiß ich doch, daß ich im Anspruch angesprochen werde und in der Verantwortung antworten darf, und weiß, wer spricht und Antwort heischt.
Viel mehr weiß ich nicht. Wenn das Religion ist, so ist sie einfach *alles*, das schlichte gelebte Alles in seiner Möglichkeit der Zwiesprache.
Hier ist Raum auch für ihre höchsten Gestalten. Wie wenn du betest und dich damit nicht von diesem deinem Leben entfernst, sondern eben betend es meinst und sei es auch nur es herzugeben, so auch im Unerhörten und Überfallenden, wenn du von Oben angerufen wirst, angefordert, erwählt, ermächtigt, gesandt: du mit diesem deinem sterblichen Stück Leben bist gemeint, dieser Augenblick ist nicht davon herausgenommen, er lehnt sich ans Gewesene an und winkt dem noch zu lebenden Rest, du wirst nicht in einer unverbindlichen Fülle verschlungen, du wirst gewollt für die Verbundenheit.

Wer redet?

Wir werden in den Zeichen des widerfahrenden Lebens angeredet. Wer redet?
Es würde uns nicht frommen, zur Entgegnung die Vokabel Gott herzusetzen, wenn wirs nicht von jener entscheidenden Stunde der persönlichen Existenz aus tun, wo wir alles vergessen mußten, was wir von Gott zu wissen wähnten, nichts Überkommenes,

nichts Gelerntes, nichts Selbstersonnenes behalten durften, keinen Fetzen Wissen, und eingetaucht wurden in die Nacht.

Wenn wir aus ihr ins neue Leben steigen und darin die Zeichen zu empfangen beginnen, was können wir von dem wissen, das – der sie uns gibt? Nur was wir jeweils aus den Zeichen selber erfahren. Nennen wir den Sprecher dieser Sprache Gott, so ist es immer der Gott eines Augenblicks, ein Augenblicksgott.

Ich will nun einen linkischen Vergleich gebrauchen, weil ich keinen rechten kenne.

Wenn wir ein Gedicht wirklich aufnehmen, wissen wir von dem Dichter nur das, was wir daraus von ihm erfahren – keine biographische Weisheit taugt zur reinen Aufnahme des Aufzunehmenden: das Ich, das uns angeht, ist das Subjekt dieses einzigen Gedichts. Wenn wir aber in der gleichen getreuen Weise andre Gedichte dieses Dichters lesen, schließen sich ihre Subjekte doch in all ihrer Mannigfaltigkeit, einander ergänzend und bestätigend, zu dem einen polyphonen Dasein der Person zusammen.

So ersteht uns aus den Gebern der Zeichen, den Sprechern der Sprüche im gelebten Leben, aus den Augenblicksgöttern identisch der Herr der Stimme, der Eine.

Oben und unten

Oben und unten sind aneinander gebunden. Wer mit den Menschen reden will, ohne mit Gott zu reden, dessen Wort vollendet sich nicht; aber wer mit Gott reden will, ohne mit den Menschen zu reden, dessen Wort geht in die Irre.

Es wird erzählt, ein gottbegeisterter Mann sei einst aus den Bereichen der Geschöpflichkeit in die große Leere gegangen. Da wanderte er, bis er an die Pforte des Geheimnisses kam. Er pochte. Von drinnen rief es ihn an: »Was willst du hier?« »Ich habe«, sagte er, »den Ohren der Sterblichen dein Lob verkündet, aber sie waren mir taub. So komme ich zu dir, daß du selber mich vernehmest und mir erwiderst.« »Kehr um«, rief es von drinnen, »hier ist dir kein Ohr. In die Taubheit der Sterblichen habe ich mein Hören versenkt.«

Die wahre Anrede Gottes weist den Menschen in den Raum der gelebten Sprache, wo die Stimmen der Geschöpfe aneinander vorübertasten und eben im Verfehlen den ewigen Partner erreichen.

Verantwortung

Der Begriff der Verantwortung ist aus dem Gebiet der Sonderethik, eines frei in der Luft schwebenden »Sollens«, in das des gelebten Lebens zurückzuholen. Echte Verantwortung gibt es nur, wo es wirkliches Antworten gibt.

Antworten worauf?

Auf das, was einem widerfährt, was man zu sehen, zu hören, zu spüren bekommt. Jede konkrete Stunde mit ihrem Welt- und Schicksalsgehalt, die der Person zugeteilt wird, ist dem Aufmerkenden Sprache. Dem Aufmerkenden; denn mehr als dessen bedarf es nicht, um mit dem Lesen der einem gegebenen Zeichen anzuheben. Eben deshalb ist, wie ich schon angedeutet habe, der ganze Apparat unserer Zivilisation erforderlich, um den Menschen vor diesem Aufmerken und seinen Folgen zu bewahren. Der Aufmerkende nämlich würde mit der Situation, die ihn in diesem Augenblick antritt, nicht mehr, wie er gewohnt ist, im nächsten »fertig werden«: er wäre aufgefordert, auf sie und in sie einzugehen. Und dabei würde ihm nichts helfen, was er als stets Verwendbares zu besitzen glaubte, keine Kenntnis und keine Technik, kein System und kein Programm, denn nun hätte er es mit dem Uneinreihbaren, eben mit der Konkretion selber zu tun. Diese Sprache hat kein Alphabet, jeder ihrer Laute ist eine neue Schöpfung und nur als solche zu erfassen.

Es wird also dem Aufmerkenden zugemutet, daß er der geschehenden Schöpfung standhalte. Sie geschieht als Rede, und nicht als eine über die Köpfe hinbrausende, sondern als die eben an ihn gerichtete; und wenn einer einen andern fragte, ob auch er höre, und der bejahte, hätten sie sich nur über ein Erfahren und nicht über ein Erfahrnes verständigt.

Die Laute aber, aus denen die Rede besteht – ich wiederhole es, um das vielleicht doch noch mögliche Mißverständnis zu beseitigen, ich meinte etwas Außerordentliches und Überlebensgroßes –, sind die Begebenheiten des persönlichen Alltags. In ihnen werden wir angeredet, wie sie nun sind, »groß« oder »klein«, und die als groß geltenden liefern nicht größere Zeichen als die andern.

Damit, daß wir ihrer innewerden, ist jedoch unsere Haltung noch nicht entschieden. Immer noch können wir das Schweigen um uns schlagen – eine für einen bedeutenden Typus des Zeitalters charakteristische Entgegnung – oder in die Gewöhnung ausweichen; obwohl wir beidemal eine durch keine Produktivität und durch keine Betäubung zu vergessende Wunde davontragen. Doch es kann geschehen, daß wir zu antworten uns unterfangen, stammelnd etwa, zu sicherer Artikulation langt uns nur selten die Seele zu, aber es ist ein rechtschaffenes Stammeln, wie wenn zwar Sinn und Kehle einig sind in dem, was zu sagen ist, aber die Kehle darüber zu erschrocken, um den schon geschlichteten Sinn rein auszutönen. Die Worte unserer Antwort sind in der wie die Anrede unübersetzbaren Sprache des Tuns und des Lassens gesprochen, – wobei das Tun sich wie ein Lassen und das Lassen wie ein Tun gebärden darf. Was wir so mit dem Wesen sagen, ist unser Eingehen auf die Situation, in die Situation, sie, die uns eben jetzt angetreten hat, deren Erscheinung wir nicht kannten und nicht kennen konnten, weil es ihresgleichen noch nicht gegeben hat.

Wir werden nun mit ihr nicht fertig, darauf haben wir verzichten müssen, nie ist mit einer Situation, deren man inne ward, fertig zu werden, aber wir bewältigen sie in die Substanz des gelebten Lebens ein. So erst, dem Augenblick treu, erfahren wir ein Leben, das etwas anderes als eine Summe von Augenblicken ist. Dem Augenblick antworten wir, aber wir antworten zugleich für ihn, wir verantworten ihn. Ein neuerschaffenes Weltkonkretum ist uns in die Arme gelegt worden; wir verantworten es. Ein Hund hat dich angesehen, du verantwortest seinen Blick, ein Kind hat deine Hand ergriffen, du verantwortest seine Berührung, eine Menschenschar regt sich um dich, du verantwortest ihre Not.

Moral und Religion

Verantwortung, die nicht einem Wort antwortet, ist eine Metapher der Moral; faktisch ist Verantwortung nur, wenn es die Instanz gibt, vor der ich mich verantworte, und »Selbstverantwortung« hat nur dann Realität, wenn das »Selbst«, vor dem ich mich verantworte, in das Unbedingte durchsichtig wird. Wer aber die reale, die dialogische Verantwortung übt, braucht den Sprecher des Worts, dem er antwortet, nicht zu benennen – er kennt ihn in der Substanz des Wortes, das andringend, eindringend, den Tonfall einer Innerlichkeit annehmend, ihm das Herz des Herzens bewegt. Einer kann mit aller Kraft abwehren, daß »Gott« da sei, und kostet ihn im strengen Sakrament der Zwiesprache.
Man meine jedoch nicht, daß ich die Moral fraglich mache, um die Religion zu rühmen. Religion hat zwar vor der Moral dies voraus, daß sie ein Phänomen und kein Postulat ist, und weiter dies, daß sie außer der Entschlossenheit auch die Gelassenheit zu umfassen vermag; die Wirklichkeit der Moral, die Forderung des Fordernden, hat Platz in ihr, aber ihre Wirklichkeit, das unbedingte Sein des Fordernden, hat nicht Platz in der Moral. Wenn sie sich jedoch genugtut und sich behauptet, ist sie noch weit bedenklicher als jene, eben weil sie tatsächlicher und weil sie umfassender ist. Religion als Wagnis, die sich selber aufzugeben bereite, ist der nährende Arterienstrom; als System, besitzend, gesichert und sichernd, Religion, die an Religion glaubt, ist sie Venenblut, das ins Stocken geriet. Und wenn es nichts gibt, das uns so das Antlitz des

Mitmenschen verstellen kann wie die Moral, kann die Religion uns wie nichts andres das Antlitz Gottes verstellen. Prinzip dort, Dogma hier, ich weiß die »objektive« Dichtigkeit des Dogmas zu schätzen, aber hinter beiden lauert der – profane oder heilige – Krieg gegen die dialogische Gewalt der Situation, lauert das Ein-für-alle-mal, das dem unvorhersehbaren Augenblick widersteht. Das Dogma ist, auch wo sein Herkunftsanspruch unbestritten bleibt, die erhabenste Form des Gefeitseins gegen die Offenbarung geworden. Die will kein Perfektum dulden, aber der Mensch mit den Künsten seines Sicherungswahns steift sie zur Perfektion ab.

ZWEITER ABSCHNITT: BEGRENZUNG

Die Bereiche

Die Bereiche dialogischen und monologischen Lebens decken sich auch dann nicht mit denen des Dialogs und des Monologs, wenn man von diesen die lautlosen, ja gebärdelosen Formen mit einbezieht. Es gibt nicht bloß große Sphären dialogischen Lebens, die der Erscheinung nach nicht Dialog sind, es gibt auch Dialog, der es nicht als Leben ist, das heißt: der vom Dialog die Erscheinung, aber nicht das Wesen hat. Zuweilen sieht es gar so aus, als gäbe es nur noch solchen.

Ich kenne dreierlei Dialog: den echten – gleichviel, geredeten oder geschwiegenen –, wo jeder der Teilnehmer den oder die anderen in ihrem Dasein und Sosein wirklich meint und sich ihnen in der Intention zuwendet, daß lebendige Gegenseitigkeit sich zwischen ihm und ihnen stifte; den technischen, der lediglich von der Notdurft der sachlichen Verständigung eingegeben ist; und den dialogisch verkleideten Monolog, in dem zwei oder mehrere im Raum zusammengekommene Menschen auf wunderlich verschlungenen Umwegen jeder mit sich selber reden und sich doch der Pein des Aufsichangewiesenseins entrückt dünken. Die erste Art ist, wie gesagt, selten geworden; wo sie sich erhebt, und sei es in noch so »ungeistiger« Gestalt, wird für den Fortbestand der organischen Substanz menschlichen Geistes Zeugnis abgelegt. Die zweite gehört zum unveräußerlichen Kerngut der »modernen Existenz«, wiewohl sich hier immer noch in allerlei Schlupfwinkeln die wirkliche Zwiesprache verbirgt und gelegentlich in ungebührlicher Weise, freilich immer noch öfter überlegen geduldet als geradezu anstoßerregend, etwa im Tonfall eines Bahnschaffners, im Blick einer alten Zeitungsverkäuferin, im Lächeln des Schornsteinfegers, überraschend und unzeitgemäß hervortaucht. Und die dritte ...

Eine Debatte, in der man seine Gedanken nicht so äußert, wie man sie vordem im Sinn hatte, sondern sie im Reden so zuspitzt, wie sie am empfindlichsten treffen können, und zwar, ohne sich die Menschen, zu denen man redet, irgend als Personen gegenwärtig zu halten; eine Konversation, die weder von dem Bedürfnis, etwas mitzuteilen, noch von dem, etwas zu erfahren, noch von dem, auf jemand einzuwirken, noch von dem, mit jemand in Verbindung zu kommen, bestimmt ist, sondern allein von dem Wunsch, das eigene Selbstgefühl durch das Ablesen des gemachten Eindrucks bestätigt oder ein ins Wanken geratenes gefestigt zu bekommen; eine freundschaftliche Unterhaltung, in der jeder sich als absolut und legitim und den andern als relativiert und fragwürdig ansieht; ein Liebesgespräch, in dem der eine wie der andere Partner die eigene herrliche Seele und ihr kostbares Erlebnis genießt: – welch eine Unterwelt antlitzloser Truggebilde!

Dialogisches Leben ist nicht eins, in dem man viel mit Menschen zu tun hat, sondern eins, in dem man mit den Menschen, mit denen man zu tun hat, wirklich zu tun hat. Monologisch lebend ist nicht der Einsame zu nennen, sondern wer nicht fähig ist, die Gesellschaft, in der er sich schicksalsmäßig bewegt, wesensmäßig zu verwirklichen. Erst die Einsamkeit zeigt das Innerste des Gegensatzes. Der dialogisch Lebende bekommt da, im gewohnten Ablauf der Stunden, etwas gesagt und fühlt sich um Erwiderung angegangen; aber auch in der großen Ausgespartheit einer begleiterlosen Gebirgswanderung etwa verläßt ihn das metamorphosenreiche Gegenüber nicht. Der monologisch Lebende gewahrt das Andere nie als etwas, das zugleich schlechthin nicht er ist und womit er doch kommuniziert. Einsamkeit kann für ihn aufsteigende Fülle der Gesichte, der Gedanken bedeuten, nie aber den tiefen, in einer neuen Tiefe eroberten Verkehr mit dem unfaßlich Wirklichen. Natur ist für ihn entweder ein état d'âme, also ein »Erlebnis« in ihm, oder ein passiver Gegenstand der Kenntnis, entweder idealistisch verseelt oder realistisch verfremdet; sie wird ihm nicht zum Wort, das man mit schauenden und spürenden Sinnen vernimmt.

Dialogisches Dasein empfängt auch in der äußersten Verlassenheit eine herbe und stärkende Ahnung der Reziprozität, monologisches wird auch in der zärtlichsten Gemeinschaft nicht über die Umrisse des Selbst hinaustasten.

Mit dem von einigen Moralisten erdachten Gegensatz von »Egoismus« und »Altruismus« darf dieser nicht verwechselt werden. Ich kenne Leute, die in der »sozialen Tätigkeit« aufgehen und nie mit einem Mitmenschen von Wesen zu Wesen geredet haben; und andere, die keine persönlichen Beziehungen außer zu ihren Feinden haben, zu ihnen aber so stehen, daß es nur noch an denen liegt, wenn das Verhältnis nicht zum dialogischen gedeiht.

Mit der Liebe ist die Dialogik erst recht nicht gleichzusetzen. Ich weiß niemand in den Zeiten, der es fertiggebracht hätte, alle Menschen, denen er begegnete, zu lieben. Auch Jesus liebte unter den »Sündern« offenbar nur die lockeren, liebenswürdigen, die gegen das Gesetz, nicht auch die dichten, erbgutstreuen, die gegen ihn und seine Botschaft sündigten; doch er stand zu diesen wie zu jenen unmittelbar. Mit der Liebe ist die Dialogik nicht gleichzusetzen. Aber Liebe ohne Dialogik, also ohne wirkliches Zum-Andern-ausgehen, Zum-Andern-gelangen und Beim-Andern-verweilen, die bei sich bleibende Liebe ist es, die Luzifer heißt.

Freilich muß man, um zum Andern ausgehen zu können, den Ausgangsort innehaben, man muß bei sich gewesen sein, bei sich sein. Zwiesprache zwischen bloßen Individuen ist nur ein Entwurf, erst in der zwischen Personen ist er ausgeführt. Aber woran könnte ein Mensch so wesenhaft aus einem Individuum zur Person werden wie an den strengen und holden Erfahrungen der Zwiesprache, die ihn den grenzenlosen Gehalt der Grenze lehren?

Was hier gesagt wird, ist das eigentliche Gegenteil des in Zeitalterdämmerungen zuweilen vernehmbaren Schreis nach universaler Rückhaltlosigkeit. Wer zu jedem Passanten rückhaltlos sein kann, hat keine Substanz zu verlieren; aber wer nicht zu jedem ihm Begegnenden unmittelbar sein kann, dessen Fülle ist eitel. Zu Unrecht hat Luther das hebräische »Genosse« (aus dem schon die Siebzig einen Nahen, einen Nachbarn gemacht hatten) in einen »Nächsten«, verwandelt. Wenn alles Konkrete gleich nah, gleich nächst ist, hat das Leben mit der Welt nicht Gliederung und Bau, nicht menschhaften Sinn mehr. Aber zwischen mir und einem meiner Genossen in der Genossenschaft der Schöpfung braucht, wann irgend wir einander nah kommen, nichts zu mitteln, weil wir der gleichen Mitte verbunden sind.

Die Grundbewegungen

Grundbewegung nenne ich eine Wesenshandlung des Menschen (man mag sie als eine »innere« verstehen, aber sie ist nicht da, wenn sie nicht bis in die Spannung der Augenmuskeln und bis in den Auftritt der Fußsohle da ist), um die sich eine Wesenshaltung aufbaut. Das ist nicht zeitlich gemeint, als ginge die einmalige Handlung der dauernden Haltung voraus; diese hat vielmehr ihre Wahrheit darin, daß die Grundbewegung immer wieder, ohne Vorsatz, aber auch ohne Gewöhnung, vollzogen wird. Sonst hätte die Haltung nur noch ästhetische oder wohl auch politische Bedeutung, als schöne und als wirksame Lüge. Die bekannte Maxime, man möge erst eine Haltung einnehmen, das weitere ergebe sich von selber, bewährt sich nicht mehr im Umkreis von Wesenshandlung und Wesenshaltung, also wo es um die Ganzheit der Person geht.

Die dialogische Grundbewegung ist die Hinwendung. Das ist ja scheinbar etwas Allstündliches und Belangloses: wenn man jemand ansieht, anredet, wendet man sich ihm eben zu, naturgemäß körperlich, aber auch in dem erforderlichen Maße mit der Seele, indem man die Aufmerksamkeit auf ihn richtet. Aber was von alledem ist eine Wesenshandlung, mit dem Wesen getan? So also, daß aus der Unumfaßlichkeit des Vorhandenen diese eine Person hervortritt und zur Gegenwart wird, und nun ist in unserer Wahrnahme die Welt nicht mehr eine indifferente Vielfältigkeit von Punkten, von denen einem wir etwa momenthafte Beachtung schenken, sondern ein schrankenloses Wogen um einen schmalen, hellumrissenen, tragstarken Damm, – schrankenlos, aber eben durch ihn eingeschränkt, somit wenn auch nicht umzirkt, so doch mitteninne endlich geworden, bildhaft geworden, von der eignen Indifferenz erlöst! Und doch ist keine der allstündlichen Berührungen unwert, von unserm Wesen aufzunehmen soviel sie eben vermag, – da ja kein Mensch ohne Kraft zur Äußerung ist und unsre Hinwendung eine noch so unmerkliche, noch so schnell erstickte Entgegnung in einem vielleicht in bloßer Innerlichkeit verlaufenden und doch eben existenten Aufschauen, Auflauten der Seele bewirkt. Die Vorstellung des modernen Menschen, Hinwendung sei sentimental und entspreche nicht der Dichtigkeit heutigen Lebens, ist ein grotesker Irrtum, wie seine Versicherung, Hinwendung sei im Getriebe dieses heutigen Lebens unpraktizierbar, nur das maskierte Eingeständnis seiner Initiativschwäche der Zeitlage gegenüber ist; er läßt sich von ihr diktieren, was möglich oder zulässig sei, statt als gelassener Partner mit ihr zu vereinbaren, was mit *jeder* Zeitlage zu vereinbaren ist, welchen Raum nämlich und welche Gestalt sie dem kreatürlichen Dasein zuzugestehen gehalten sei.

Die monologische Grundbewegung ist nicht etwa die Abwendung als Gegensatz zur Hinwendung, sondern die Rückbiegung.

Elfjährig, auf dem Gut meiner Großeltern den Sommer verbringend, pflegte ich mich, sooft ich es unbeobachtet tun konnte, in den Stall zu schleichen und meinem Liebling, einem breiten Apfelschimmel, den Nacken zu krauen. Das war für mich nicht ein beiläufiges Vergnügen, sondern eine große, zwar freundliche, aber doch auch tief erregende Begebenheit. Wenn ich es jetzt, von der sehr frisch gebliebenen Erinnerung meiner Hand aus, deuten soll, muß ich sagen: was ich an dem Tier erfuhr, war das Andere, die ungeheure Anderheit des Anderen, die aber nicht fremd blieb, wie die von Ochs und Widder, die mich vielmehr ihr nahen, sie berühren ließ. Wenn ich über die mächtige, zuweilen verwunderlich glattgekämmte, zu andern Malen ebenso erstaunlich wilde Mähne strich und das Lebendige unter meiner Hand leben spürte, war es, als grenzte mir an die Haut das Element der Vitalität selber, etwas, das nicht ich, gar nicht ich war, gar nicht ichvertraut, eben handgreiflich das Andere, nicht ein anderes bloß, wirklich das Andere selber, und mich doch heranließ, sich mir anvertraute, sich elementar mit mir auf Du und Du stellte. Der Schimmel hob, auch wenn ich nicht damit begonnen hatte ihm Hafer in die Krippe zu schütten, sehr gelind den massigen Kopf, an dem sich die Ohren noch besonders regten, dann schnob er leise, wie ein Verschworner seinem Mitverschwornen ein nur diesem vernehmbar werden sollendes Signal gibt, und ich war bestätigt. Einmal aber – ich weiß nicht, was den Knaben anwandelte, jedenfalls war es kindlich genug – fiel mir über dem Streicheln ein, was für einen Spaß es mir doch mache, und ich fühlte plötzlich meine Hand. Das Spiel ging weiter wie sonst, aber etwas hatte sich geändert, es war nicht mehr Das. Und als ich tags darauf, nach einer reichen Futtergabe, meinem Freund den Nacken kraute, hob er den Kopf nicht. Schon wenige Jahre später, wenn ich an den

Vorfall zurückdachte, meinte ich nicht mehr, das Tier habe meinen Abfall gemerkt; damals aber erschien ich mir verurteilt.
Rückbiegung ist etwas andres als Egoismus und sogar als »Egotismus«. Es ist nicht dies, daß einer sich mit sich befaßt, sich betrachtet, sich befingert, sich genießt, sich verehrt, sich beweint; das kann alles hinzukommen – wie zur Hinwendung, sie vollendend, hinzukommen kann, daß man den Andern in dessen eigentümlichem Dasein vergegenwärtigt, ja ihn umfaßt, so daß man die ihm und einem selber gemeinsamen Situationen auch von seinem, des Andern, Ende aus erfährt –, aber es gehört nicht dazu. Rückbiegung nenne ich es, wenn einer sich der wesensmäßigen Annahme einer andern Person in ihrer seinem Selbstkreis schlechthin nicht einschreibbaren, seine Seele wohl substantiell berührenden und bewegenden, aber nirgends ihr immanenten Sonderheit entzieht und den Andern nur als das eigne Erlebnis, nur als eine Meinheit bestehen läßt. Da wird denn Zwiesprache zum Schein, der geheimnishafte Verkehr zwischen menschlicher Welt und menschlicher Welt wird nur noch gespielt, und in der Ablehnung des gegenüberlebenden Wirklichen beginnt sich die Essenz aller Wirklichkeit zu zersetzen.

Die wortlose Tiefe

Ich höre zuweilen sagen, alles Ich und Du sei nur Oberfläche, tief darunter bestehe nicht Wort, nicht Antwort mehr, nur das eine Ursein ohne Gegenüber, wir sollten uns daher in die schweigsame Einheit versenken, im übrigen aber dem zu lebenden Leben seine Relativität belassen, statt ihm dieses verabsolutierte Ich und dieses verabsolutierte Du mit ihrer Zwiesprache aufzuerlegen.

Nun weiß ich wohl aus eigner, nie zu vergessender Erfahrung, daß es Zustände gibt, in denen die Bande der Personhaftigkeit von uns abgefallen scheinen und wir eine unteilige Einheit erleben. Aber ich weiß nicht – was die Seele freilich gern wähnt und wohl wähnen muß (auch meine hat das einst getan) –: daß ich darin eine Vereinigung mit dem Ursein oder der Gottheit erreicht hätte. Das ist eine der verantwortlichen Erkenntnis nicht mehr erlaubte Übersteigerung. Verantwortlich, das heißt: als ein der Wirklichkeit standhaltender Mensch kann ich jenen Erlebnissen nur dies abdeuten, daß ich in ihnen an eine unschiedliche, nicht gestaltige und nicht inhaltbefaßte Einheit meiner selbst gelangt bin. Ich mag diese Einheit eine ursprüngliche, eine vorbiographische nennen und vermuten, daß sie sich unter allem biographischen Wandel, aller Entfaltung und Verschlingung der Seele gleichgeblieben berge; sie ist dennoch in der redlichen, heilig nüchternen Rechenschaft der verantwortlichen Erkenntnis nichts andres als eben die Einheit dieser meiner Seele, auf deren »Grund« ich gelangt bin, so sehr auf ihren Grund unterhalb aller Formungen und Gehalte, daß mein Geist nicht umhin kann, ihn als den Urgrund zu verstehen. Die Grundeinheit meiner eigenen Seele aber ist wohl aller durch das bisherige Leben empfangenen Vielfältigkeit entrückt, aber ganz und gar nicht der Individuation, ganz und gar nicht der Vielfältigkeit all der Seelen in der Welt, deren eine sie ist: diese eine einmalige, einzige, ohnegleiche, unableitbare,

– diese geschöpfliche. Eine der Menschenseelen und nicht die »Allseele«. Ein Sosein und nicht das Sein. Die geschöpfliche Grundeinheit eines Geschöpfs, Gott verbunden wie im Nu vor der Loslassung die Kreatur dem creator spiritus, Gott unverbunden wie die Kreatur dem creator spiritus im Augenblick der Loslassung.

Für das Gefühl des Menschen ist die Einheit des eignen Selbst von der Einheit überhaupt nicht unterscheidbar; denn wer im Akt oder Vorgang der Versenkung unter den Bereich aller in der Seele waltenden Vielheit gesunken ist, kann das Nicht-mehr-sein der Vielheit nicht anders denn als die Einheit selber erfahren, also das eigene Nicht-mehr-vielfältig-sein als das Nicht-mehr-zuzweit-sein des Seins, als die enthüllte oder erfüllte Zweitlosigkeit. Das Einsgewordensein kann sich selber nicht mehr diesseits der Individuation, aber sogar nicht mehr diesseits der Zweiheit von Ich und Du begreifen, denn für die Randerfahrung der Seele ist »eins« anscheinend notwendigerweise gleichbedeutend mit der Eins.

Aber in der Tatsächlichkeit des gelebten Lebens ist der Mensch solch eines Augenblicks nicht oberhalb, sondern unterhalb der Schöpfungssituation, die mächtiger und wahrer ist als alle Verzückungen; er ist nicht oberhalb, sondern unterhalb der Zwiesprache. Er ist der Verborgenheit Gottes, die über Ich und Du ist, nicht näher und der Zugewandtheit Gottes, der einem Du sich zum Ich und einem Ich sich zum Du gibt, ferner als jener andre, der betend, dienend, lebend nicht aus dem Gegenüberstande tritt und keiner wortlosen Einheit gewärtig ist, es sei denn jener, die etwa der leibliche Tod erschließt.

Eine gelebte Einheit kennt jedoch auch der dialogisch Lebende. Es ist eben die Einheit des *Lebens*, als die, einmal wahrhaft gewonnen, durch keine Verwandlungen mehr zerrissen wird, nicht entzweigerissen wird in kreatürlichen Alltag und »vergottete« Hochstunden; die des lückenlosen, entrückungslosen Verharrens in der Konkretheit, in der man das Wort vernimmt und eine Antwort stammeln darf.

Vom Denken

Daß alle *Kunst* von ihrem Ursprung her wesenhaft dialogisch ist: daß alle Musik einem Ohr ruft, das nicht das eigne des Musikers, alle Bildnerei einem Auge, das nicht das eigne des Bildners ist, die Architektur auch noch einem den Bau abwandelnden Schritt, und daß sie alle dem sie Empfangenden etwas nur eben in dieser einen Sprache Sagbares sagen (nicht ein »Gefühl«, sondern ein wahrgenommenes Geheimnis), – das eröffnet sich jeder unbefangenen Besinnung. Aber dem *Gedanken* scheint etwas Monologisches anzuhaften, zu dem die Mitteilung als ein Zweites, Sekundäres tritt; er scheint monologisch zu entstehen. Ist es so, daß hier – wo, wie die Philosophen sagen, aus der konkreten Person sich das reine Subjekt löst, um eine Welt sich zu gründen und zu ergründen – eine über dem dialogischen Leben ragende, ihm unzugängliche Burg sich erhebt, darin der Mensch mit sich, der Einzelne, glorreich einsam leidet und triumphiert?
Platon hat zu wiederholten Malen das Denken ein stimmloses Gespräch der Seele mit sich selber genannt. Jeder, der wirklich gedacht hat, weiß, daß es

innerhalb dieses merkwürdigen Prozesses ein Stadium gibt, in dem eine »innere« Instanz befragt wird und erwidert. Aber das ist nicht die Entstehung des Gedankens, sondern die erste Prüfung und Erprobung des entstandenen. Die Entstehung des Gedankens vollzieht sich nicht im Selbstgespräch. Weder die Einsicht in die Grundverhältnisse, mit der das erkennende Denken beginnt, noch das Fassen, Abgrenzen und Verdichten der Einsicht, noch ihre Einwandlung in die selbständige Begriffsgestalt, noch die bezugstiftende, einfügende und verlötende Aufnahme dieser Gestalt in eine begriffsgestaltige Ordnung, noch sogar endlich – bis dahin hatte die Sprache nur eine technische und vorbehaltliche Symbolfunktion – die sprachliche Ausprägung und Vereindeutung hat monologischen Charakter. Eher wird man schon hier dialogische Elemente entdekken: nicht sich redet auf den Stufen des Gedankewerdens, in deren Verantwortungen, der Denker an, sondern etwa das Grundverhältnis, dem gegenüber er seine Einsicht, oder die Ordnung, der gegenüber er die neu eintretende Begriffsgestalt zu verantworten hat, – und es heißt die Dynamik des denkerischen Geschehens mißkennen, wenn man vermeint, diese Apostrophierungen eines naturhaft oder ideenhaft Existenten seien »eigentlich« Selbstgespräche.

Aber auch die erste Prüfung und Erprobung des vorerst fertigen Gedankens vor der »inneren« Instanz, die im platonischen Sinn monologische Stufe, hat außer der geläufigen eine andre, eine große dialogisierende, Platon wenn irgendeinem wohlbekannte Erscheinungsform: da ist der um Urteil Angegangene nicht das empirische Selbst, sondern der Genius, der mit mir intendierte Geist, das Bild-Selbst, dem der neue Gedanke vorgetragen wird, ob er von ihm gebilligt, das heißt: in sein eigenes Vollendungsdenken aufgenommen werden möchte.

Und nun erscheint, von einer Dimension aus, der auch diese Ermächtigung noch nicht Genüge tut, das Verlangen nach einer rein dialogischen Prüfung und Erprobung, darin das empfängerische Amt nicht mehr dem Du-Ich, sondern einem echten Du übertragen wird, das entweder ein gemeintes und doch als höchst lebendig und »anders« empfundenes bleibt oder aber sich in einer vertrauten Person verkörpert. »Der Mensch«, sagt Wilhelm von Humboldt in seiner bedeutenden Abhandlung über den Dualis (1827), »sehnt sich auch zum Behuf seines bloßen Denkens nach einem dem Ich entsprechenden Du; der Begriff scheint ihm erst seine Bestimmtheit und Gewißheit durch das Zurückstrahlen aus einer fremden Denkkraft zu erreichen. Er wird erzeugt, indem er sich aus der bewegten Masse des Vorstellens losreißt und dem Subjekt gegenüber zum Objekt bildet. Die Objektivität erscheint aber noch vollendeter, wenn diese Spaltung nicht in dem Subjekt allein vorgeht, wenn der Vorstellende den Gedanken wirklich außer sich erblickt, was nur in einem andren, gleich ihm vorstellenden und denkenden Wesen möglich ist. Zwischen Denkkraft und Denkkraft aber gibt es keine andere Vermittlerin als die Sprache.« Ein Hinweis, der, zum Aphorismus vereinfacht, 1843 bei Ludwig Feuerbach wiederkehrt: »Die wahre Dialektik ist kein Monolog des einsamen Denkers mit sich selbst, sie ist ein Dialog zwischen Ich und Du.«

Aber dieses Wort weist doch auch schon über jenes

»Zurückstrahlen« hinaus; es deutet darauf hin, daß bereits im Urstadium des rechtmäßigen Denkakts die innere Handlung auf ein echtes, nicht bloß »innerliches« (Novalis) Du hin geschehen möchte. Und in der modernen Philosophie, da, wo sie am ernstesten von der menschlichen Existenz, Situation, Gegenwart aus fragen will, ist, in einigen Abwandlungen, ein wichtiger weiterer Schritt erfolgt. Es geht hier durchaus nicht mehr bloß um das aufnahmebereite und zum Symphilosophieren geneigte Du, vielmehr vorzugsweise gerade um das widerständige, weil wahrhaft um den Andern, den anders und anderes Denkenden; also auch nicht um ein Brettspiel im Turmgemach des Ätherschlosses, sondern um ein verbindliches Lebensgeschäft auf der harten Erde, bei dem man unerbittlich der Anderheit des Andern gewahr wird, sie aber nun nicht etwa vergegenwärtigungsbar beficht, sondern ihre Beschaffenheit in das eigne Denken aufnimmt, auf sie hin denkt, eben sie denkerisch anspricht.
Dieser Mensch der modernen Philosophie jedoch, der solcherweise nicht mehr im unberührbaren Bezirk der reinen Ideation, sondern in der Wirklichkeit denkt, denkt er in der Wirklichkeit? nicht lediglich in einer gedachten? Ist der Andere, den er so an- und aufnimmt, nicht lediglich der gedachte Andere, also doch der Unwirkliche? Hält der Denker, von dem die Rede ist, dem leibhaften Faktum der Anderheit stand?
Machen wir Ernst mit dem Denken zwischen Ich und Du, dann ist es nicht genug, auf das gedachte andre Denksubjekt hin zu denken: man müßte, auch mit dem Denken, eben mit dem Denken, auf den andern nicht gedachten, sondern leibhaft vorhand-

nen Menschen hin leben, auf seine Konkretheit hin. Nicht auf einen andern Denker hin, von dem man nichts wissen will außer seinem Denken, sondern, auch wenn der andre ein Denker ist, auf sein leibhaftes Nichtdenken hin; vielmehr auf seine Person hin, zu der ja immerhin auch die Tätigkeit des Denkens gehört.

Wann wird die Handlung des Denkens die Gegenwart des Gegenüberlebenden ertragen, einschließen, meinen? wann die denkerische Dialektik zur Dialogik werden? zu einer unsentimentalen, unaufgelockerten, zu einer strengen denkerischen Zwiesprache mit dem jeweils gegenwärtigen Menschen?

Eros

Die Griechen haben einen gewaltigen welterzeugenden und einen leichten seelenwaltenden, aber auch einen himmlischen und einen gemeinen Eros unterschieden. Beides scheint mir keine unbedingte Scheidung zu bedeuten. Denn der Urgott Wunsch, von dem die Welt abgeleitet wird, eben er ist es, der als »zarter Albgeist« (Jacob Grimm) gestaltet sich in die Seelensphäre begibt und in daimonischer Willkür sein kosmogonisches Werk hier durch Mittlung der Wesensbefruchtungen fortführt, der große blütenstaubtragende Falter der Psychogenie. Und der »Pandemos« – vorausgesetzt, daß es ein echter Eros und nicht ein sich frech für den Höhern ausgebender Priapos ist – braucht nur die Flügel zu regen, damit in den Spielen der Leiblichkeit sich das Urfeuer offenbare.

Freilich, um dieses geht es: ob er die Flugkraft nicht

eingebüßt hat und nun verdammt ist, unter zähen Sterblichen zu hausen und nur noch die dürftigen Liebesgebärden ihrer Sterblichkeit zu lenken. Dann nämlich tun zwar die Seelen der Liebenden einander was sie einander tun, aber flügellahm unter dem Regiment des Flügellahmen – denn seine Macht und Unmacht bekundet sich stets in der ihren – hocken sie wo sie sind, jede in ihrem Gehäus, statt auszufliegen, jede zur geliebten Partnerin, und dort, im zum Hüben gewordenen Drüben, zu »erkennen«.

Die Getreuen des dialogischen, des flügelstarken Eros erkennen das geliebte Wesen. Sie erfahren dessen eigentümliches Leben in schlichter Gegenwart: nicht wie ein gesehenes und getastetes Ding, sondern von den Innervationen zu seinen Bewegungen her, von dem »Innen« zu seinem »Außen« her. Damit aber ist nichts anderes gemeint als die bipolare Erfahrung; ja mehr als ein Sichhinüberschwingen im Nu, – ein ruhendes Zugleich. Jenes Kopfneigen da drüben, du spürst, wie die Seele im Nacken es entbietet, spürst es nicht an deinem Nacken, sondern eben an dem da drüben, dem geliebten, und bist doch selber nicht etwa hinweggenommen, bist im verspürenden Selbersein hier, und empfängst das Kopfneigen, seine Entbietung, als die Antwort dem Wort deines eigenen Schweigens; Zwiesprache tust und erfährst du im ruhenden Zugleich. Die zwei Getreuen des dialogischen Eros, die einander lieben, bekommen jeder das gemeinsame Ereignis auch vom andern aus, also von seinen beiden Seiten her, zu empfinden, und so erst, nun erst begreifen sie Ereignis körperhaft.

Das Reich des flügellahmen Eros ist eine Welt von Spiegeln und Spieglungen. Wo aber der geflügelte waltet, wird nicht gespiegelt: da meine ich, der Liebende, diesen andern Menschen, den geliebten, in seiner Anderheit, in seiner Selbständigkeit und Selbwirklichkeit, und meine ihn mit aller Ausrichtungsstärke meines eignen Gemüts. Gewiß, ich meine ihn als einen, der auf mich zu da ist, aber durchaus in eben der mir nicht eintragbaren, vielmehr mich umfangenden Realität, in der ich auf ihn zu da bin. Ich verseele mir nicht, was mir gegenüber lebt, ich gelobe es mir an und mich ihm, ich gelobe, ich glaube. Der dialogische Eros hat die Einfalt der Fülle; der monologische ist vielfältig. Ich bin viele Jahre durchs Menschenland gezogen und habe die Varietäten des »Erotikers« (so bezeichnet sich zuweilen der Untertan des Fluggebrochnen) noch immer nicht zu Ende studiert. Da streift ein Verliebter umher und ist nur in seine Leidenschaft verliebt. Da trägt einer seine differenzierten Gefühle wie Ordensbänder. Da genießt einer das Abenteuer seines Faszinierens. Da schaut einer entzückt dem Spektakel seiner eignen vermeintlichen Hingabe zu. Da sammelt einer Erregungen. Da läßt einer die »Macht« spielen. Da plustert sich einer mit fremder Vitalität auf. Da vergnügt sich einer, zugleich als er selbst und als ein ihm sehr unähnliches Idol vorhanden zu sein. Da wärmt sich einer am Brand des ihm Zugefallenen. Da experimentiert einer. Und so fort – all die vielfältigen Spiegel-Monologisten im Gemach der vertrautesten Zwiesprache!

Ich habe von den kleinen Barschen gesprochen, aber ich habe mehr noch die großen Hechte im Sinn. Es gibt welche, die sich mit dem Gegenstand, den sie zu fressen unternehmen, dahin verständigen, daß eben dies, das Tun als heiliges Recht, das Erleiden

als selige Pflicht, mitsammen es sei, was man Heldenliebe zu nennen habe. Ich weiß von »Führern«, die mit ihrem Zugreifen das Plasma eines werdenden Menschenwesens nicht allein verwirren, sondern im Kern zersetzen und unbildsam machen, diese ihre Wirkungsgewalt schmecken, dabei aber sich und ihrer Schar vortäuschen, sie seien Bildner jugendlicher Seelen, und als den Schutzgott dieses Werks Eros, den dem profanum vulgus Unzugänglichen, ausrufen.
Sie fassen alle in die Luft. Nur wer den andern Menschen selber meint und sich ihm zutut, empfängt in ihm die Welt. Nur das Wesen, dessen Anderheit, von meinem Wesen angenommen, ganz existenzdicht mir gegenüberlebt, trägt mir die Strahlung der Ewigkeit zu. Nur wenn Zwei mit allem was sie sind zu einander sagen: »Du bist es!«, ist die Einwohnung des Seienden zwischen ihnen.

Gemeinschaft

Nach der heute geläufigen, politikbestimmten Weise der Betrachtung ist an den Gruppen, in der Gegenwart wie in der Geschichte, nur wichtig, was sie bezwecken und was sie ausrichten. Dagegen wird dem, was in ihnen vorgeht, nur insofern eine Bedeutung zugeschrieben, als es die zweckgemäße Aktion der Gruppe beeinflußt. Einem zur Eroberung der Staatsgewalt verschworenen Bund etwa billigt man zu, daß die Kameradschaftlichkeit, die ihn erfüllt, ein Wert sei, eben weil sie die zuverlässige Stoßkraft des Bundes verstärkt; doch tuts auch ein präziser Gehorsam, wenn ein begeisterter Drill für das Einanderfremdbleiben der Genossen entschädigt, ja man hat gute Gründe, das starre System vorzuziehn. Strebt die Gruppe gar eine höhere Form des gesellschaftlichen Lebens an, dann kann es bedenklich erscheinen, wenn im Leben der Gruppe selbst etwas davon sich keimhaft zu verwirklichen anschickt, da man von dergleichen vorzeitigem Ernstmachen eine Dämpfung des »durchsetzenden« Schwungs befürchtet. Man nimmt offenbar an, wer in einer Oase zu Gast weile sei für das Projekt einer Bewässerung der Sahara verloren.

Durch diesen vereinfachten Abschätzungsmodus bleibt der wesentliche Eigenwert einer Gruppe ebenso unerfaßt, wie wenn wir eine Person nach ihrer Wirkung allein und nicht nach ihrer Beschaffenheit beurteilen. Die Verkehrtheit wächst noch, wenn ein Gerede vom Daseinsopfer, vom Verzicht auf die eigne Realisierung, womöglich unter Verwendung des beliebten Düngergleichnisses, dazukommt; man kann auf Glück verzichten, auf Besitz, auf Macht, auf Freiheit, auf das Leben, aber ein Daseinsopfer ist ein sublimer Widersinn. Auch kann kein Augenblick, wenn er sich über sein Verhältnis zur Wirklichkeit auszuweisen hat, sich auf irgendwelche späteren, künftigen berufen, um deren willen, sie zu mästen, er so armselig geblieben sei: »Kommende Sternengeschicke / rechtfertigen nicht, daß es nicht war, / alle Augenblicke / sind reichsunmittelbar.«

Die Gesinnung der Gemeinschaftlichkeit waltet nicht da, wo man gemeinsam, aber gemeinschaftslos einer widerstrebenden Welt die ersehnte Änderung der Einrichtungen abringt, sondern wo der Kampf, der gekämpft wird, von einer um ihre eigne Gemeinschaftswirklichkeit ringenden Gemeinschaft aus gekämpft wird. Aber auch das Künftige wird hier mitentschieden; alle politischen »Durchsetzungen« sind bestenfalls Hilfstruppen der kernwandelnden Wirkung, die auf den unüberschaubaren Bahnen der heimlichen Geschichte der Augenblick der Verwirklichung übt. Kein Weg führt zu einem Ziel anderer Art als die seine.

Wer jedoch in all diesen massierten, vermengten, marschierenden Kollektivitäten ahnt noch, was die, nach der er zu streben vermeint, was Gemeinschaft ist! Jeder hat sich ihrem Widerpart ergeben. Die Kollektivität ist nicht Verbindung, sie ist Bündelung: zusammengepackt Individuum neben Individuum, gemeinsam ausgerüstet, gemeinsam ausgerichtet, von Mensch zu Mensch nur so viel Leben, daß es den Marschtritt befeure. Gemeinschaft aber, werdende Gemeinschaft (nur die kennen wir bislang) ist das Nichtmehr-nebeneinander-, sondern Beieinandersein einer Vielheit von Personen, die, ob sie auch mitsammen sich auf ein Ziel zu bewege, überall ein Aufeinanderzu, ein dynamisches Gegenüber, ein Fluten von Ich zu Du erfährt: Gemeinschaft ist, wo Gemeinschaft geschieht. Die Kollektivität gründet sich auf einem organisierten Schwund der Personhaftigkeit, die Gemeinschaft auf ihrer Steigerung und Bestätigung im Zueinander. Die Kollektivitätsbeflissenheit der Stunde ist Flucht vor der Gemeinschaftsprobe und Gemeinschaftsweihe der Person, vor der den Einsatz des Selbst heischenden vitalen Dialogik im Herzen der Welt.

Die Männer des Kollektivums blicken mit überlegner Gebärde auf die »Sentimentalität« der nächstvergangenen Generation, des Geschlechts jener »Jugendbewegung« nieder. Damals befaßte man sich weitläufig und tiefsinnig mit der Problematik aller Lebensbeziehungen, man intendierte »Gemeinschaft« und problematisierte sie zugleich, man kreiste in Kreisen und kam nicht vom Fleck. Jetzt aber wird kommandiert und marschiert, denn jetzt gibt es die »Sache«. Man ist aus den Irrgängen der Subjektivität auf die zielgerechte Straße des Objektivismus gelangt. Doch wie dort eine Pseudo-Subjektivität, da es an der elementaren Kraft des Personseins fehlte, so besteht hier ein Pseudo-Objektivismus, da man nicht einer Welt, sondern einer weltlosen Parteiung eingefügt ist. Wie dort alle Loblieder auf die Freiheit ins Leere gesungen wurden, weil man nur die Freimachung von den Bindungen, nicht aber die Befreiung zur Verantwortung kannte, so sind hier auch die edelsten Hymnen auf die Autorität ein Mißverstand, weil sie faktisch nur die erredete, erschriene Scheinautorität stärken, hinter der sich eine in die mächtigen Faltenwürfe der Haltung gewandete Haltlosigkeit birgt, die echte Autorität aber, die jene Hymnen feiern, die des echten Charismatikers in seiner steten Verantwortung zum Herrn der Charis, dem politischen Raum der Gegenwart unbekannt geblieben ist. Der Oberfläche nach sind die beiden Generationen artverschieden bis zur Gegensätzlichkeit, in Wahrheit stecken beide in der gleichen Chaotik. Der problematisierende Mensch der Jugendbewegung befaßte sich, um welche Sache es immer jeweils ging, mit seinem höchsteignen Anteil daran, er »erlebte« sein Ich, ohne ein Selbst einzusetzen, – um nicht ein Selbst in Antwort und Verantwortung einsetzen zu müssen; dem agierenden Menschen der Kollektivunternehmung ist es vorweg gelungen, sich los zu werden und damit der Frage nach der Einsetzung eines Selbst radikal zu entgehn. Ein Fortschritt ist immerhin zu verzeichnen. Dort war der Monolog als Dialog aufgetreten; hier geht es erheblich einfacher zu, denn das Monologische wird den meisten ihrem Wunsch gemäß ausgetrieben oder doch abgewöhnt, und die andern, die Befehlenden, brauchen jedenfalls keine Dialogik zu heucheln. Zwiegespräch und Selbstgespräch schweigen. Ohne Du, aber auch ohne Ich marschieren die Gebündelten, die von links, die das Gedächtnis abschaffen wollen, und die von rechts, die es regulieren wollen, feindlich getrennte Scharen, in den gemeinsamen Abgrund.

DRITTER ABSCHNITT: BEWÄHRUNG

Gespräch mit dem Gegner

Ich erhoffe diesen Hinweisen zwei Arten von Lesern. Den amicus, der um die Wirklichkeit weiß, auf die ich, mit einem Zeigefinger, den ich so ausstrecken möchte wie Grünewalds Täufer, hinweise, und den hostis oder adversarius, der diese Wirklichkeit leugnet und darum mich, weil ich darauf als auf eine Wirklichkeit, also irreführend, hinweise, bekämpft; der also doch wohl das, was hier gesagt wird, ebenso ernst nimmt, wie ich selber, nach langem Warten schreibend was zu schreiben ist, es nehme, – ebenso ernst, nur eben mit negativem Vorzeichen. Den bloßen inimicus, als den ich jeden ansehe, der mich aufs Ideologische abdrängen und da gelten lassen will, würde ich gern missen.
Dem amicus brauche ich an dieser Stelle nichts zu sagen. Der Stundenschlag der gemeinsamen Sterblichkeit und des gemeinsamen Wegs schlägt an seine und meine Ohren, als stünden wir auch im Raum beisammen und kennten einander.
Dem adversarius aber – es genügt nicht, ihm an dieser Stelle zu sagen, worauf ich ihn hinweise: auf die Verborgenheit seines persönlichen Lebens, auf sein Geheimnis, und daß er, wenn er über eine sorgsam gemiedene Schwelle tritt, das entdecken wird, was er leugnet. Es genügt nicht. Ich darf seinen schwersten Einwand nicht abweisen, ich muß den annehmen, wo und wie er erhoben wird, und muß antworten.

Nun sitzt also der adversarius in seiner aktuellen, zeitgeistgemäßen Erscheinungsform mir gegenüber und spricht, mehr über mich weg als auf mich zu, in Tonfall und Haltung des üblichen personfreien Universalduells:

»In alledem wird der Tatsächlichkeit unseres gegenwärtigen Lebens nicht Rechnung getragen, ja der Bedingtheit des Lebens überhaupt. Alles, wovon Sie reden, begibt sich im Nirgendwo, nicht in der sozialen Umwelt, in der wir nun einmal unsere Tage verbringen und von der, wenn von irgend etwas, unsere Realität bestimmt wird. Ihre ›zwei Männer‹ sitzen auf einer einsamen Bank, offenbar während einer Ferienwanderung; in einem Großstadtbureau würden Sie sie nicht sitzen lassen können, da würde ihnen das ›Sakramentale‹ nicht gelingen. Ihr ›abgebrochenes Gespräch‹ findet zwischen Intellektuellen statt, die Muße haben, ein paar Monate vor dem ungeheuren Massengeschehen Phantasien von seiner Verhütung durch geistige Einwirkung zu spinnen. Das mag ja ganz interessant sein für Leute, die in keine Pflicht genommen sind. Aber soll der Handelsangestellte sich seinen Kollegen ›rückhaltlos mitteilen‹? Soll der Arbeiter am Fließband ›aus dem, was ihm widerfährt, eine Anrede empfangen‹? Soll der Leiter eines technischen Riesenunternehmens ›dialogische Verantwortung üben‹? Indem Sie fordern, daß man in die Situation eingehe, die einen antritt, vernachlässigen Sie die dauernde Situation, in der sich jeder von uns, soweit er am Leben der Gesellschaft teil hat, elementar befindet. Das ist, trotz alles Hindeutens auf die Konkretheit, der Vorkriegsindividualismus in verbesserter Neuausgabe.«

Und ich, aus tiefem Bewußtsein, wie fast unmöglich es ist, gemeinsam, seis auch nur gegeneinander, zu denken, wo man nicht gemeinsam erfährt, antworte:

Vor allen Dingen, lieber Gegner: wenn wir uns miteinander und nicht aneinander vorbei unterhalten sollen, bitte ich Sie zu beachten, daß ich nicht fordere. Dazu habe ich keine Berufung und nicht einmal eine Befugnis. Ich versuche nur zu sagen, daß es etwas gibt, und anzudeuten, wie das beschaffen ist; ich berichte. Und wie vermöchte man überhaupt das Dialogische zu fordern! Zwiesprache gibt man keinem auf. Antworten wird nicht gesollt; aber es wird gekonnt.

Es wird wirklich gekonnt. Das Dialogische ist kein Vorrecht der Geistigkeit wie das Dialektische. Es fängt nicht im oberen Stockwerk der Menschheit an, es fängt nicht höher an als wo sie anfängt. Begabte und Unbegabte gibt es hier nicht, nur Sichhergebende und Sichvorenthaltende. Und wer sich morgen hergibt, dem ists heute nicht anzumerken, auch er selber weiß noch nicht, daß ers in sich hat, daß wirs in uns haben, er wirds eben finden, »und wenn er findet, wird er staunen«.

Sie halten mir den in Pflicht und Betrieb Genommenen vor. Ja, den gerade meine ich, den, den in der Fabrik, den im Laden, den im Bureau, den unter Tag, den am Dampfpflug, den in der Setzerei, den Menschen. Ich suche nicht nach Menschen, suche mir die Menschen nicht aus, ich nehme an die da sind, sie habe ich im Sinn, ihn, den Eingespannten, den Radtretenden, den Bedingten. Zwiesprache ist keine Angelegenheit des geistigen Luxus und der geistigen luxure, sie ist eine Sache der Schöpfung, des Geschöpfs, und das ist er, der Mensch, von dem ich rede, der Mensch, von dem wir reden, Geschöpf, triviale Unersetzlichkeit.

In meinen Hinweisen auf das Dialogische habe ich die Beispiele so »rein«, so paradigmatisch wählen müssen, als die Erinnerung sie mir irgend darbot: um mich über so unvertraut Gewordenes, so schier Verschollenes deutlich zu machen. Darum erzähle ich scheinbar aus dem Bezirk, den Sie den geistigen nennen, in Wirklichkeit nur aus dem Bezirk des Glückenden, des sich Rundenden, eben des Exemplarischen. Aber es geht mir nicht um das Reine. Um das Trübe geht es mir, um das Gehemmte, um den Trott, um die Mühsal, um die dumpfe Widersinnigkeit – und um den Durchbruch. Um den Durchbruch geht es und nicht um eine Vollkommenheit, und zwar um den Durchbruch nicht aus der Verzweiflung mit ihren mörderischen und erneuernden Gewalten, nein, nicht um den großen, katastrophalen, einmaligen (von ihm geziemt es eine Weile – auch im eigenen Herzen – zu schweigen), sondern um das Durchbrechen aus dem Status der dumpftemperierten Widerwärtigkeit, Widerwilligkeit und Widersinnigkeit, in dem der Mensch, den ich aufs Geratewohl aus dem Getümmel greife, lebt und aus dem er durchbrechen kann und zuweilen durchbricht. Wohin? In nichts Erhabenes, Heroisches, Heiliges, in kein Entweder und in kein Oder, nur in diese kleine Strenge und Gnade des Alltags, wo ich mit eben derselben »Wirklichkeit«, in deren Pflicht und Betrieb ich genommen bin, so zu tun bekomme, so Blick in Blick, Wink in Wink, Wort in Wort, daß ich sie als mir und mich als ihr gereicht, sie als zu mir und mich als zu ihr geredet erfahre und mir nun in all dem Gerassel der Routine, das ich meine Wirklichkeit nannte, unansehnlich und herrlich die wirkende Wirklichkeit, die kreatürliche, die anvertraute und verantwortete erscheint. Den Sinn finden wir nicht in den Dingen vor, wir legen ihn auch nicht in die Dinge hinein, aber zwischen uns und den Dingen kann er sich begeben.

Es taugt nicht, lieber Gegner, mir erst die Pathetik des »Alles oder nichts!« zuzuschreiben und dann die Unmöglichkeit meiner angeblichen Forderung zu beweisen. Ich weiß weder, was Alles, noch was Nichts ist, eins kommt mir so unmenschlich und ausgedacht vor wie das andre, und was ich meine, ist das schlichte quantum satis dessen, was dieser Mensch in dieser Stunde seines Lebens zu erfüllen und zu empfangen vermag – wenn er sich hergibt. Das heißt: wenn er sich nicht von der kompakten Geläufigkeit einreden läßt, es gebe Räume, die von der Schöpfung ausgenommen sind, er arbeite in solch einem Raum und könne erst nach Feierabend in jene zurück, oder gar, die Schöpfung sei überholt, das habe es mal gegeben, aber es sei unwiderruflich vorüber, jetzt gebe es den Betrieb, und jetzt heiße es alle Romantik abstreifen, die Zähne zusammenbeißen und mit dem als notwendig Erkannten fertig werden. Ich sage: wenn er sich das nicht einreden läßt! Keine Fabrik und kein Bureau ist so schöpfungsverlassen, daß nicht von Arbeitsplatz zu Arbeitsplatz, von Schreibtisch zu Schreibtisch ein geschöpflicher Blick auffliegen könnte, nüchtern und brüderlich, der die Wirklichkeit der geschehenden Schöpfung verbürgt: quantum satis. Und nichts ist so sehr ein Dienst an der Zwiesprache zwischen Gott und Mensch, wie solch ein unsentimentaler

und unromantischer Blicktausch zwischen zwei Menschen im Fremdraum.
Aber ist es, unwiderruflich, ein Fremdraum? Muß hinfort in alle Zeiten der Welt das Leben des in den Betrieb gespannten Wesens zwiegeteilt sein, in die Fremde »Arbeit« und die Heimat »Erholung«? vielmehr: muß es, da Abend und Sonntag sich doch nicht von dem Charakter des Werktags freimachen können, sondern unvermeidlich von ihm geprägt werden, zwischen Arbeitsbetrieb und Erholungsbetrieb aufgeteilt sein, ohne einen Rest von Unmittelbarkeit, von unreguliertem Überschuß, – von Freiheit? (Und die Freiheit, die ich meine, wird ja auch von keiner neuen Gesellschaftsordnung hergestellt.) Oder regt sich schon, unterhalb aller zu befriedigenden Unzufriedenheiten, eine unbekannte und urtiefe, für die es noch nirgends ein Befriedigungsrezept gibt, die aber zu solcher Mächtigkeit erwachsen wird, daß sie den technischen Leitern, den Unternehmern, den Erfindern diktiert: Rationalisiert immerzu, aber humanisiert in euch die rationalisierende Ratio, daß sie in ihre Zwecksetzungen, in ihre Berechnungen den lebenden Menschen einbeziehe, den es danach verlangt, in der Gegenseitigkeit zur Welt zu stehen! Regt sich schon auf den Gründen – Antrieb zum großen Aufbau oder Fünklein der letzten Revolution – die Sehnsucht, lieber Gegner, nach Dialogisierung des Betriebs? Das heißt, in der Formulierung des quantum satis: nach einer Werkordnung, in der der Betrieb jeweils so sehr von vitaler Dialogik durchdrungen wird, als es die von ihm zu erfüllenden Aufgaben gewähren? Und in welchem Maße sie es gewähren können, wird heute kaum erst geahnt – in einer Stunde, wo die

Frage, die ich stelle, wirklichkeitsblinden Fanatikern der Zeitgemäßheit und möglichkeitsblinden Verkündern der unzugänglichen Welttragik ausgeliefert ist.
Machen Sie sich klar, wovon es Zeugnis ablegt, wenn ein Arbeiter sogar seine Beziehung zur Maschine als eine dialogische empfinden kann, wenn etwa ein Buchdrucker erzählt, er habe gelegentlich ihr Summen vernommen als »ein lustiges und dankbares Lächeln der Maschine an mich, daß ich ihr geholfen, die Schwierigkeiten und Hindernisse, die sie störten, schrammten und schmerzten, zu beseitigen, so daß sie jetzt frei laufen konnte«. Müssen nicht auch Sie da an die Geschichte von Androklus und dem Löwen denken?
Wo einer aber ein lebloses Ding, ihm Selbständigkeit und gleichsam eine Seele verleihend, in seine Begier nach Zwiesprache zieht, da mag ihm schon das Vorgefühl einer welthaften aufgehn, der Zwiesprache mit dem Weltgeschehen, das ihn ja eben in seiner, auch dinglichen, Umwelt antritt. Oder meinen Sie ernstlich, daß Zeichengabe und Zeichennahme an der Schwelle des Betriebs haltmachen, in dem es ein rechtschaffen aufgeschlossenes Gemüt gibt?
Kann, so fragen Sie lachend, der Leiter eines großen technischen Unternehmens dialogische Verantwortung üben? Er kann es. Denn er übt sie, wenn er sich den von ihm geleiteten Betrieb, soweit es angeht, quantum satis, in dessen Konkretheit vergegenwärtigt; wenn er ihn also, statt als ein Gefüge aus mechanischen Kraftzentren und deren organischen Bedienern, zwischen welch letzteren es für ihn außer der funktionellen Differenzierung keine gibt, als einen Zusammenhang gesichthabender, namenhaben-

der, biographiehabender Personen erfährt, verbunden durch ein Werk, das sich in den Leistungen eines komplizierten Mechanismus darstellt, aber nicht aus ihnen besteht; wenn er die Menge dieser Personen, die er natürlich nicht als solche unterschiedlich zu kennen und zu erinnern vermag, mit einer latenten, disziplinierten Phantasie inne hat, so daß, wenn eine von ihnen aus irgendeinem Anlaß nun wirklich als Individuum in seinen Gesichtskreis und seinen Entscheidungsbereich tritt, er sie nicht als eine Nummer mit menschlicher Maske, sondern, ohne Anstrengung, als Person wahrnimmt; und wenn er, größtenteils notwendigerweise indirekt, durch ein je nach Umfang, Art, Struktur des Unternehmens variables Mittlungssystem, aber in den ihn organisativ berührenden Teilen auch unmittelbar, diese Personen als Personen erfaßt und behandelt. Selbstverständlich wird zunächst von beiden Lagern, vom Kapital und vom Proletariat seine meisterliche Phantasiehandlung als Phantasterei und seine praktische Personalistik als Dilettantismus verschrien werden, aber ebenso selbstverständlich nur so lang, bis seine technischen Mehrleistungen ihn in ihren Augen beglaubigen (womit natürlich nicht gesagt sein soll, daß solche Mehrleistungen mit Notwendigkeit kämen: zwischen Wahrheit und Erfolg gibt es keine prästabilierte Harmonie). Dann freilich wird etwas Schlimmeres folgen: man wird ihn pragmatisch nachahmen, also sein »Verfahren« ohne seine Gesinnung und Einbildsamkeit anzuwenden suchen; aber diese Urdämonie der Geistesgeschichte (denken Sie nur an all die Magisierung der Religion) wird hier wohl an der Unterscheidungsfähigkeit der Menschenseelen scheitern. Und inzwischen steigt hoffentlich ein neues, am Lebendigen lernendes Geschlecht auf und macht Ernst wie er.

Unverkennbar nimmt die Bedingtheit der Menschen von den »Verhältnissen« im Gang dieses Zeitalters zu. Nicht nur die absolute Masse der sozialen Objektiva wächst, auch ihre relative Macht. Als der durch sie Mitbedingte steht der Einzelne in jedem Augenblick vor dem Weltkonkretum, das sich ihm zureichen und von ihm Entgegnung empfangen will, situationsbeladen begegnet er den neuen Situationen. Und dennoch, in all der Vervielfältigung und Verflochtenheit ist er Adam geblieben: immer noch entscheidet es sich real in ihm, ob er der in den Dingen und Begebenheiten lautwerdenden Rede Gottes an ihn standhalte oder sich entziehe. Und ein geschöpflicher Blick zum Mitgeschöpf kann zuweilen der Antwort genug sein.

Die soziologische Bedingtheit des Menschen wächst. Aber dieses Wachsen ist das Reifen einer Aufgabe, nicht im Sollen, sondern im Dürfen und Bedürfen, in Sehnsucht und Gnade. Es gilt, der pantechnischen Sucht oder Gewöhnung zu entsagen, die mit jeder Situation »fertig wird«; es gilt, jede, von den trivialen Mysterien der Alltäglichkeit bis zur Majestas des zerstörenden Schicksals, in die dialogische Gewalt des echten Lebens aufzunehmen. Die Aufgabe wird stets schwerer und stets wesenhafter, die Erfüllung stets gehemmter und stets entscheidungsreicher. All das geregelte Chaos des Zeitalters wartet auf den Durchbruch, und wo immer ein Mensch vernimmt und erwidert, wirkt er daran.

Die Frage an den Einzelnen

Verantwortung ist der Nabelstrang
zur Schöpfung. *P. B.*

»DER EINZIGE« UND DER EINZELNE

Daß Sören Kierkegaard der Durchdenker des Christentums als einer paradoxen Aufgabe des einzelnen »Christen« geworden ist, verdankt er der Kategorie des »Einzelnen«, die über ihn kam und die er bis zur äußersten Reinheit ausarbeitete. Daß er aber dies vermocht hat, verdankt er der Radikalität seiner Einsamkeit. Man kann seinen »Einzelnen« nicht ohne seine Einsamkeit verstehen. Diese war von anderer Art als die eines der früheren christlichen Denker, die man mit ihm zusammennennen möchte, Augustins etwa oder Pascals. Es ist nicht beiläufig, daß neben Augustin eine Mutter und neben Pascal eine Schwester stand und die organische Verbindung zur Welt wahrte, wie jeweils nur eine Frau als Abgesandte des Elements es kann, wogegen Kierkegaards zentrales Lebensereignis und der Kristallisationskern seines Denkens die Lossagung von Regine Olsen als von der Frau und als von der Welt war. Man darf diese Einsamkeit auch nicht der eines Mönchs, eines Einsiedlers vergleichen: bei diesem steht die Lossagung wesentlich nur am Anfang, und auch wenn sie immer neu errungen und vollzogen werden muß, nicht sie ist das Thema des Lebens, nicht sie das Problem auf dem Grunde und der Stoff, aus dem sich alle Lehre webt; dies aber eben ist sie bei Kierkegaard. Ihre Eingestaltung ist die Kategorie des Einzelnen, »die Kategorie, durch die, in religiöser Hinsicht, die Zeit, die Geschichte, das Geschlecht hindurch muß« (Kierkegaard 1847).

Durch eine Gegenüberstellung kann man zunächst dessen genau inne werden, was der Einzelne in einem besondern, besonders gewichtigen Sinn nicht ist. Wenige Jahre, ehe Kierkegaard unter dem Titel »Der Gesichtspunkt für meine Wirksamkeit als Schriftsteller« seine »Meldung an die Geschichte« entwarf, in deren »Beilagen« die Kategorie des Einzelnen ihre zureichende Formulierung fand, verfaßte Max Stirner sein Buch über den »Einzigen«. Auch dies ist ein Randbegriff wie »der Einzelne«, aber einer vom andern Ende. Stirner, ein pathetischer Nominalist und Ideenentlarver, wollte die angeblichen Reste des deutschen Idealismus (als welche er Ludwig Feuerbach ansah) dadurch auflösen, daß nicht mehr das denkende Subjekt, aber auch nicht mehr der Mensch, sondern das konkrete sich vorfindende Individuum als »das alleinige Ich« zum Träger der Welt, »seiner« Welt nämlich, erhoben wird. Da es hier ein Anderes als diesen im »Selbstgenuß« sich »selbst verzehrenden« Einzigen primär nicht gibt, sondern primär immer wieder, wo nur einer seiner selbst solchermaßen habhaft und bewußt wird, nur ihn gibt – wegen der »Einheit und der Allmacht unseres Ichs, das sich selbst genügt, weil es außer ihm nichts Fremdes stehen läßt« –, ist auch die Frage nach einer wesentlichen Beziehung zwischen ihm und den Andern ausgelöscht. Er hat keine wesentliche Beziehung außer zu sich selbst (Stirners angebliche »lebendige Teilnahme« »an der Person des Andern« ist wesenlos, da es ja den Andern für ihn primär gar nicht gibt). Das heißt: er hat keine als nur jenes merkwürdige Selbstverhältnis, das – da alles sonst Seiende hier zu einem Treiben halb höriger, halb unabhängiger Geister wird – gewisser zauberischer Möglichkeiten nicht entbehrt, aber der echten Beziehungskraft so ledig ist, daß man besser tut, als Beziehung nur noch die zu bezeichnen, in der man nicht bloß Ich, sondern auch Du sagen kann. Man pflegt dieses Randgebild eines deutschen Protagoras zu unterschätzen: die unsere Stunde kennzeichnende Entwirklichung der Verantwortung und der Wahrheit hat hier, wenn auch nicht ihren geistigen Ursprung, so doch ihre exakte begriffliche Ansage. »Der Eigene… ist ursprünglich frei, weil er nichts als sich anerkennt« und »Wahr ist, was Mein ist« sind Vorformeln einer von Stirner in all seiner rednerischen Sicherheit ungeahnten Vereisung der Seelen. Aber auch manches starre kollektive Wir, das eine übergeordnete Instanz ablehnt, läßt sich leicht als eine Übersetzung aus der Sprache des Einzigen in die des nichts als sich allein anerkennenden Gruppen-Ich verstehn, – vorgenommen entgegen der Absicht Stirners, der aller pluralischen Fassung heftig widerstreitet.

Kierkegaards Einzelner hat mit dem Einzigen Stirners als mit seinem Gegenpunkt dies gemein, daß beide Rand sind, hat mit ihm nicht mehr gemein als dies, aber auch nicht weniger.

Auch die Kategorie des Einzelnen meint nicht das Subjekt und nicht »den Menschen«, sondern die konkrete Singularität, jedoch nicht das sich vorfindende Individuum, eher die sich findende Person. Das Sichfinden ist aber, so urfern, gegenpunktfern eben es dem Stirnerschen »Verwerte dich« ist, auch jenem »Erkenne dich«, das Kierkegaard ersichtlich viel zu schaffen gemacht hat, nicht nah. Denn es be-

deutet ein Werden, und zwar in einer, jedenfalls für das Abendland, erst durch das Christentum möglich gewordenen Schwere des Ernstes: ein Werden also, das, obgleich Kierkegaard seine Kategorie schon von Sokrates »zur Auflösung des Heidentums« gebraucht worden sein läßt, in entscheidender Weise ein anderes ist als das durch das sokratische Entbinden bewirkte. »Davon, ein Einzelner zu werden, ist niemand, niemand ausgeschlossen, außer dem, der sich selbst ausschließt, indem er Menge wird.« Hier steht nicht bloß der »Einzelne« der »Menge«, sondern auch das Werden einem sich dem Werden entziehenden Sosein gegenüber. Das mag ja noch mit Sokratischem zusammenstimmen. Was aber heißt das, ein Einzelner werden? Kierkegaards Auskunft zeigt deutlich die nicht-mehr-sokratische Art seiner Kategorie. Sie lautet: »die erste Bedingung aller Religiosität« erfüllen, die eben, »ein einzelner Mensch zu sein«. Darum ja ist »der Einzelne« »die Kategorie, durch die, in religiöser Hinsicht, die Zeit, die Geschichte, das Geschlecht hindurch muß«.
Da der Begriff der Religiosität seither unbestimmt geworden ist, muß genauer bestimmt werden, was Kierkegaard meint. Er kann nicht meinen, ein Einzelner werden sei die erste Bedingung der seelischen Verfassung, die Religiosität heiße. Es geht nicht um die Verfassung einer Seele, sondern um die Existenz in jenem strengen Sinn, mit dem sie, gerade indem sie die Personhaftigkeit erfüllt, die Grenze der Person wesensmäßig überschreitet, so daß Sein, das vertraute Sein, unvertraut wird und nicht mehr mein Sein, sondern meine Teilnahme am Seienden bedeutet. Daß Kierkegaard eben dies meint, sagt er mit dem grundlegenden Wort aus, der Einzelne »ent-

spreche« Gott. Man hat also in der angeführten Auskunft Kierkegaards den Begriff »aller Religiosität« genauer zu bestimmen durch: aller religiösen Wirklichkeit. Da aber auch dieses noch der epidemischen Erkrankung des Wortes in unsrer Zeit, durch die jedes sich im Nu mit dem Aussatz der Geläufigkeit bedeckt und zum Schlagwort verwandelt, preisgegeben ist, muß man noch weiter, so weit als es überhaupt möglich ist gehen und, die leidige »Religion« aufgebend, im Wagnis, aber im notwendigen Wagnis, erläutern: alles wirklichen menschlichen Umgangs mit Gott. Daß Kierkegaard dies meint, bezeichnet er dadurch, daß er von einem »mit Gott Reden« spricht. Und in der Tat, der Mensch kann nur als Einzelner, als der zum Einzelnen gewordene Mensch mit Gott Umgang haben, – was das Alte Testament, ob darin auch ein Volk als Volk der Gottheit begegnet, so zum Ausdruck bringt, daß es jeweils nur eine namentragende Person, Henoch, Noah, »mit dem Elohim umgehen« läßt. Nicht eher, als man in vollkommener Wirklichkeit – also: sich findend – Ich sagen kann, kann man in vollkommener Wirklichkeit – also: zu Gott – Du sagen. Man kann es, auch wenn man es in einer Gemeinde tut, nur »allein« tun. »Als der ›Einzelne‹ ist er (jeder Mensch) allein, allein in der ganzen Welt, allein vor Gott.« Das ist – was Kierkegaard seltsamerweise nicht bedenkt – durchaus unsokratisch: in dem Wort »Das Göttliche gibt mir ein Zeichen« stellt sich, für alle Zeiten bedeutsam, Sokrates' »Religiosität« dar, ein Wort »Ich bin allein vor dem Gott« ist in seinem Mund unvorstellbar. Kierkegaards »Allein« ist nicht mehr sokratisch; es ist abrahamisch – Genesis 12,1 und 22,2 heischen zusammen im gleichen »Geh vor dich hin« das sich Ablösenkönnen von allen Bindungen, an Vaterwelt und an Sohnwelt –, und es ist christisch.

Eine zweifache Abgrenzung tut noch zur Klärung not. Zum ersten: gegen die Mystik. Auch sie läßt den Menschen allein vor Gott sein, aber nicht als den Einzelnen. Das Verhältnis zu Gott, das sie meint, ist ja das »Entwerden« des Ich, und den Einzelnen gibt es nicht mehr, wenn er nicht mehr – auch noch in der Hingabe – Ich sagen kann. Wie die Mystik Gott nicht gestatten will, die Knechtsgestalt der redenden und handelnden Person, eines Schöpfers, eines Offenbarers, auf sich zu nehmen und als der alles Schicksal miterleidende Partner der Geschichte den Passionsweg durch die Zeit zu gehn, so verwehrt sie dem Menschen, als der Einzelne, als dieser beharrend, wirklich zu beten, wirklich zu dienen, wirklich zu lieben, wie man es nur als Ich zu einem Du vermag; sie duldet den Einzelnen nur, damit er gründlich zerfließe. Kierkegaard aber weiß, jedenfalls im Verhältnis zu Gott, was Liebe ist, und somit, daß es zwar keine Selbstliebe gibt, die nicht Selbsttäuschung wäre (da der liebende Teil, auf den es ankommt, nur den andern, aber wesentlich nicht sich liebt), daß es aber ohne Selbstsein und Selbstbleiben keine Liebe gibt.

Die zweite notwendige Abgrenzung ist die gegen den »Einzigen« Stirners (um der begrifflichen Präzision willen ist diese Fassung den humanistischeren, z. B. dem égotiste Stendhals, vorzuziehen).

Vorangehen muß ihr eine Abgrenzung gegen den sogenannten Individualismus, der ja auch eine »religiöse« Abart hervorgebracht hat. Der Einzelne, die zum Allein-vor-Gott-stehen bereite und fähige Person, ist der Widerpart dessen, was man noch in unferner Zeit – mit einem an dem Geiste Goethes Verrat übenden Terminus – Persönlichkeit nannte, und das Werden des Menschen zum Einzelnen ist der Widerpart der »persönlichen Entwicklung«. Aller Individualismus, ob er sich ästhetisch, ethisch oder religiös zubenennt, hat ein billiges und leichtfertiges Gefallen am Menschen, wenn der sich nur »entwickelt«. Mit andern Worten: der »ethische« und der »religiöse« Individualismus sind nur Abwandlungen des »ästhetischen« (der ebensowenig echte Aisthesis ist wie jene echtes Ethos und echte Religion). Auch die Sittlichkeit und die Frömmigkeit müssen, wo sie solchermaßen zu einem in sich beschloßnen Ziel gemacht worden sind, den Schaustücken und Schauspielen eines nicht mehr um das Sein, sondern nur noch um dessen Spieglungen wissenden Geistes zugezählt werden.

Wo der Individualismus aufhört leichtfertig zu sein, beginnt Stirner. Ihm ist es zwar auch um eine »Ausbildung der freien Persönlichkeit«, aber in der Bedeutung einer Entweltung des »Eigenen« zu tun: um die Zerreißung seiner existentiellen Verbundenheiten und Verbindlichkeiten, um sein Loskommen von aller ontischen Anderheit der Dinge und der Wesen, die nur noch »Nahrung« seiner Eigenheit sein dürfen. Die Gegenpunktigkeit von Stirners Einzigem zu dem Einzelnen Kierkegaards wird am deutlichsten, wo sich die Fragen nach der Verantwortung und nach der Wahrheit erheben.

Für Stirner müssen beides Irrfragen sein. Aber es ist wichtig zu sehen, daß er, vermeinend, die beiden Grundbegriffe zu zerstören, nur ihre Geläufigkeit zerstörte und so, wider all seine Absicht, ihrer Reinigung und Erneuerung vorgearbeitet hat. Historisierende Zeitgenossen haben ihn einen modernen Sophisten gescholten; seither ist das auflösend-bereitende Amt der Sophisten und damit auch das von ihresgleichen erkannt worden. Stirner mag Hegel ebensowenig wie Protagoras den Heraklit verstanden haben, aber wie nichts damit gesagt ist, wenn man jenem vorwirft, die Gärten der großen Kosmologen zu verwüsten, so ist Stirner nicht getroffen, wenn man ihn als den ahnungs- und ehrfurchtslosen Eindringling in die Gefilde nachkantischer Philosophie verpönt. Stirner ist in der Geschichte des menschlichen Denkens ebensowenig wie die Sophisten ein kurioses Zwischenspiel. Er ist wie sie ein Epeisodion im ursprünglichen Sinn: in seinem Monolog wandelt sich insgeheim die Handlung, was darauf folgt ist ein Neues, – wie Protagoras auf seinen Zeitgenossen Sokrates, führt Stirner auf seinen Zeitgenossen Kierkegaard zu.

Verantwortung setzt einen primär, d. h. aus einem nicht von mir abhängigen Bereich mich Ansprechenden voraus, dem ich Rede zu stehen habe. Er spricht mich um etwas an, das er mir anvertraut hat und das mir zu betreuen obliegt. Er spricht mich von seinem Vertrauen aus an, und ich antworte in meiner Treue oder versage die Antwort in meiner Untreue oder aber ich war der Untreue verfallen und entringe mich ihr durch die Treue der Antwort. Dieses: einem Vertrauenden über ein Anvertrautes so Rede stehen, daß Treue und Untreue zutage tritt, beide aber nicht gleichen Rechtes, da eben jetzt die wiedergeborne Treue die Untreue überwinden darf, – dies ist die Wirklichkeit der Verantwortung. Wo mich, weil alles »Mein Eigentum« ist, kein primärer

Anspruch berühren kann, ist die Verantwortung ein Schemen geworden. Damit jedoch zugleich zerrinnt der Gegenseitigkeitscharakter des Lebens. Wer nicht mehr Antwort gibt, vernimmt das Wort nicht mehr. Aber diese Wirklichkeit der Verantwortung ist gar nicht das von Stirner in Frage Gestellte, sie ist ihm unbekannt. Er kennt ja schlechthin nicht, was an elementarer Wirklichkeit zwischen Wesen und Wesen geschieht, also auch die Geheimnisse von Anrede und Redestehn, von Anspruch und Widerspruch, von Wort und Antwort nicht; er hat dies nicht erfahren, weil man es nur erfahren kann, wenn man sich der Anderheit, der ontischen Uranderheit des Andern nicht verschließt (der Uranderheit des Andern, die freilich, auch wenn es um Gott geht, nicht auf eine »Ganzanderheit« eingeschränkt werden darf). Was Stirner mit seiner destruktiven Kraft erfolgreich angreift, ist das Surrogat für eine nicht mehr geglaubte Wirklichkeit: es ist die Scheinverantwortung vor einer Vernunft, einer Idee, einer Natur, einer Institution, vor allerhand erlauchten Gespenstern, vor alledem, was wesentlich nicht Person ist und also nicht wirklich, wie Vater und Mutter, wie Fürst und Meister, wie Gatte und Freund, wie Gott, zur Verantwortung ziehen kann. Das zur Phrase verweste Wort will er in seiner Nichtigkeit zeigen, das lebendige hat er nie gekannt, er enthüllt was er kennt; unkundig der Wirklichkeit, deren Schein der Schein ist, erweist er dessen Scheinhaftigkeit. Stirner löst die Auflösung auf. »Lüge ist was ihr Verantwortung nennt!« schreit er – und hat recht: es ist Lüge. Aber es gibt eine Wahrheit. Und der Weg zu ihr liegt freier, nachdem die Lüge durchschaut ward.

Die wahre Verantwortung meint Kierkegaard, wenn er, parabolisch an Stirner vorbeisausend, so von der Menge und dem Einzelnen redet: »Menge gewährt entweder völlige Reuelosigkeit und Unverantwortlichkeit oder schwächt doch die Verantwortung für den Einzelnen dadurch, daß sie diese zur Größe eines Bruchs herabsetzt.« Dieser Spruch, auf den ich noch zurückzuverweisen gedenke, meint keine Illusion einer empfängerlosen Verantwortung mehr, sondern die wiedererkannte echte, darin mir der Forderer das anvertraute Gut abverlangt und ich muß die Hände öffnen oder sie versteinen mir.

Die nur-ethische Verantwortung hat Stirner als irreal entlarvt, indem er die Nichtexistenz der vorgegebenen Empfänger als solcher darlegte; die glaubensmäßige hat Kierkegaard neu kundgetan.

Und wie die Verantwortung, so die Wahrheit selber. Hier wird die parabolische Begegnung noch umheimlicher.

»Wahrheit... existiert nur – in deinem Kopfe.« »Die Wahrheit ist eine – Kreatur.« »Für Mich gibt es keine Wahrheit, denn über Mich geht nichts!« »Solange du an die Wahrheit glaubst, glaubst du nicht an dich... Du allein bist die Wahrheit.« Was Stirner hier unternimmt, ist die Auflösung der *gehabten* Wahrheit, der in Besitz nehmbaren und besitzbaren, des zugleich von der Person unabhängigen und der Person zugänglichen Allgemeinguts »Wahrheit«. Er unternimmt es nicht, wie die sophistische und andre Skepsis, mit erkenntnistheoretischen Mitteln; die erkenntnistheoretische Methode scheint ihm gar nicht bekannt zu sein, er benimmt sich so dreist-naiv, als ob Hume und Kant nie gelebt hätten. Aber die Erkenntnistheorie hätte ihm auch nicht geleistet, was er brauchte; denn sie, und auch die solipsistische, leitet immer nur auf das erkennende Subjekt und nicht auf die konkrete menschliche Person hin, auf die Stirner mit fanatischer Unablenkbarkeit zielt. Das Mittel, mit dem er die Auflösung der gehabten Wahrheit unternimmt, ist der Nachweis ihrer Personbedingtheit. »Wahr ist, was Mein ist« – darin steckt schon der Grundsatz des Tages an dem wir leben: »Was ich für wahr halte ist bestimmt durch das, was ich bin«, wozu, Stirner gewiß zum Entsetzen, aber in folgerichtiger Fortbildung, als unabtrennbare Auslegung zwei Sätze zur Wahl oder zur Kombination treten: der Satz »und was ich bin, ist bedingt durch meine Komplexe« und der Satz »und was ich bin, ist bedingt durch meine Klassenzugehörigkeit« mit all ihren Varianten. Stirner ist der unfreiwillige Vater der modernen psychologischen und soziologischen Relativierungen, die ihrerseits – das sei hier schon vorweggenommen – zugleich wahr und falsch sind.

Aber wieder hat Stirner recht, wieder löst er die Auflösung auf. Die *gehabte* Wahrheit ist nicht einmal eine Kreatur, sie ist ein Spuk, ein Sukkubus, mit dem der Mensch zu leben sich nur wirksam einbilden, mit dem er nicht leben kann. Du kannst die Wahrheit nicht in dich schlingen, sie kocht in keinem Topf der Welt, du kannst sie nicht einmal angaffen, denn sie ist kein Gegenstand. Und doch gibt es eine Teilnahme am Sein der unzugänglichen Wahrheit – für den, der sie bewährt. Es gibt ein Realverhältnis der ganzen menschlichen Person zur ungehabten, unhabbaren Wahrheit, und es vollendet sich erst in der Bewährung. Dieses Realverhältnis ist, wie immer es sich benennt, das zum Seienden.

Die Wiederentdeckung der in der Menschenwelt durch den Wahrheitsschein entthronten, in Wahrheit aber ewig unabsetzbaren Wahrheit, die man nicht haben, der man aber und um die man dienen kann, durch Wahrnahme *und* Bewährung, vollzieht Kierkegaard mit einer paradoxen Satzfolge. Sie beginnt mit den Worten: »Der sie [die Wahrheit] Mitteilende ist nur ein Einzelner; sodann, ihre Mitteilung verhält sich zum Einzelnen; denn diese Lebensbetrachtung, ›der Einzelne‹, ist eben die Wahrheit.« Man muß hier gut zuhören. Nicht, daß es den Einzelnen gibt, und nicht, daß es ihn geben soll, wird als die Wahrheit bezeichnet, sondern »diese Lebensbetrachtung«, die darin besteht, daß der Einzelne ist, und die daher auch einfach mit ihm identifiziert wird: der Einzelne sein ist die Mitteilung der Wahrheit, das heißt die menschliche Wahrheit. »Du allein bist die Wahrheit«, heißt es bei Stirner, »Der Einzelne ist die Wahrheit«, heißt es hier; das ist das unheimliche parabolische Wortphänomen, auf das ich hingedeutet habe: es gibt in einer »Zeit der Auflösung« (Kierkegaard) den ausgesparten Punkt, in dem das Nein und das Ja mit all ihrer Gewalt, aber rein objektiv, ohne Bewußtsein, an einander und aneinander vorbei geraten. Kierkegaard fährt nun so fort: »Die Wahrheit kann weder mitgeteilt noch empfangen werden, außer gleichsam vor Gottes Augen, außer mit Gottes Hilfe, außer so, daß Gott mit dabei ist, die Zwischenbestimmung ist, wie er denn die Wahrheit ist... Denn Gott ist die Wahrheit und ihre Mitbestimmung.« Also: »›Der Einzelne‹ ist die Wahrheit« und »Gott ist die Wahrheit«. Das ist wahr, weil der Einzelne Gott »entspricht«. Darum kann

Kierkegaard sagen, die Kategorie »der Einzelne« sei und bleibe »der feste Punkt, welcher Widerhalt zu bieten vermag gegen pantheistische Verwirrung«. Der Einzelne entspricht Gott. Denn »Mensch sein heißt verwandt sein mit der Gottheit«. Alttestamentlich ausgedrückt: der Einzelne verwirklicht das »Bild« Gottes, dadurch eben, daß er ein Einzelner geworden ist. In der Sprache ausgedrückt, in der allein ein mit der Wahrheitsproblematik ringendes, ihr erliegendes, sich abkehrendes, aber auch wieder neu ausholendes Zeitalter die Überwindung fassen kann: der Einzelne bewährt existentiell, dadurch daß »das persönliche Existieren das Gesagte [ich würde sagen: das Ungesagte] ausdrückt«, die erscheinende Wahrheit. Es gibt diese Menschenseite der Wahrheit: in der menschlichen Existenz. Gott ist die Wahrheit, weil er ist, der Einzelne ist die Wahrheit, weil er sich zu seiner Existenz findet.

Stirner hat die nur-noetische Wahrheit aufgelöst, und, all seinem Wissen und Wollen entgegen, den Raum freigemacht, in den die geglaubte und bewährte Wahrheit Kierkegaards getreten ist, die Wahrheit, die man nicht mehr mit der Noesis allein bekommen und haben kann, die man existierend verwirklichen muß um ihrer innesein und sie mitteilen zu dürfen.

Aber da ist noch ein Drittes und Letztes an Berührung und Abstoßung. Für Stirner ist jeder Mensch der Einzige, wenn er nur allen ideologischen Ballast (zu dem hier das Religiöse gehört) abwirft und sich als Eigner seines Welteigentums niederläßt. Für Kierkegaard »kann und soll« »jeder, unbedingt jeder Mensch« »der Einzelne« sein, – er muß nur..., ja, was muß er nur? Er muß nur ein Einzelner werden. Denn »die Sache ist, dozieren kann man diese Kategorie nicht, es ist ein Können, eine Kunst, ...und zwar eine Kunst, deren Ausübung vielleicht zu ihrer Zeit das Leben des Darbietenden heischen könnte«. Aber wenn man genau nachprüft, ob denn nicht doch irgendwo eine nähere Bestimmung, wenn auch nicht eben eine dozierende, steht, wird man eine finden, – nicht mehr als eine, nicht mehr als ein einziges Wort, das aber findet man: »gehorchen«. Das ist nun auf jeden Fall das, was dem Einzigen Stirners von seinem Urheber unter allen Umständen verboten ist, ja, es ist leicht zu ermitteln, daß hinter allen Verboten Stirners an seinen Einzigen dieses als das eigentliche, umfassende und entscheidende steht. Mit diesem einen Verb, diesem »Tuwort«, stößt Kierkegaard den Geist, der ihm, ohne daß beide es wußten, in der »Zeit der Auflösung« so nah, zu nah getreten war, endgültig ab.

Und doch wirken – die Beleuchtung der Stunde macht es sichtbar – die beiden Urverschiedenen, Urfremden, die einander nichts angehen, aber miteinander uns angehen, zusammen: nicht vor hundert Jahren, sondern heut, Zerfall als Zerfall anmeldend der eine, der andere den ewigen Bau als unantastbar erweisend. Keinem angemaßten Herrn mehr gehorchend, das ist Stirners Anliegen; Kierkegaard hat keins – er wiederholt das uralte, mißbrauchte, entweihte, zerschlissene, unantastbare: dem Herrn gehorchen. Wenn einer der Einzelne wird, »so geht es schon mit dem Gehorchen«, auch in der Zeit der Auflösung, wo es sonst nicht mehr damit geht.

Stirner führt die Leute aus allerhand Gassen aufs offne Feld, wo jeder der Einzige und die Welt sein Eigentum ist. Da tummeln sie sich nun in eitel Unverbindlichkeit, und es ergibt sich nichts als Getümmel, – bis einer um den andern zu merken beginnt, wie dieses Feld heißt. Kierkegaard führt an einen »Engpaß«: seine Aufgabe sei, »die Vielen womöglich zu veranlassen, einzuladen, zu bewegen, durch diesen Engpaß, ›der Einzelne‹, hindurchzudringen, durch den jedoch, wohl zu merken, niemand dringt, ohne ›der Einzelne‹ zu werden; das Entgegengesetzte ist ja eine kategoriale Unmöglichkeit«. Ich meine aber, daß in der tatsächlichen Geschichte der Weg an diesen Engpaß über jenes offene Feld führt, das zuerst Individualegoismus und dann Kollektivegoismus und dann mit seinem wahren Namen Verzweiflung heißt.

Führt aber wirklich ein Weg durch den Engpaß fort? Kann man wirklich der Einzelne werden?

»Ich selbst gebe nicht vor«, sagt Kierkegaard, »daß ich es schon sei, weil ich zwar darum gekämpft, aber es noch nicht ergriffen habe, und darum kämpfe, aber als einer, der doch nicht vergißt, daß nach dem höchsten Maßstabe ›der Einzelne‹ über die Kräfte eines Menschen geht.«

»Nach dem höchsten Maßstabe« – das ist christlich und christologisch gesprochen, es weist die Paradoxie der christlichen Aufgabe auf; aber es ist auch dem Nichtchristen überzeugend. Es schließt ein, daß kein Mensch von sich sagen könne, er sei der Einzelne geworden, da ja immer noch ein höherer Sinn der Kategorie unerfüllt über ihm bleibe; aber es schließt zugleich ein, daß jeder Mensch dennoch ein Einzelner werden könne. Beides ist wahr.

»Für das Ewige kann, entscheidend, nur gearbeitet werden, wo da Einer ist; und dieser Eine sein, zu dem alle werden können, heißt sich von Gott helfen lassen wollen.« Das ist Weg.

Und doch ist es nicht der Weg: dessen wegen, wovon ich in diesem Abschnitt nicht sprach und nun zu sprechen habe.

DER EINZELNE UND SEIN DU

Kierkegaards »ein Einzelner werden« ist, wie wir gesehen haben, nicht sokratisch gemeint: zum Ziel hat dieses Werden nicht das »richtige« Leben, sondern den Eintritt in eine Beziehung. Werden heißt hier *für* etwas werden, »für« im strengen Sinn, der den Umkreis der Person selbst schlechthin transzendiert: eben hergerichtet werden für die eine Beziehung, in die man nur als der Einzelne, der Eine, eintreten kann, sie, um deren willen es den Menschen gibt.

Diese Beziehung ist eine ausschließliche, die ausschließliche, und das bedeutet nach Kierkegaard, daß sie die ausschließende, alle andern Beziehungen ausschließende, genauer: die kraft ihrer einzigen Wesentlichkeit alle anderen Beziehungen ins Reich der Unwesentlichkeit verbannende ist.

»Jeder soll mit ›den andern‹ nur vorsichtig sich einlassen, wesentlich allein mit Gott und mit sich selber reden«, heißt es in der Darlegung der Kategorie; jeder, so ist es zu verstehen, auf Grund dessen, daß jeder der Eine werden kann.

Hier ist schon die Verknüpfung des »mit Gott« mit dem »mit sich selber« eine schlimme, durch nichts zu mindernde Unstimmigkeit. Alle Monologbegeisterung der Philosophen von Platon bis Nietzsche rührt nicht an die schlichte Glaubenserfahrung, daß das Reden mit Gott etwas toto genere anderes ist als das »Reden mit sich selber«, dagegen merkwürdigerweise nicht etwas toto genere anderes als das Reden mit einem anderen Menschenwesen. Da nämlich ist beiden die Tatsache eines in keiner Tiefe der Seele vorwegnehmbaren Angetreten-, Angefaßt-, Angesprochenwerdens gemeinsam, dort ist es beiden, trotz all der Verdoppelungsabenteuer der Seele – Spiele, Räusche, Träume, Visionen, Überraschungen, Überrumplungen, Überwältigungen –, ja trotz aller Spannungen und Spaltungen, und trotz all der edlen und starken Bilder für den Verkehr mit sich selbst, durchaus ungemeinsam. »Da ward eins zu zwei« (Nietzsche) – das kann nie *ontisch* wahr werden, ebenso wie das umgekehrte »ein und ein vereinet« (Eckhart) nie ontisch wahr werden kann. Nur wenn ich mit einem Anderen wesentlich zu tun bekomme, so also, daß er gar nicht mehr ein Phänomen meines Ich, dafür aber mein Du ist, nur dann erfahre ich die Wirklichkeit des Mit-einem-redens – in der unverbrüchlichen Echtheit der Gegenseitigkeit.

Aber in diesem Punkte scheint Kierkegaard sich selbst zu berichtigen. An der Stelle seiner Tagebücher, wo er die Frage ausspricht: »Und wie wird man ein Einzelner?«, beginnt die Antwort mit der in dem erörterten Belange offenbar gültigeren Formulierung, es komme darauf an, daß man, »was die höchsten Anliegen anlangt, einzig zu Gott sich verhält«.

Wenn man in dem Satz das Wort »höchstens« als inhaltlich einschränkend versteht, ist er eine Selbstverständlichkeit: die höchsten Anliegen vermag nur der Höchste zu empfangen. Aber so kann es, das geht aus dem andern Satz (»Jeder soll...«) hervor, nicht gemeint sein. Hält man beide zusammen, dann ergibt sich als Kierkegaards Meinung: Der Einzelne läßt sich *wesentlich* (ohne »Vorsicht«) nur mit Gott ein.

Damit aber ist die Kategorie des Einzelnen, kaum zulänglich entdeckt, auch schon in verhängnisvoller Weise mißkannt.

Kierkegaard, der um die »Gleichzeitigkeit« mit Jesus bemühte Christ, spricht hier seinem Meister zuwider.

Auf die Frage – eine nicht ihn zu »versuchen« ersonnene, vielmehr eine geläufige und bedeutungsreiche Streitfrage der Zeit –, welches das alle andern umfassende und begründende, das »große« Gebot sei, antwortet Jesus, indem er die zwei Gebote des Alten Testaments, die für die Antwort vor allem zur Wahl standen, zusammenbindet: »Liebe Gott mit all deiner Macht« und »Liebe deinen Genossen dir gleich«. Zu »lieben« sind also beide, Gott und der »Genosse« (d. h. der Mensch nicht im allgemeinen, sondern der mir jeweils lebensmäßig begegnende Mensch), aber auf verschiedene Weise: der Genosse als der mir Gleiche (nicht »wie ich mich liebe«, man liebt sich selbst eben nicht in letzter Wirklichkeit, man soll sich vielmehr erst durch die Genossenliebe selbst lieben lernen), dem ich also Liebe erweisen soll, wie ich will, daß mir Liebe erwiesen werde, – Gott aber mit all meiner Seele und mit all meiner Macht. Damit, daß Jesus beides zusammenbindet, hebt er die Wahrheit des Alten Testaments ans Licht, daß Gott und der Mensch nicht Rivalen sind. Die ausschließliche (»mit *all* deinem Herzen«) Liebe zu Gott ist, *weil er Gott ist*, die einschließliche Liebe, bereit alle Liebe aufzunehmen und einzuschließen. Gott schafft nicht sich, er erlöst nicht sich, ja er offenbart, indem er »sich offenbart«, nicht sich: nicht einmal seine Offenbarung hat ihn zum Gegenstand. Er beschränkt sich in all seiner Schrankenlosigkeit, er macht Raum für die Wesen, – und so macht er in der Liebe zu ihm Raum für die Liebe zu den Wesen.

»Um zum Lieben zu kommen«, sagt Kierkegaard über seine Lossagung von Regine Olsen, »mußte ich den Gegenstand entfernen«. Das heißt Gott auf die sublimste Weise mißverstehen. Die Schöpfung ist keine Hürde auf der Bahn zu Gott, sie ist diese Bahn selbst. Wir sind miteinander erschaffen und auf ein Miteinander zu. Die Geschöpfe sind mir in den Weg gestellt, damit ich, ihr Mitgeschöpf, durch sie und mit ihnen zu Gott finde. Ein durch Ausschluß ihrer zu Erreichender wäre nicht der Gott aller Wesen, in dem sich alles Wesen erfüllt. Ein Gott, in dem sich nur die parallelen Gottzugänge der Einzelnen schneiden, ist dem »Gott der Philosophen« verwandter als dem »Gott Abrahams, Isaaks und Jakobs«. Gott will, daß wir durch die Reginen, die er erschaffen hat, und nicht durch die Lossagung von ihnen zu ihm kommen. Entfernen wir den Gegenstand, dann – entfernen wir den Gegenstand; gegenstandslos, den Gegenstand nur noch aus der Fülle des Menschengeistes hervorfingierend und ihn »Gott« benennend, west diese Liebe im Leeren.

»Zurück zu dem Kloster, aus dem Luther ausbrach, muß die Sache geführt werden«; so bestimmt Kierkegaard die Aufgabe der Zeit. »Kloster« kann hier nur verstanden werden als die institutionelle Behütung des Menschen vor einem wesentlichen, seine Ganzheit einbeziehenden Verhältnis zu andern als zu Gott. Und gewiß wird dem so Behüteten die

Richtung auf den Punkt Gott mit einer anders nicht zu erlangenden Geradheit ermöglicht. Aber was da »Gott« heißt, ist in der Tat nur noch der Endpunkt einer menschlichen Richtungslinie. Den wirklichen Gott aber kann kaum eine kürzere als jedes Menschen längste Linie erreichen: die Linie, welche die diesem Menschen zugängliche Welt umspannt. Denn er, der wirkliche Gott, ist der Schöpfer, und alle Wesen stehen vor ihm zueinander in seiner Schöpfung, im Miteinander brauchbar werdend für sein Schöpferziel. Eine akosmische Beziehung zu Gott lehren heißt den Schöpfer nicht kennen. Akosmische Verehrung eines Gottes, von dem man mit Kierkegaard weiß, es sei Gnade von ihm, »daß er im Verhältnis zu dir Person sein will«, ist Marcionismus ohne Folgerichtigkeit: sie reißt den Schöpfer und den Erlöser nicht auseinander, wie sie müßte, wenn sie folgerichtig wäre.

Man darf aber nicht übersehen, daß es Kierkegaard keineswegs darum zu tun ist, den aus dem Kloster ausbrechenden Luther ins Unrecht zu setzen. Er behandelt einmal Luthers Ehe wie etwas aller natürlichen Personhaftigkeit, aller Unmittelbarkeit zwischen Mann und Weib eigentlich Enthobenes, wie eine sinnbildliche Handlung, eine die Wendung der geistigen Geschichte des Abendlandes vertreterisch aussprechende Tat; »das Wichtigste ist«, läßt er Luther sagen, »daß es notorisch wird, daß ich verheiratet bin«. Hinter Luthers Ehe mit Katharina taucht nun aber, namenlos, aber deutlich, Kierkegaards Nichtehe mit Regine auf. »Umgekehrt könnte einer sagen: ... dem ganzen neunzehnten Jahrhundert zum Trotz kann ich mich nicht verheiraten.« Hier kommt also als neue Perspektive die qualitative

Verschiedenheit der Geschichtszeiten hinzu. Zwar gilt nach Kierkegaard jedenfalls für beide Zeitalter, daß der Einzelne sich nicht mit anderen als mit Gott wesentlich einlassen solle, und Luther redet also nach ihm nicht wesentlich, sondern nur sinnbildlich mit Katharina, weltverbunden bleibt er doch in der Eigentlichkeit weltlos und »allein vor Gott«. Aber die sinnbildlichen Handlungen sind eben entgegengesetzt: durch die eine wird dem einen Jahrhundert das Wort einer, wenn auch vielleicht letztlich nur unverbindlichen Wiederverbindung mit der Welt zugesprochen, durch die andre dem andern das Wort einer neuen, jedenfalls verbindlichen Lossagung. Weshalb doch? Weil das neunzehnte Jahrhundert der »Menge« verfallen ist, und »die Menge ist die Unwahrheit«.

Nun ist aber zweierlei möglich. Entweder ist für Kierkegaard die von Luther lebensmäßig gepredigte Verbindung mit der Welt doch nur eine unverbindliche, nicht »wesentliche«, nicht für die Führung jener Zeit zu Gott notwendige. Das wäre aber ein Luther, der das Unverbindliche als ein Verbindliches wirken läßt, für die Menschen eine andere Aussage hat als für Gott und mit dem Sakrament umgeht, als vollzöge es sich außerhalb Gottes; und das wäre ein Luther, dessen sinnbildlicher Handlung keine Vollmacht innewohnen könnte. Oder aber ist für Kierkegaard die von Luther lebensmäßig gepredigte Verbindung mit der Welt eine verbindliche, wesentliche, für die Führung zu Gott notwendige. Dann würde die im übrigen unanzweifelbare qualitative Verschiedenheit der Geschichtszeiten in das hineinreden, was seinem Grunde nach geschichtsunabhängig ist, geschichtsunabhängiger noch als Geburt und Tod: das Verhältnis des Einzelnen zu Gott, – dessen wesenhafte Beschaffenheit nicht in jenem Jahrhundert eine solche und in diesem eine andere sein, das nicht damals mitten durch die Welt und jetzt über die Welt hinweg gehen kann. Die menschlichen Vorstellungen von der Beziehung wechseln, die Wahrheit der Beziehung ist unwandelbar, weil sie in der ewigen Gegenseitigkeit steht und nicht der Mensch seinen Zugang zu ihr bestimmt, sondern der Schöpfer mit der Eindeutigkeit seiner Erschaffung des Menschen den Zugang eingesetzt hat.

Wohl geht es nicht an, über Gott anders als dialektisch zu reden, weil er nicht unter dem Satz vom Widerspruch steht. Es gibt jedoch eine Grenze der Dialektik, wo zwar nicht mehr ausgesagt, aber gewußt wird. Wer, der sich zu dem Gott bekennt, zu dem Kierkegaard und ich uns bekennen, könnte in der entscheidenden Einsicht vermeinen, Gott wolle, daß nur zu ihm wahrhaft Du gesagt werde, zu allen andern aber nur ein unwesentliches und eigentlich ungültiges, – Gott fordre von uns, zwischen ihm und seiner Schöpfung zu wählen! Man wendet ein, die Welt sei als gefallen nicht mit der Schöpfung zu identifizieren. Aber welcher Fall der Welt könnte so mächtig sein, daß er sie *für ihn* seiner Schöpfung entbräche! Das hieße ja, das Handeln der Welt zu einem dem Handeln Gottes übermächtigen und ihn zwingenden machen!

Es kann nicht darum gehen, die Dinge von Gott abgehoben, noch auch, sie in ihm aufgehoben zu sehen; es kann nur darum gehen, die Dinge »in Gott zu sehen«, die Dinge selber. Auf unsere Beziehungen zu den Wesen angewandt: erst wenn alle Beziehungen, unverkürzt, in die eine hereingenommen werden, legen wir den Ring unsrer Lebenswelt um die Sonne unseres Seins.

Gewiß, das ist das Schwerste, und der Mensch muß, damit er es vermöge, sich zuweilen von einem innerweltlichen »Kloster« helfen lassen. Unsre Beziehungen zu den Wesen drohen unablässig sich zu verkapseln. Wie die Welt selber sich in ihrer Welthaftigkeit, ihrer Selbständigkeit, dadurch erhält, daß sie, die als Schöpfung ihrem Gotte offene, gegen ihn sich zu verschließen strebt, so wehrt sich jede große Bindung des Menschen, wiewohl er gerade in ihr den Zusammenhang mit dem Unendlichen verspürt hat, kräftig dagegen, dauernd im Unendlichen zu münden. Hier helfen uns die Klostergestalten des Weltlebens, die Einsamkeiten mitten in ihm, in die wir wie in Herbergen einkehren, daß die Kommunikation der bedingten Bindungen mit der einen unbedingten nicht erlahme. Auch dies ist ein, wollen wir unsre Teilnahme am Seienden nicht absterben sehen, unerläßlicher Wechsel, die Systole der Seele zu ihrer Diastole, und die Einsamkeit muß die Eigenschaft der Strenge, der Klosterhaftigkeit kennen, um ihr Werk zu tun. Aber nie darf sie uns den Wesen entreißen wollen, nie sich weigern, uns zu ihnen zu entlassen: dann verginge sie sich gegen ihr Gesetz und verschlösse uns, statt uns, wie es ihres Amtes ist, zu befähigen, die Pforten der Endlichkeit offen zu halten.

Kierkegaard verhehlt uns keinen Augenblick, daß sein Widerstand gegen die Weltbindung, seine religiöse Einsamkeitslehre in einer persönlichen Art und einem persönlichen Schicksal gegründet ist. Er gesteht, er habe mit den Menschen »keine gemeinsame Sprache mehr«. Er verzeichnet, der schönste

Augenblick in seinem Leben sei im Badehaus, ehe er ins Wasser springe: »ich habe nichts mehr mit der Welt zu tun«. Er legt vor unsern Augen etliche der Wurzeln seiner »Schwermut« bloß. Er weiß genau, was ihn dazu gebracht hat, sich nur mit Vorsicht mit den andern einzulassen und wesentlich nur mit Gott und mit sich selbst zu reden. Und doch spricht er, sowie er mit dem »direkten« Sprechen beginnt, es als Imperativ aus: *jeder* solle so tun. Er zeigt immerzu auf seinen Schatten – und will ihn überspringen. Er ist ein Ausgenommener und Preisgegebener, und gewiß, wir alle sind es, weil der Mensch, als Mensch, es ist; Kierkegaard aber ist an den Rand der Ausgenommenheit und Preisgegebenheit geraten und hält sich im Gleichgewicht nur noch durch die unerhörte Schwunghaftigkeit seiner »schriftstellerischen«, verhalten mitteilerischen Existenz mitsamt den komplizierten Sicherungen all der »Pseudonyme«, – wir jedoch sind nicht am Rande, und das ist kein Nochnicht und keine Kompromißlerei, kein Sichklammern an das Diesseits der Schwermut, sondern es ist organischer Bestand und Gnade der Bewahrung und bedeutend für die Zukunft des Geistes. Kierkegaard verhält sich zu uns wie ein Schizophrener, der den geliebten Einzelnen in »seine« Welt als in die wahre herüberzulocken versucht. Aber es ist nicht die wahre. Wir dürfen, selber auf schmalem Grate wandelnd, den Anblick der vorschießenden Felszacke, auf der er über dem Abgrund steht, nicht scheuen und dürfen sie nicht betreten. Wir haben viel von ihm zu lernen, das Letzte nicht.

Unsere Ablehnung kann sich auf Kierkegaards eigne Lehre stützen. Als »das Einzige, wodurch

Gott mit ›dem Menschen‹ kommuniziert«, bezeichnet er (1853) »das Ethische«. Der Zusammenhang der Lehre hält selbstverständlich die Gefahr fern, das im Sinn einer Absolutisierung des Ethischen zu verstehen. Aber es muß so verstanden werden, daß nicht bloß eine autarke Ethik, sondern auch eine autarke Religion unzulässig ist, daß wie das Ethische vom Religiösen so dieses von jenem nicht abgelöst werden kann, ohne damit aufzuhören, der seienden Wahrheit gerecht zu werden. Das Ethische erscheint hier nicht mehr, wie im früheren Denken Kierkegaards, als ein »Stadium«, von dem zum Religiösen ein »Sprung« führe, mit dem man auf eine ganz andre, andersinnige Ebene gelangt; es wohnt dem Religiösen inne, dem Glauben und dem Dienst. Dieses Ethische kann nicht mehr eine dem Bereich der Relativität angehörige, jeweils vom Religiösen überholte und entwertete Sittlichkeit bedeuten, sondern nur ein *wesentliches*, der wesentlichen Beziehung zu Gott zugeordnetes Handeln und Leiden an den Menschen. Wesentlich an den Menschen handeln und leiden kann aber nur, wer sich wesentlich mit ihnen einläßt. Ist das Einzige, wodurch Gott mit dem Menschen kommuniziert, das Ethische, dann ist es mir verboten, wesentlich nur mit ihm und mir selber zu reden. Und so ist es in der Tat. Ich sage nicht, daß es Kierkegaard auf seiner Felszacke verboten sei, auf der er mit dem Erbarmen des Erbarmers allein ist. Ich sage nur, daß es mir und dir verboten ist.

Kierkegaard ist sich der Problematik, die aus dem negativierenden Ausbau der Kategorie des Einzelnen hervorgeht, tief bewußt: »Das Fürchterliche«, schreibt er in sein Tagebuch und wir lesen es mit

Furcht und Zittern, wie er es schrieb, »ist, daß just die höchste Form der Frömmigkeit: alles Irdische ganz fahren zu lassen der höchste Egoismus sein kann«. Hier wird aber offenbar noch nach Motiven unterschieden und der verwendete Begriff des Egoismus ist ein Motivationsbegriff. Setzen wir an seine Stelle einen objektiven, einen Zustandsbegriff, und der Satz ändert sich zu einem noch fürchterlicheren: »Just was sich uns als die höchste Form der Frömmigkeit darstellt: alles Irdische ganz fahren zu lassen ist der höchste Egoismus.«

Ist es wahr, daß der Einzelne Gott »entspricht«? Verwirklicht er das »Bild« Gottes dadurch allein, daß er ein Einzelner geworden ist? Eins fehlt noch dazu, daß es so sei, – das Entscheidende.

»Freilich«, sagt Kierkegaard, »ist Gott kein Egoist, aber er ist das unendliche Ego.« Jedoch von dem Gott, zu dem wir uns bekennen, ist damit – wagt man überhaupt auszusagen – zu wenig gesagt. Er schwebt über seiner Schöpfung nicht wie über einem Chaos, er umfängt sie. Er ist das unendliche Ich, das alles Es zu seinem Du macht.

Der Einzelne entspricht Gott, wenn er, wie Gott seine Schöpfung göttlich, das ihm zugereichte Stück Welt menschlich umfängt. Er verwirklicht das Bild, wenn er, soviel er personhaft vermag, zu den ihn umlebenden Wesen mit seinem Wesen Du sagt.

Niemand kann Kierkegaard so widerlegen wie Kierkegaard. Mit sich rechtend, sich richtend, berichtigt er von der Tiefe aus den eigenen Geist, manchesmal ehe der sein Wort gesprochen hat. 1843 trägt Kierkegaard in sein Tagebuch das unauslöschliche Bekenntnis ein: »Hätte ich Glauben gehabt, so wäre ich bei Regine geblieben.« Damit will er sagen: Hätte ich wirklich geglaubt, daß »für Gott alles möglich ist«, also auch dies, meine Schwermut, meine Ohnmacht, meine Angst, meine schicksälige Fremdheit zur Frau und zur Welt zu lösen, so wäre ich bei Regine geblieben. Aber indem er dies sagen will, sagt er etwas anderes noch: daß der Einzelne, wenn er wirklich glaubt, und das heißt: wenn er wirklich der Einzelne ist (welcher er ja, wie wir sahen, für die eine Glaubensbeziehung geworden ist), sich mit einem andern wesentlich einlassen kann und darf. Dahinter aber dämmert ein Äußerstes auf: daß wer dies kann und darf, es auch soll. »Das Einzige, wodurch Gott mit dem Menschen kommuniziert, ist das Ethische.« Das Ethische aber in seiner unverfälschten Wahrheit bedeutet: Gott helfen, indem man seine Schöpfung in seinen Geschöpfen liebt, indem man sie zu ihm hinliebt. Wozu man sich freilich von ihm helfen lassen muß.

»Der Einzelne ist die Kategorie, durch die, in religiöser Hinsicht, die Zeit, die Geschichte, das Geschlecht hindurch muß.« Was ist das, die religiöse Hinsicht? Eine Hinsicht neben anderen Hinsichten? Das Hinsehen auf Gott, gewonnen durch das Absehen von allem andern? Gott ein Gegenstand neben andern Gegenständen, der erwählte neben den verworfenen? Gott als Reginens erfolgreicher Rivale? Ist das noch Gott? Ist das nicht bloß das zugepaßte Objekt der religiösen Genialität? (Wohlgemerkt, ich spreche nicht von der wahren Heiligkeit, für die es, da sie *alles* einheiligt, keine »religiöse Hinsicht« gibt.) Der religiösen Genialität? Kann es religiöse Genies geben? Ist das nicht eine contradictio in adjecto? Kann das Religiöse eine Spezifizierung sein? Die »religiösen Genies« sind theologische Genies. Ihr Gott ist der Gott der Theologen. Das ist zwar nicht der Gott der Philosophen, aber auch nicht der Gott Abrahams, Isaaks und Jakobs. Auch der Gott der Theologen ist ein logisierter Gott; auch der einer Theologie ist es, die nur dialektisch reden will und sich über den Satz vom Widerspruch hinwegsetzt. Sie kommen, solange sie Theologie treiben, von der Religion als Spezifizierung nicht los. Als Pascal in vulkanischer Stunde jene stammelnde Unterscheidung zwischen Gott und Gott machte, war er kein Genie, sondern ein Mensch, der die Urglut des Glaubens erfuhr, zu andern Zeiten aber war er ein theologisches Genie und verweilte in der spezifizierenden Religion, der das Ereignis jener Stunde ihn entrückt hatte.

Religion als Spezifizierung verfehlt ihr Ziel. Gott ist nicht ein Gegenstand neben Gegenständen und kann daher nicht durch Verzicht auf Gegenstände erreicht werden. Gott ist zwar nicht das All, aber er ist erst recht nicht das Sein minus das All. Er ist nicht durch Abzug zu finden und nicht durch Abstrich zu lieben.

DER EINZELNE UND DAS ÖFFENTLICHE WESEN

Kierkegaards Denken kreist um das Faktum, daß er auf eine wesentliche Beziehung zu einem bestimmten Menschen wesentlich verzichtet hat. Nicht beiläufig, nicht in der Relativität der vielen Lebens-Erfahrungen und -Entscheidungen, nicht einmal lediglich mit der Seele resignierend, sondern wesentlich. Die Wesentlichkeit, die geradezu positive Wesentlichkeit seines Verzichts ist das, was er zum Ausdruck bringen will: »Dem ganzen neunzehnten Jahrhundert zum Trotz kann ich mich nicht verheiraten.« Wesentlich wird der Verzicht dadurch, daß er den Verzicht auf eine wesentliche Beziehung zur Welt, als welche das Alleinsein vor Gott behindre, in biographischer Konkretheit darstellt; und zwar wie gesagt nicht in einer einmaligen, wie wenn einer ins Kloster ging und damit sich eben von der Welt losgesagt hat und nun eben außer ihr als der Losgesagte lebt, sondern in einer eigentümlich dauernden: der Verzicht wird zum Bezugspunkt eines geistigen Koordinatensystems, dessen jeder Punkt von da her seinen Stellenwert empfängt. So gerade gewinnt dieses System seinen eigentlichen existentiellen Charakter, durch den es zu einer neuen Philosophie und zu einer neuen Theologie den Anstoß gegeben hat. Und gewiß gehört zu dieser säkular bedeutsamen biographischen Konkretheit die wunderlich vielfältige und doch unanzweifelbar rechtmäßige, Stück für Stück in den Lotungen der Innerlichkeit vor-

gefundene Motivation des Verzichts, die Kierkegaard direkt, indirekt, andeutend, verhohlen ausspricht. Aber darüber hinaus ist bei genauer Betrachtung zu merken, daß zwischen dem Verzicht und einer immer stärker gewordenen, schließlich in den »Beilagen« zur »Meldung« mit eindringlicher Klarheit ausgesprochenen Anschauung und Haltung ein geheimer, unausgesprochener, aber für Kierkegaard und für uns wichtiger Zusammenhang besteht.
»Menge ist die Unwahrheit.« »Diese Lebensbetrachtung, der Einzelne, ist die Wahrheit.« »Davon, ein Einzelner zu werden, ist niemand ausgeschlossen, außer dem, der sich selbst ausschließt, indem er Menge wird.« Und weiter: »›Der Einzelne‹ ist die Kategorie des Geistes, der geistigen Erweckung und Belebung, – der Politik so entgegengesetzt wie nur möglich.« Der Einzelne und die Menge, der »Geist« und die »Politik« – dieser Gegensatz ist von dem, in den Kierkegaard, ihn eben durch seinen Verzicht sinnbildlich äußernd, zur Welt tritt, nicht zu trennen.
Kierkegaard verheiratet sich nicht: »dem neunzehnten Jahrhundert zum Trotz«. Was er als das neunzehnte Jahrhundert bezeichnet, ist die »Zeit der Auflösung«, die Zeit, von der er sagt, ein einzelner Mensch könne ihr »nicht helfen oder sie retten«, er könne »nur ausdrücken, daß sie untergeht«, – daß sie untergeht, wenn sie nicht durch den »Engpaß« zu Gott kommt. Und Kierkegaard verheiratet sich nicht, in sinnbildlicher Nein-Handlung, dieser Zeit zum Trotz, weil es die Zeit der »Menge« und die Zeit der »Politik« ist. Luther verheiratet sich in sinnbildlicher Handlung, weil er den gläubigen Menschen seiner Zeit aus einer versteiften religiösen Ab-

geschiedenheit, die ihn zuletzt von der Gnade selber abschied, zu einem Leben mit Gott in der Welt führen wollte. Kierkegaard verheiratet sich nicht (das gehört natürlich nicht zu der vielfältigen subjektiven Motivation, aber es ist die objektive Bedeutung des Sinnbilds), weil er den ungläubigen Menschen seiner Zeit, der in die Menge verstrickt ist, zum Einzelner-Werden, zum einsamen Glaubensleben, zum Alleinsein vor Gott führen will. Gewiß, Ehe oder Nichtverehelichung? ist die repräsentative Frage, wo es um das »Kloster« geht. Wenn der Einzelne wirklich, wie Kierkegaard meint, ein Mensch sein muß, der sich nicht wesentlich mit den anderen einläßt, dann hindert ihn die Ehe, wenn er sie ernst nimmt, – und wenn er sie nicht ernst nimmt, dann ist, trotz Kierkegaards Bemerkung über Luther, nicht zu verstehen, wie er als Existierender »die Wahrheit« sein kann. Für den Mann, um den sich Kierkegaard im Grunde allein bekümmert, kommt hinzu, daß das Weib, »ganz anders als der Mann, in gefährlichem Rapport zur Endlichkeit« steht. Aber es kommt noch etwas Besonderes dazu, was hier deutlich zu machen ist.

Wenn man den ganzen Labyrinthbau des Kierkegaardschen Denkens über den Verzicht einigermaßen überblickt, erkennt man, daß es nicht lediglich ein schwerer, schwer errungener, mit dem Herzblut erkaufter Verzicht auf das Leben mit einer Person ist, wovon geredet wird, sondern dazu der von dem Denker durchaus positiv gewertete Verzicht auf das durch das Leben mit einer Person bedingte Leben mit einem unpersonhaften Wesen, das im Vordergrund des Geschehens »die Leute«, in seinem Hintergrund »die Menge« heißt: einem Wesen, das in seiner Wesenheit aber – von der Kierkegaard nichts weiß oder nichts wissen will – diese Bezeichnungen als die von Zerrbildern zurückweist und als seinen wahren Namen nur den einer res publica, auf Deutsch eines öffentlichen Wesens, anerkennt. Wenn Kierkegaard sagt, die Kategorie des »Einzelnen« sei »der Politik so entgegengesetzt wie nur möglich«, meint er offenbar ein Getriebe, das mit seiner Herkunft, mit der Polis, essentiell nicht mehr zusammenhängt; aber noch dieses Getriebe, wie abgeartet auch, ist eine der Entscheidungen und Kundgebungen des öffentlichen Wesens. Alle Abartung deutet auf Art, und so, daß jene zu dieser sich niemals einfach wie Gegenwart zu Vergangenheit verhält, sondern wie in einem entstellten Antlitz die Verunstaltung zu der darunter fortdauernden Gestalt. Das öffentliche Wesen, das zuweilen auch »die Welt«, die Menschenwelt nämlich, heißt, sucht in seinen echten Gestaltungen, wissend oder nichtwissend, das schöpfungsmäßige Zueinander der Menschen zu verwirklichen; die falschen verunstalten, aber sie können den ewigen Ursprung nicht aufheben. Kierkegaard, in seinem Abscheu vor der Ungestalt, wendet sich ab; wer aber in aller Erniedrigung der Menschenwelt nicht aufgehört hat sie zu lieben, schaut auch heute noch die Gestalt. Es sei, daß die Menge die Unwahrheit ist: sie ist nur ein Zustand des öffentlichen Wesens; wie sich *hier* Wahrheit zur Unwahrheit verhält, daran wird die wahre Frage an den Einzelnen rühren müssen, für die jene Warnung vor der Menge nur der Vorspruch sein kann.

Von hier aus ist jenes Besondere, wovon ich sagte, daß es für Kierkegaard zu der sonstigen Hinderlichkeit der Ehe hinzukomme, deutlich zu machen. Die Ehe, als wesentlich verstanden, bringt einen in ein wesentliches Verhältnis zur »Welt«, genauer: zum öffentlichen Wesen, – zu seiner Ungestalt und seiner Gestalt, zu seinem Unheil und seinem Heil. Die Ehe, als die entscheidende Verbindung eines Menschen mit dem Andern, versetzt in die Konfrontation mit dem öffentlichen Wesen und seinem Schicksal, – ausweichen kann ihr der Mensch in der Ehe nicht mehr, er kann nur noch sich darin bewähren oder darin versagen. Die vereinzelte Person, ehelos oder nur fiktiv verehelicht, kann sich isoliert erhalten, die Ehe-»Gemeinschaft« ist Teil der großen Gemeinschaft, mit ihrer eigenen Problematik in die allgemeine gefügt, mit ihrer Heilshoffnung an die des großen Wesens gebunden, das in seinem unseligsten Zustand die Menge heißt. Wer »eine Ehe eingegangen ist«, wer in die Ehe eingegangen ist, hat in der Intention des sacramentum damit Ernst gemacht, daß der Andre *ist:* daß ich am Seienden nicht rechtmäßig teilnehmen kann, ohne am Sein des Andern teilzunehmen; daß ich auf die lebenslange Anrede Gottes an mich nicht antworten kann ohne für den Andern mitzuantworten; daß ich mich nicht verantworten kann ohne den Andern mit zu verantworten, als der mir anvertraut ist. Damit aber ist der Mensch entscheidend in das Verhältnis zur Anderheit getreten; und das Grundgebild der Anderheit, das vielfach unheimliche, aber nie ganz unheilige und der Heiligung entzogene, in das ich und die mir in meinem Leben begegnenden Andern eingetan sind, ist das öffentliche Wesen. Daran, darein will die Ehe uns führen. Kierkegaard läßt selber einmal einen seiner Pseudonymen, den »Ehemann« der »Stadien«, dergleichen aussprechen, jedoch im Stil einer niederen Ansicht, die durch eine höhere überwunden zu werden bestimmt ist; aber nur trivialisiert ist es eine niedere Ansicht, es gibt keine höhere, weil die Erhebung über die Situation, in die wir gesetzt sind, nie eine in Wahrheit höhere Ansicht ergibt. Die Ehe ist die exemplarische Bindung, sie trägt uns wie keine andre in die große Gebundenheit, und nur als Gebundene können wir in die Freiheit der Kinder Gottes gelangen. Auf den Mann zu gesprochen: ja, das Weib steht »im gefährlichen Rapport zur Endlichkeit«, und ja, die Endlichkeit ist die Gefahr, denn nichts bedroht uns so sehr wie an ihr haften zu bleiben; aber an ebendiese Gefahr ist unsre Heilshoffnung geschmiedet, denn nur über die erfüllte Endlichkeit führt unsre menschliche Bahn zum Unendlichen.

Dieser Mensch ist anders, wesenhaft anders als Ich, und diese seine Anderheit meine ich, weil ich ihn meine, ich bestätige sie, ich will sein Anderssein, weil ich sein Sosein will; das ist der Grund-Satz der Ehe, und von diesem ihrem Grunde aus führt sie, gerade wenn sie es wirklich ist, zur Einsicht in das Recht und die Rechtmäßigkeit des Andersseins und damit zu jener vitalen Anerkennung der vielgesichtigen Anderheit – auch noch im Widerspruch und Streit mit ihr –, von der der Verkehr mit dem öffentlichen Wesen sein religiöses Ethos erhält. Daß die Menschen, mit denen zusammen ich dem öffentlichen Wesen eingetan bin und mit denen ich darin unmittelbar oder mittelbar zu tun bekomme, wesenhaft anders sind als ich, daß der und der nicht bloß ein andres Gemüt, eine andre Denkweise, eine andre Gesinnung und eine andre Haltung, sondern auch eine andre Weltwahrnehmung, eine andre Erkenntnis, eine andre Sinnhaftigkeit, ein andres Berührtwerden vom Sein her hat: das alles mitten in den harten Konfliktsituationen und ohne ihren Wirklichkeitsernst aufzuweichen bejahen, es geschöpflich bejahen, dies ist es, wodurch wir in diesem weiten uns mitanvertrauten Bereich als Helfer amten dürfen und von wo allein uns je und je erlaubt ist, in unserm Bedenken an die »Wahrheit« oder »Unwahrheit«, die »Treue« oder »Untreue«, die »Gerechtigkeit« oder »Ungerechtigkeit« des Andern, in Demut und redlicher Erforschung zu rühren. Dazu aber führt uns, wenn sie es wirklich ist, mit kaum ersetzbarer Mächtigkeit die Ehe, durch ihre gleichmäßige Erfahrung der Lebenssubstanz des Andern als des Andern, und mehr noch durch ihre Krisen und deren aus organischen Urtiefen aufsteigende Überwindungen: wenn das Ungetüm der Anderheit, das eben erst uns mit seinem eisigen Dämonenatem anblies, durch unser auferstandenes, alles Nein kennendes und vernichtendes Ja zum Andern erlöst sich in den gewaltigen Engel der Einung verwandelt, von dem wir im Mutterschoß träumten.

Freilich besteht zwischen dem privaten Wesen, dem die Ehe angehört, und dem öffentlichen ein gattungsmäßiger Unterschied: die *Identifikation* vollzieht sich dort und hier auf eine qualitativ verschiedene Weise. Das private Wesen ist eben das, mit dem der Mensch, jedenfalls in den Zeiten der Gesundheit dieses Wesens, sich, ungeachtet der individualen Differenz, der naturhaft-geisthaften Differenz, zwischen den Mitgliedern einer Familie etwa, in aller Konkretheit identifizieren kann, indem er von dieser seiner Familie oder von diesem seinem

Bund (der echte Bund steht in dieser Hinsicht auf der Seite des privaten Wesens, in andrer auf der des öffentlichen) in aller Konkretheit Wir, ja Ich sagt und damit nicht bloß das Ganze, sondern zugleich die einzelnen von ihm in ihrem Sosein erkannten und bejahten Personen meint; wogegen die Identifizierung mit dem öffentlichen Wesen nicht wirklich die konkreten Personen konkret zu umfassen vermag. Ich sage etwa von meinem Volk Wir, und dies kann sich bis zu einem elementaren »Das bin ich« steigern; sowie aber die Konkretion, die Achtsamkeit auf die Personen, aus denen das Volk besteht, hinzutritt, begibt sich eine Aufspaltung, und das Wissen um die unüberbrückbare Vielheits-Anderheit durchdringt die Identifikation in breitem Rinnsal. Geschähe Ähnliches einem Bezirk des privaten Wesens, so würde er entweder in sich fragwürdig oder ginge ins öffentliche über; für das Verhältnis zum öffentlichen Wesen kann jede solche Prüfung eine Erprobung und Befestigung sein.

Es gibt jedoch zwei Grundhaltungen, bei denen die Identifizierung mit dem öffentlichen Wesen der Konkretion, die Achtsamkeit auf die Personen abwehrt und sich, vorübergehend oder dauernd, behauptet; untereinander sehr verschieden üben sie doch oft fast die gleiche Wirkung aus. Die eine entstammt dem Begeisterungsakt »historischer« Stunden: die Menge aktualisiert sich, sie tritt in die Handlung ein und verklärt sich in ihr, und von rauschhafter Ekstasis überwältigt taucht die Person in der Bewegung des öffentlichen Wesens unter. Hier gibt es kein entgegenstrebendes, hemmendes Wissen um die Anderheit der andern Personen: die Verklärung der Menge überglänzt alle Anderheit, und der feurige Identifikationstrieb kann ein wirkliches »Familien«-Gefühl für den Unbekannten erzeugen, der im Demonstrationszug mitwallt oder im enthusiastischen Straßenwirbel einem in die Arme rennt. Die andere Grundhaltung ist eine passive und stetige; es ist das gewohnte »Mitmachen« der öffentlichen Meinung und der öffentlichen »Stellungnahme«. Hier bleibt die Menge latent, sie erscheint nicht mengenhaft, sie wirkt nur, und zwar wie man weiß so, daß ich entweder der Meinungsbildung und Entscheidung gänzlich enthoben oder in einer trüben Schicht der Innerlichkeit gewissermaßen der Ungültigkeit meines Meinens und Entscheidens überführt und an dessen Stelle mit einem beglaubigt gültigen ausgestattet werde. Der Anderen werde ich hierbei gar nicht gewahr, da es ihnen ebenso ergeht wie mir und ihre Anderheit übertüncht worden ist.

Von diesen beiden Grundhaltungen ist die erste solcher Art, daß sie uns über die Konfrontation mit der großen Gestalt der Anderheit im öffentlichen Wesen, über die schwerste der innerweltlichen Aufgaben, hinweg in das geschichtliche Mengenparadies verzückt; die zweite unterhöhlt den Boden, auf dem die Konfrontation zu vollziehen ist, sie wischt die eindringlichen Zeichen der Anderheit aus und überzeugt uns sodann anschaulich, daß die Einerleiheit das Eigentliche sei.

Von hier aus ist Kierkegaards Verwechslung des öffentlichen Wesens mit der Menge zu verstehen. Er kennt das öffentliche Wesen zwar auch in der Form des Staates, der ihm aber nur eine transzendenzfremde Tatsache in der Relativitätswelt ist, respektabel, aber für das religiöse Verhältnis des Einzelnen ohne Belang; sodann eben kennt er eine Menge, die nicht respektabel, aber von stärkstem negativem Belange ist, die Transzendenz wohl angehend, aber als die kompakte Teufelei.

Dieser für das Denken unsrer Zeit in wachsendem Maße folgenreichen Verwechslung ist mit der Kraft der Unterscheidung entgegenzutreten.

Der Mensch in der Menge – das ist ein Span, in ein Bündel gepreßt, das, der Strömung überliefert oder durch einen Stecken uferher Richtung um Richtung empfangend, im Wasser treibt. Mags dem Span zuweilen wie Eigenbewegung erscheinen, er hat keine, und auch dem Bündel, in dem er treibt, wohnt nur eine Illusion davon ein. Ich weiß nicht, ob Kierkegaard recht hat, wenn er sagt, die Menge sei die Unwahrheit, – ich möchte sie eher als die Nichtwahrheit bezeichnen, da sie ja (zum Unterschied von manchen ihrer Herren) gar nicht auf der gleichen Ebene mit der Wahrheit, gar nicht ihr entgegengesetzt ist. Aber die Unfreiheit ist sie sicherlich. Wie Unfreiheit beschaffen ist, kann man nicht unter dem Druck eines Verhängnisses, sei es Zwang einer Not oder von Menschen, zulänglich erfahren, da einem immer noch die Auflehnung des innersten Herzens, die stumme Appellation an das Geheimnis der Ewigkeit verbleibt; zulänglich erfahren kann mans nur in die Menge eingebündelt, meinend was sie meint, wollend was sie will, und nur noch stur wahrnehmend, daß es sich so mit einem verhält.

Ganz anders der Mensch, der mit dem öffentlichen Wesen lebt. Das ist nicht Bündelung, sondern Verbindung. Er ist jenem verbunden, angelobt, angetraut, also dessen Schicksal miterleidend, vielmehr: es erleidend, stets es zu erleiden willens und bereit, aber sich keiner der Bewegungen dieses Wesens blind überlassend, vielmehr jeder gegenüber wach und sorgend, daß sie die Wahrheit und die Treue nicht verfehle. Er sieht die Gewalten antreiben – und sieht Gottes übergewaltige Hände in der Höhe verhalten, damit die Sterblich-unsterblichen da unten sich selber entscheiden können. Er weiß sich in all seiner Schwäche in den Dienst der Entscheidung gestellt. Ists Menge, entscheidungsfremde, entscheidungswidrige Menge, was ihn umwimmelt, er nimmt sie nicht hin: an dem Ort, wo er steht, erhöht oder unscheinbar, mit den Kräften, die er besitzt, verdichtete Obmacht oder verhallendes Wort, tut er das Seine, um die Menge zu entmengen. Die Anderheit breitet sich um ihn, die Anderheit, der er angelobt ist; aber nur in der Gestalt *des* Andern, jeweils des Andern, des begegnenden Andern, des aufgesuchten Andern, des aus der Menge geholten Andern, des »Genossen«, nimmt er sie in sein Leben auf. Auch wenn er zur Menge zu reden hat, sucht er die Person, denn nur durch Personen, durch Bewährung von Personen kann Volk zu seiner Wahrheit finden und wiederfinden. *Das* ist der Einzelne, der »die Menge umsetzt in Einzelne« – wie könnte es einer sein, der der Menge fernbleibt! Kein Vorenthaltener kann es sein, nur ein Hingegebener; ein Hingegebener, kein Anheimgegebener. Es ist ein paradoxes Werk, an das er seine Seele setzt, die Menge entmengen: es heißt aus der Menge auf die Bahn der Schöpfung bringen, die zum Reiche führt. Und richtet er nicht viel aus, er hat Zeit, er hat Gottes eigene Zeit.

Denn wer Gott und den Genossen in einem liebt, bekommt, wiewohl in aller Brüchigkeit des Menschentums verbleibend, Gott zum Genossen.

»Der Einzelne« ist nicht, wer wesentlich mit Gott und nur unwesentlich mit den Andern sich einläßt, in Unbedingtheit mit Gott und in Bedingtheit mit dem öffentlichen Wesen umgeht. Sondern das ist der Einzelne, wem die Beziehungswirklichkeit zu Gott, die ausschließliche, die Beziehungsmöglichkeit zu aller Anderheit einschließt und umschließt, und dem das ganze öffentliche Wesen, der Speicher der Anderheit, der Anderheit eben genug darbietet, um sein Leben damit zu verbringen.

DER EINZELNE IN DER VERANTWORTUNG

Die Kategorie des Einzelnen hat sich gewandelt. Es kann nicht sein, daß die Beziehung der menschlichen Person zu Gott durch Weglassen der Welt entstehe; also muß der Einzelne seine Welt, was an Welt ihm eben lebensmäßig zugereicht und anvertraut wird, in seine Lebensandacht ohne Abstrich mitnehmen und es an deren Wesentlichkeit ungeschmälert teilnehmen lassen. Es kann nicht sein, daß der Einzelne, wenn er über die Schöpfung hinweg die Hände ausstreckt, Gottes Hände finde; er muß die Arme um die leidige Welt legen, deren wahrer Name Schöpfung ist, dann erst langen seine Finger in den Bereich des Blitzes und der Gnade. Es kann nicht sein, daß auch im Glaubensverhältnis der Geist der Reduktion walte; der Einzelne, der seinem Glaubensverhältnis lebt, muß es in den unverkürzten Maßen seines gelebten Lebens sich erfüllen lassen wollen. Der Stunde, die ihn antritt, der biographischen und geschichtlichen Stunde, muß er, so wie sie ist, mit ihrem ganzen Weltgehalt, mit all ihrem Widerspruch, der wie Widersinn anmutet, standhalten, ohne die Wucht der Anderheit in ihr abzuschwächen. Die Botschaft, die an ihn von dieser Stunde her, in der Erscheinung dieser Situation ergeht, muß er unbeschönigt, unveredelt vernehmen; er darf auch ihre wilde, krasse Profanität sich nicht ins keusch Religiöse übersetzen; er muß erkennen, daß die Frage an ihn, die sich in der Sprache der Situation birgt, ob die nun nach Engels- oder nach Teufelszungen klingt, Gottes Frage an ihn bleibt, natürlich ohne daß damit die Teufel zu Engeln würden. Frage ists, auf Wundersart dem wilden, krassen Laute eingetönt; und antworten soll er, der Einzelne, mit seinem Tun und Lassen antworten, die Stunde, die Weltstunde, die Allerweltsstunde als die ihm gewordene, ihm anvertraute annehmen und verantworten. Abstrich ist verboten, aussuchen darfst du das dir Zusagende nicht, die ganze grausame gilt, die ganze heischt dich an, antworten sollst du – Ihm.

Den Anspruch vernehmen, durch welchen Mißklang auch er an dein Ohr stößt, – und dir von niemand dreinreden lassen! Die Antwort geben, von dem Grunde aus, wo noch ein Hauch vom Eingehauchten schwingt, – und niemand darf dir einsagen!

Dieses Erzgebot, um dessen willen die Schrift ihren Gott schon welterschaffend *reden* läßt, bestimmt, wenn es gehört wird, auch das Verhältnis des Einzelnen zu seiner Gemeinschaft neu.

Die menschliche Person gehört, ob sie es wahrhaben, ob sie damit ernstmachen will oder nicht, der Gemeinschaft zu, in die sie geboren oder geraten ist. Wer aber erkannt hat, was Schickung, sehe sie auch wie Verschickung aus, Hingestelltsein, mag es uns auch wie Verstelltsein dünken, bedeutet, der weiß auch, daß er es wahrhaben, damit ernstmachen muß. Dann aber, gerade dann merkt er, daß einer Gemeinschaft wahrhaft zugehören die vielfältig wechselnde, nie endgültig zu formulierende Erfahrung der *Grenze* dieser Zugehörigkeit einschließt. Vernimmt der Einzelne das Wort der historischbiographischen Stunde getreu, faßt er die Situation seines Volkes, die seine, als Zeichen und Forderung an ihn, schont er sich und seine Gemeinschaft nicht vor Gott, dann erfährt er die Grenze. Er erfährt sie in solcher Pein, als würde ihm der Grenzpfahl in die Seele gerammt. Der Einzelne, der verantwortlich lebende Mensch, kann auch seine politischen Handlungen – und selbstverständlich sind auch Unterlassungen Handlungen – nur von jenem Grunde seines Daseins aus vollziehen, zu dem der Anspruch des furchtbaren und gütigen Gottes, des Herrn der Geschichte und unseres Herrn, dringen will.

Es ist offenbar, daß für den in der Gemeinschaft lebenden Menschen der Boden der personhaften Wesensentscheidung von dem Faktum der sogenannten Kollektiventscheidungen dauernd bedroht ist. Ich erinnere an Kierkegaards Warnung: »Menge gewährt entweder völlige Reuelosigkeit und Unverantwortlichkeit oder schwächt doch die Verantwortung für den Einzelnen dadurch, daß sie diese zur Größe eines Bruchs herabsetzt.« Aber ich muß es anders fassen: in praxi, im Augenblick des Vollzugs, nur zum Schein eines Bruchteils, danach aber, wenn du im wachen Traum nach Mitternacht vor den Thron geschleppt wirst und die verscherzte Berufung zum Einzelnen dich überfällt, ist die ganze Verantwortung erstanden.

Hinzusetzen muß man freilich noch dies, daß die Gemeinschaft, der einer angehört, gewöhnlich nicht einheitlich und eindeutig aussagt, was sie in einer gegebenen Lage für das Rechte hält und was nicht. Sie zerfällt in mehr oder weniger sichtbare Gruppen, die einem äußerst verschiedene, aber gleicherweise unbedingte Authentizität beanspruchende Interpretationen des Schicksals und der Aufgabe liefern. Jede weiß, was der Gemeinschaft fromme, jede verlangt dein rückhaltloses Mitwissen um des Heils der Gemeinschaft willen.

Unter politischer Entscheidung versteht man heute im allgemeinen den Anschluß an eine solche Gruppe. Ist dieser erfolgt, dann ist alles endgültig geordnet, die Zeit des Sichentscheidens ist vorüber. Man braucht fortan nichts anderes zu tun als die Bewegungen der Gruppe mitzumachen. Nie mehr steht man am Kreuzweg, nie mehr hat man unter den möglichen Handlungen die rechte zu erwählen, es ist entschieden. Was man einst glaubte: daß man stets neu, Situation um Situation, das jeweils Gewählte zu verantworten hätte, das ist man nun los. Die Gruppe hat einem seine politische Verantwortung abgenommen. Man fühlt sich in ihr verantwortet.

Die eben gekennzeichnete Haltung bedeutet, wenn sie dem gläubigen Menschen (nur von ihm will ich hier reden) widerfährt, seinen Sturz aus dem Glauben, – ohne daß er es sich einzugestehen, sich zuzugeben geneigt ist: seinen faktischen Sturz aus dem Glauben, wie laut und nachdrücklich auch er ihn nicht bloß mit dem Munde, sondern sogar mit der die innerste Wirklichkeit überschreienden Seele selber fortbekennt. Das Glaubensverhältnis zu dem Einen Seienden verkehrt sich in Schein und Selbstbetrug, wenn es nicht allumfassend ist. Die »Religion« mag sich dazu verstehen, eine Abteilung des Lebens neben anderen, ebenso wie sie eigenständigen und eigengesetzlichen Abteilungen zu sein, – sie hat damit das Glaubensverhältnis schon verkehrt. Diesem, seiner Bestimmungsmacht, irgendeinen Bereich grundsätzlich entziehen, heißt ihn der Bestimmungsmacht Gottes, die dem Glaubensverhältnis obwaltet, entziehen wollen. Dem Glaubensverhältnis vorschreiben: »So weit darfst du bestimmen, was ich zu tun habe, nicht weiter, hier endet deine Gewalt und beginnt die der Gruppe, der ich angehöre«, heißt, eben so zu Gott reden. Wer sein Glaubensverhältnis nicht, so sehr er eben je und je vermag, sich in den unverkürzten Maßen seines gelebten Lebens erfüllen läßt, der unterfängt sich, Gottes Herrschaft über die Welt in ihrer Erfüllung zu verkürzen.

Wohl ist das Glaubensverhältnis kein Regelnbuch, in dem man jeweilen nachschlagen kann, was in dieser Stunde da zu tun ist. Was Gott von mir für diese Stunde verlangt, erfahre ich, sofern ich es erfahre, nicht eher als *in* ihr. Aber auch dann ist es mir nicht anders gegeben, es zu erfahren, als wenn ich sie, diese Stunde, als *meine* Stunde ihm, Gott, gegenüber verantworte, wenn ich die Verantwortung für sie auf ihn zu austrage, so sehr ich eben vermag. Was mich jetzt angetreten hat, das Unvorhergesehene, Unvorhersehbare, ist Wort von ihm, Wort, das in keinem Wörterbuch steht, Wort, das jetzt gewortet worden ist, – und was es von mir heischt, ist meine Antwort an ihn. Ich worte meine Antwort, indem ich unter den möglichen Handlungen die vollziehe, die meiner hingegebenen Einsicht als die rechte erscheint. Mit meiner Wahl, Entscheidung, Handlung – Tun oder Lassen, Eingreifen oder Aushalten – antworte ich, wie unzulänglich auch, dennoch rechtmäßig dem Wort, verantworte ich meine Stunde. Diese Verantwortung kann mir meine Gruppe nicht abnehmen, ich darf sie mir von ihr nicht abnehmen lassen, sonst verkehre ich mein Glaubensverhältnis, sonst schneide ich aus Gottes Machtbereich den Bereich meiner Gruppe zurecht. Nicht aber als ob die mich in meiner Entscheidung nichts anginge – sie geht mich ungeheuer an: ich sehe ja, indem ich mich entscheide, von der Welt nicht ab, ich sehe sie an und ein, und in ihr zuvorderst, der ich mit meiner Entscheidung gerecht zu werden habe, darf ich meine Gruppe sehen, an deren Heil ich hange; dieser vor allem mag ich gerecht zu werden haben. Dies jedoch nicht für sich, sondern ihr im Angesicht Gottes; und kein Programm, kein taktischer Beschluß, kein Befehl kann mir sagen, wie ich, mich entscheidend, meiner Gruppe im Angesicht Gottes gerecht zu werden habe. Es kann sein, daß ich ihr so dienen darf, wie Programm, Beschluß, Befehl angeordnet haben; es kann sein, daß ich ihr anders dienen soll; es könnte sogar sein – wenn in meinem Entscheidungsakt so Unerhörtes mir aufginge –, daß ich grausam wider ihren Erfolg gestellt wäre, weil ich inne würde, daß Gott sie anders liebt als zu diesem Erfolg. Auf eins nur kommt es an: daß ich mein Ohr für die Situation, wie sie sich mir dartut, als für die Erscheinung des Wortes an mich öffne bis auf den Grund, wo das Hören ins Sein verfließt, und vernehme, was zu vernehmen ist, und auf das Vernommene antworte. Wer mir eine Antwort so einsagt, daß es mich am Vernehmen hindert, ist der Hinderer, er sei sonst, wer er sei.

Keineswegs ist gemeint, der Mensch müsse allein, unberaten aus seiner Brust die Antwort holen. Nichts derartiges ist gemeint: wie sollte die Weisung derer, die meiner Gruppe vorstehen, nicht wesenhaft mit eingehen in die Substanz, aus der die

Entscheidung geschmolzen wird? Aber ersetzen darf sie diese nicht; es wird kein Ersatz angenommen. Wer einen Meister hat, mag »sich« ihm übergeben, seine leibliche Person; seine Verantwortung nicht. Zu der muß er sich selber aufmachen, ausgerüstet mit allem in der Gruppe geschmiedeten Sollen, aber ausgesetzt dem Schicksal, daß im heischenden Augenblick alle Rüstung von ihm abfällt. Er darf sogar an dem »Interesse« der Gruppe mit seiner ganzen Kraft festhalten, – bis etwa in der letzten Konfrontation mit der Wirklichkeit ein allerleisester, aber nie mißachtbarer Finger daran rührt. Das ist freilich nicht der »Finger Gottes«, dessen zu harren wir nicht befugt sind, und so ist nicht die geringste Gewißheit einer anders als persönlichen Richtigkeit der Entscheidung zulässig. Gott reicht mir die Situation hin, auf die ich zu antworten habe; daß er mir von meiner Antwort etwas zureichte, habe ich nicht zu erwarten; wohl bin ich antwortend seiner Gnade anheimgegeben, aber ich vermag den oberen Anteil nicht zu bemessen, und auch das seligste Gnadengefühl kann täuschen. Der Finger, von dem ich rede, ist lediglich der des »Gewissens«, aber nicht des geläufigen, des nutzbaren, benutzten und abgenutzten, des Oberflächenspiels, mit dessen Diskreditierung man die Tatsächlichkeit einer positiven Antwort des Menschen aufgehoben zu haben wähnte; es ist das unbekannte, immer neu entdeckungsbedürftige Gewissen auf dem Grunde, auf das ich hinzeige, das Gewissen des »Fünkleins«, denn das echte Fünklein ist auch in der einigen Gelassenheit jeder echten Entscheidung wirkend. Die Gewißheit, die durch dieses Gewissen erzeugt wird, ist freilich nur eine personhafte; es ist die ungewisse Gewißheit; aber was *hier* Person heißt, ist eben die angerufene und antwortende.

Ich sage also, daß der Einzelne, das heißt der verantwortlich Lebende, auch seine politischen Entscheidungen jeweils nur von jenem Grunde seines Daseins, an dem er des Geschehens als der göttlichen Rede an ihm inne wird, rechtmäßig vollziehen kann, und daß er, wenn er diese Gewärtigkeit des Grundes sich von seiner Gruppe abschnüren läßt, Gott die aktuale Erwiderung verweigert.

Mit »Individualismus« hat das, wovon ich spreche, nichts zu schaffen. Ich halte das Individuum weder für den Ausgangs- noch gar für den Zielpunkt menschlicher Welt. Aber ich halte die menschliche Person für den unverschiebbaren zentralen Platz des Kampfes zwischen der Bewegung der Welt von Gott weg und ihrer Bewegung auf Gott zu. Dieser Kampf begibt sich heute zu einem unheimlich großen Teil im Bereich des öffentlichen Lebens, natürlich nicht zwischen Gruppe und Gruppe, sondern im Innern einer jeden; aber die Entscheidungsschlachten auch dieses Bereichs werden in der Tiefe der Person, Grund oder Abgrund, geschlagen.

Die Generation ist bestrebt, sich dem fordernden Immer-wieder solches Verantwortensollens durch die Flucht in ein schützendes Ein-für-allemal zu entziehen. Auf den Freiheitsdusel des nächstvergangenen Geschlechts ist die Fesselungssucht des gegenwärtigen gefolgt, auf die Untreue des Rausches die Untreue der Hysterie. Treu dem Einen Seienden ist einzig, wer sich gebunden weiß an seinen Standort – und eben da frei zur eigenen Verantwortung. Nicht anders als aus so Gebundenen und Freien kann noch ein Gebild entstehen, das wahrhaft Gemeinschaft genannt werden darf. Auch heute schon kann der gläubige Mensch, wenn er einer Sache anhangt, die sich in einer Gruppe darstellt, daran recht tun, sich der anzuschließen; aber ihr angehörend muß er mit seinem ganzen Leben, also auch mit seinem Gruppenleben dem Einen botmäßig bleiben, der sein Herr ist. Das wird zuweilen seine verantwortende Entscheidung gegen eine etwa taktische seiner Gruppe setzen, zuweilen ihn bewegen, den Kampf für die Wahrheit, die menschliche, die ungewiß-gewisse Wahrheit, die das tiefe Gewissen ihm schöpft, in die Gruppe selber zu tragen und damit eine innere Front in ihr aufzurichten oder zu verstärken. Diese kann – da sie, wenn überall aufrecht und stark, als eine heimliche Einheit quer durch alle Gruppen liefe – für die Zukunft unserer Welt wichtiger werden als alle Fronten, die heute zwischen Gruppe und Gruppe, Gruppenverband und Gruppenverband sich ziehen.

Was jeweils das Rechte ist, kann keine der heute bestehenden Gruppen anders erfahren, als daß Menschen, die ihr angehören, die eigene Seele dransetzen es zu erfahren und es sodann, sei es noch so bitter, den Gefährten eröffnen – schonend, wenn es sein darf, grausam, wenn es sein muß. In dieses Feuerbad taucht die Gruppe Mal um Mal oder sie stirbt den inneren Tod.

Und fragt einer immer noch, ob man denn auf diesem steilen Pfad sicher sei das Rechte zu finden: noch einmal, nein, es gibt keine Sicherheit. Es gibt nur eine Chance; aber es gibt keine andere als diese. Das Wagnis sichert uns die Wahrheit nicht; es führt uns nur in ihren Atemraum, und es allein.

TRENNUNGSVERSUCHE

Gegen die hier umrissene Position des Einzelnen in der Verantwortung muß sich jene mächtige Anschauung unserer Zeit erheben, für die letztlich nur die sogenannten Objektiva, richtiger Kollektiva wirklich sind, wogegen den Personen nur als deren Werkern oder Werkzeugen eine Bedeutung beigemessen wird. Ihr kann zwar die nur religiöse Kategorie Kierkegaards gleichgültig bleiben, für die nur die Person wesentlich, das Objektivum aber entweder lediglich sekundär existent oder – als Menge – das zu meidende Negativum ist. Wenn jedoch der Einzelne, eben als solcher, sich mit der Welt, und sogar mit der Welt im besonderen, dem öffentlichen Wesen, wesentlich einläßt, dies aber nicht, um nunmehr bewußt und mit Glaubensbetonung über sich verfügen zu lassen, sondern in der Verantwortung für das woran er vor Gott teilhat, dann muß jene Anschauung ihm entgegentreten und muß ihn ein für allemal widerlegen wollen. Dieses kann sie mit Gründen unternehmen, die sie bei einer bestimmten zeitgemäßen und anscheinend zeitgerechten Gedankenrichtung der Zeit findet. Es ist eine Richtung, deren Vertreter bei ihrer sonstigen mannigfachen Verschiedenheit zunächst ein Angriffsobjekt gemeinsam haben, – man mag es als Liberalismus oder als Individualismus oder mit einem beliebigen andern Schlagwort bezeichnen. (Wobei gewöhnlich – wie begreiflicherweise oft in Fällen dieser Art – vernachlässigt wird, an dem angegriffenen Ismus eine begriffliche Zerlegung vorzunehmen und das was man damit meint von dem was man nicht meint, also das bekämpfenswerte von einem unbehelligt zu lassenden Element zu scheiden. Wenn eine solche Zerlegung etwa den »Liberalismus« träfe, entstünden einzelne Tendenzbegriffe, zu denen in ganz anderer Klarheit und Eindeutigkeit Stellung zu nehmen wäre, also etwa: der Libertinismus, als die armselige Denkweise des Freigelassenen, der nur weiß, was alles ihm, dem »Menschen«, erlaubt sei oder sein sollte; daneben aber der Liberismus, als die Denkweise des Freigeborenen, für den die Freiheit die Voraussetzung der Bindung, des wahren personhaften Eingehens in die Bindung ist, nicht mehr und nicht weniger, – eine Denkweise also, würdig, von jedem, der überhaupt weiß, was es um den Geist ist, in der Schatzburg des Geistes bewahrt und mit ihr verteidigt zu werden.) Aber wichtiger ist, daß die Vertreter dieser Richtung auch eine Absicht gemeinsam haben oder zumindest eine Wirkung: sie verleihen dem politischen Bezirk eine übersteigerte Autonomie, sie heben das öffentliche Leben von allem übrigen Leben ab, sie entziehen es der Verantwortung des daran teilnehmenden Einzelnen.

Um anzudeuten, was von der gewandelten Kategorie des Einzelnen aus auf solche Gegengründe erwidert werden möchte, seien zwei Beispiele der Denkrichtung, von der ich spreche, erörtert, ein staatsphilosophisches und ein staatstheologisches.

Ich schicke ihnen aber zunächst ein drittes, weniger gewichtiges, aber doch auch lehrreiches, ein historiosophisches, voraus.

Oswald Spengler will den Sonderbereich des Politischen dadurch als einen unabhängigen und der »Ethik« unzugänglichen begründen, daß er den Menschen unter die Raubtiere einreiht. Es gehe, wenn auch nicht mehr zwischen den gebändigten Individuen, so doch zwischen den Gruppen stets, notwendig und sinngemäß wie zwischen Raubtierscharen zu. Hier, in seinem Gruppendasein, sei der Mensch ungeschwächtes Raubtier geblieben, und der Einzelne müsse sich hüten, bereichfremde Maßstäbe heranzutragen.

Diese These ist die Banalisierung einer Nietzscheschen. Nietzsche meinte, es komme darauf an, daß die Mächtigkeit in der Geschichte sich zu sich selbst bekenne; werde ihr Selbstbekenntnis niedergehalten, dann sei Entartung die Folge. Damit bleibt Nietzsche bei einer *Voraussetzung* stehen. Worauf es ankommt, ist, daß die Mächtigkeit sich in der Geschichte zu sich als dem einen Partner eines dialogischen Geschehens bekenne, in dem auch die kräftigste Betätigung ein Ausweichen vor der Antwort, das Versagen einer Antwort bedeuten kann.

Die These Nietzsches redet eine geschichtliche, die Spenglers eine biologische Sprache. Alles biologische Verstehenwollen des menschlichen Handelns ist (so wenig man die biologische Existenz vergessen darf, wenn man den Menschen deutet) ein Banalisieren, eine schlechte Vereinfachung nämlich, weil es ein Aufgeben des anthropologischen Eigenbestands, dessen also ist, was die Kategorie des *Menschen* erst konstituiert.

Raubtiere haben keine Geschichte. Ein Panther kann sogar eine Biographie haben, ein Termitenstaat vielleicht sogar eine Staatschronik, aber Geschichte, in dem großen unterscheidenden Sinn, der uns erlaubt, von der Menschengeschichte als der »Weltgeschichte« zu sprechen, haben sie nicht. Durch Rauben bekommt man keine Geschichte. Der Mensch hat sie dadurch bekommen, daß er sich fundamental auf etwas eingelassen hat, was dem Raubtier sinnlos und grotesk erscheinen müßte: auf Verantwortung; darauf also, eine Person mit einem Verhältnis zur Wahrheit zu werden. So aber ist es unmöglich geworden, den Menschen vom Biologischen allein her zu erfassen.

»Geschichte« ist nicht die Abfolge der Machterkämpfungen und Machthandlungen, sondern der Zusammenhang der Machtverantwortungen in der Zeit.

Die Raubtierthese bedeutet somit eine Verleugnung der menschlichen Wesenheit und eine Verfälschung der menschlichen Geschichte. Daß, wie Spengler zu ihrer Verteidigung vorbringt, »die großen Raubtiere *edle* Geschöpfe in vollkommenster Art« sind, ist wahr, aber ohne Beweiskraft; es geht darum, daß der Mensch in *seiner* entwicklungsgeschichtlich *und* geschichtlich bedingten Art ein ebenso »edles Geschöpf« werde wie sie in der ihren, – und das heißt: daß er jene »Freiheit der Kinder Gottes« verwirkliche, nach der, wie Paulus sagt, alle Kreatur »den Kopf vorstreckt«.

Ernsthafter ist die Begriffsbestimmung des Politischen zu betrachten, die uns ein namhafter katholischer Staatsrechtslehrer, Carl Schmitt, anbietet. Das Politische hat nach ihm sein eigenes, nicht von dem eines anderen Bereichs ableitbares Kriterium. Es ist die Unterscheidung von Freund und Feind, die nach Schmitt »den relativ selbständigen Kriterien anderer Gegensätze: Gut und Böse im Moralischen, Schön und Häßlich im Ästhetischen usw.« entspricht. Zum Begriff des Feindes aber gehöre die Eventualität des realen Kampfes, der die »Möglichkeit der physischen Tötung« einschließt; von daher gewinne »das Leben der Menschen seine spezifisch *politische* Spannung«.

Die »Möglichkeit der physischen Tötung« – eigentlich müßte es heißen: die Absicht der physischen Tötung. Denn Schmitts These überträgt eine Situation des privaten Lebens ins öffentliche: die klassische Duell-Situation. Diese liegt dann vor, wenn zwei Menschen einen zwischen ihnen bestehenden Konflikt als einen unbedingten empfinden, der also nur in der Vernichtung des einen durch den andern seine Lösung finden könne: es gibt keine Versöhnung, keine Vermittlung, keine zulängliche Buße, ja die Hand, die den Streich führt, darf keine andre als die des Gegners sein, dies aber *ist* die Lösung. Jedes klassische Duell ist ein verkapptes »Gottesgericht«; in jedem wirkt der Glaube nach, Menschen könnten ein Gottesgericht betreiben. Das ist es, was Schmitt, auf das Verhältnis der Völker zueinander übertragen, das spezifisch Politische nennt.

Aber die These ruht auf einem methodischen Irrtum. Das Wesensprinzip des Bereichs, das Prinzip also, das ihn als solchen verfaßt, kann man nicht der *Labilität* der Gebilde dieses Bereichs entnehmen, sondern nur ihrem dauernden Charakter. Die Freund-Feind-Formel entstammt der Erschütterlichkeitssphäre der politischen Gebilde, nicht ihrer Zusammenhaltssphäre. Die radikale Unterscheidung, die Schmitt meint, tritt jeweils in Erscheinung in Zeiten, in denen das Gemeinwesen bedroht ist, nicht in Zeiten, in denen es seinen Bestand als einen selbstverständlichen und zugesicherten erfährt. Sie taugt daher nicht, das Prinzip des Politischen herzugeben.

Aber die Formel umfaßt auch nicht einmal die ganze Labilität eines politischen Gebilds. Diese ist stets eine doppelte: eine äußere, die durch den auf die Grenze pressenden Nachbarn oder zum Nachbarn gewordenen Angreifer kundgetan wird, und eine innere, die der Empörer anzeigt. Schmitt nennt diesen den »inneren Feind«, verkennt damit aber eine grundlegende Differenz der beiden Labilitätsarten. Der Feind hat kein Interesse an der Erhaltung des Gebilds, wohl aber der Empörer, der es zwar »ändern« will, jedoch *eben es.* Nur der erste ist radikal genug, um den Ernst der Formel zu begründen. Die Freund-Feind-Formel erfaßt somit nur die eine Seite der Labilität und ist nicht auf die andere auszudehnen.

Die Gegensätze »Gut und Böse im Moralischen, Schön und Häßlich im Ästhetischen«, mit denen Schmitt diesen zusammenstellt, sind zum Unterschied von ihm *normativ* intendiert, das heißt: nur von da aus, daß das Gute, das Schöne in einem wesenhaften Sinngehalt gefaßt ist, hat es einen Sinn, das Böse, das Häßliche zu bestimmen. »Freund und Feind« aber bezeichnet nicht einen normativen Wesensbegriff, sondern nur einen haltungsmäßigen Situationsbegriff.

Es scheint mir im übrigen, daß hinter den geläufigen gegensätzlichen Begriffspaaren Gut-Böse und Schön-Häßlich andere stehen, in denen der negative Begriff sich intim mit dem positiven verknüpft, als der Mangel zu seiner Fülle, das Chaos zu seinem Kosmos: hinter Gut und Böse als Kriterium des Ethischen die Richtung und das Richtungslose, hinter Schön und Häßlich als Kriterium des Ästhetischen die Gestalt und das Gestaltlose. Für den Bereich des Politischen fehlt das vordergründige Paar, offenbar weil es darin schwerer oder unmöglich ist, den negativen Pol zu verselbständigen; das hintergründige möchte ich die Ordnung und das Ordnungslose nennen, wobei man den Ordnungsbegriff von der ihm zuweilen anhaftenden Entwertung befreien muß: rechte Ordnung ist Richtung und Gestalt im politischen Bereich. Aber man darf diese beiden Begriffe nicht erstarren lassen; ihre Wahrheit haben sie nur von der Konzeption einer einheitlichen *Ordnungsdynamik* aus, die das wirkliche Prinzip des Politischen ist. Die eigentliche Geschichte eines Gemeinwesens darf als dessen Streben nach der ihm gemäßen Ordnung verstanden werden. Dieses Streben, dieses Ringen um die Verwirklichung der wahren Ordnung – Ringen zwischen den jeweiligen so verschiedenen Vorstellungen, Plänen, Entwürfen der wahren Ordnung, aber auch ein ihnen allen mitten darin gemeinsames, ungewußtes, unaussprechliches Ringen – konstituiert die Ordnungsdynamik des politischen Gebilds. Als Ergebnis wird immer wieder eine Ordnung erkämpft und eingesetzt. Sie wird fest und umschließend, sie verfestigt sich auch gegen den Widerstand der verbliebenen Dynamik, sie versteift sich, sie stirbt, sich von der Dynamik, die sie einsetzte, vollends lossagend, innerlich ab und bewahrt doch ihre Macht, gegen den neu erstarkenden Kampf um die wahre Ordnung. Der Feind bedroht die gesamte Ordnungsdynamik des Gemeinwesens, der Empörer nur die jeweilige Ordnung. Jede Ordnung ist, von der gesamten Dynamik aus betrachtet, fragwürdig. Das ist das Doppelwesen des Staates: immer wieder Verwirklichung, immer wieder Infragegestelltsein der politischen Struktur. Die »Höhepunkte der konkreten Politik« sind nicht, wie Schmitt meint, »zugleich die Augenblicke, in denen der Feind erblickt wird«, sondern es sind die Augenblicke, in denen eine Ordnung vor der ernstesten Verantwortung des sich mit ihr konfrontierenden Einzelnen die Rechtmäßigkeit ihrer Statik, ihren – wenn auch notwendigerweise nur relativen – Erfüllungscharakter erweist.

Nach Schmitt setzen alle »echten« politischen Theorien den Menschen als »böse« voraus. (Nebenbei: Warum tun das die Theorien, die es tun? Da von Schmitt aus gesehen die politische Theorie nur eine Abteilung der praktischen Politik ist, wäre in seinem Sinn zu antworten: Weil es ihren Urhebern politisch zweckmäßig erscheint.) Dieses »böse« erklärt er zwar mit »keineswegs unproblematisch« und »gefährlich« – und für beides halte auch ich den Menschen –, aber er stützt sich für die Richtigkeit seiner Voraussetzung auf die theologische Lehre von der *absoluten* Sündhaftigkeit des Menschen. Einen gewichtigen theologischen Bundesgenossen hat er in Friedrich Gogarten gefunden.

Gogarten erklärt in seiner »Politischen Ethik«, alle ethischen Probleme erhielten allein von dem politischen Problem aus ihre ethische Relevanz, d. h. das Ethische habe seine Gültigkeit als dieses nur durch den Zusammenhang mit dem politischen Sein des Menschen. Durch diesen Satz wird Kierkegaards Kategorie des Einzelnen grundsätzlich aufgegeben. Gogarten meint wohl nur den Individualismus zu bekämpfen, aber er bekämpft zugleich die Position des persönlichen Lebens im Ernst seiner Verantwortungsganzheit. Die ethischen Probleme können, wenn sie ihre Relevanz vom Politischen her erhalten, sie nicht auch vom Religiösen her erhalten, auch nicht wenn jenes sich religiös begründet. Erhalten sie sie aber nicht von dem Religiösen her, dann haben wir, wenn auch in politisierter Gestalt, innerhalb des Lebens des »religiösen« Menschen, die abgelöste Ethik wieder, die Kierkegaard uns überwinden geholfen hat. Gogarten mag noch so nachdrücklich theologisch reden, er schmälert das grundlegende, das Gottesverhältnis des Einzelnen, wenn er dessen Handeln – und was sind denn die »ethischen Probleme« anderes als die Fragen des Menschen nach seinem eigenen Handeln und dessen Sinn! – anderswoher seine Gültigkeit erhalten läßt, sei es auch von dem für sich betrachteten Schicksal der Gemeinschaft, der der Einzelne zugehört. So wahr es ist, daß er, der Einzelne, die Rechtmäßigkeit seines Gottesverhältnisses nicht ohne ein rechtmäßiges Verhältnis zum öffentlichen Wesen gewinnen kann, so wahr ist es doch auch, daß nicht diesem, sondern jenem allein die bestimmende Kraft zukommt, das heißt: daß ich mir innerhalb meines Verhältnisses zu meiner Gemeinschaft jeweils von Gott die Grenze zwischen Mitmachen und Nichtmitmachen ziehen lassen soll. Man vernehme oft nichts? Nun denn, wir haben mit der rückhaltlosen Anstrengung unseres Seins zu horchen. Vernehmen wir auch dann nichts, dann, aber erst dann, mögen wir uns dahin wenden, wohin Gogarten uns weist. Horchen wir aber nicht so oder hören wir und gehorchen nicht, dann wird in der Ewigkeit diese unsre Unterlassung und nicht unsre Berufung auf irgendein Verhältnis der ethischen Probleme zum politischen stehen.

Nach Gogarten ist der Mensch »radikal und darum unaufhebbar böse, das heißt der Macht des Bösen verfallen«. Die Relevanz des Politischen komme daher, daß »allein im Politischen« der Mensch »gegenüber dieser Erkenntnis die Möglichkeit der Existenz« habe. Der Staat habe »seine ethische Qualität darin, daß er mit seiner Souveränität, mit seinem Recht über Leben und Eigentum seiner Untertanen, dem Bösen wehrt, dem die Menschen verfallen sind«. (Nebenbei: eine theologische Fassung des alten Polizeistaat-Begriffs.) Denn »woher soll der Staat Souveränität haben, die er ja nur aus der Erkenntnis des Verfallenseins des Menschen unter die Macht des Bösen haben kann ...?«

Der von Gogarten angewandte Begriff des radikal bösen Menschen und seiner absoluten Sündhaftigkeit ist dem Bereich des Vor-Gott-Stehens des Menschen entnommen und hat nur darin seine Bedeutung. Was die christliche Theologie, in deren Namen Gogarten redet, nach meinem Wissen und Verständnis lehrt, ist dies, daß der Mensch, genauer der gefallene Mensch, seiner Unerlöstheit nach betrachtet, »vor Gott« (coram Deo) sündig und verderbt sei. Ich sehe nicht, wie man aus der dialektischen Verbundenheit von Unerlöstheit und Erlöstheit (ab his malis liberemur et servemur) die Unerlöstheit herausbrechen und gesondert verwenden, ich sehe

auch nicht, wie man den Begriff des Böseseins aus dem Bereich des Seins »vor Gott« in den des Seins vor irdischen Instanzen übertragen und ihm doch seine Radikalität belassen kann. Im Angesicht Gottes kann dem Menschen das radikale Bösesein deshalb zugesprochen werden, weil Gott Gott und der Mensch Mensch, weil der Abstand zwischen ihnen ein absoluter Abstand ist und weil gerade in diesem Abstand und kraft seiner die erlösende Tat Gottes getan wird. Im Angesicht von Mitmenschen, von Menschengruppen und Menschenordnungen kann, so dünkt es mich, der Mensch nicht rechtmäßig als schlechthin sündhaft bezeichnet werden, weil die Distanz fehlt, die allein die Unbedingtheit zu begründen vermag. Daran ändert sich nichts, wenn man eine Menschenordnung als von Gott eingesetzt oder ermächtigt betrachtet. Denn keinesfalls wird dieser dadurch jener absolute, Unbedingtheit stiftende (damit zugleich aber den Raum der Erlösung erschließende) Abstand zum Menschen verliehen, woraus allein sich dessen radikales Bösesein auch im Angesicht des öffentlichen Wesens ergeben könnte. Der Begriff der menschlichen Sündhaftigkeit ist somit nicht rechtmäßig politisch auswertbar, auch nicht in der politischen Theorie.
Meiner Einsicht nach freilich ist der Mensch überhaupt nicht »radikal« Dies oder Jenes.
Nicht eine Radikalität kennzeichnet den Menschen als von allem Nur-animalischen urtief abgehoben, sondern seine Potentialität. Stellen wir ihn allein vor die gesamte Natur, dann erscheint in ihm der Möglichkeitscharakter des naturhaften Daseins, der sonst überall die dichte Realität nur wie ein Dunstkreis umschwebte, verkörpert. Der Mensch ist die

Potentialität in ihrer faktischen Beeinträchtigung. Die Möglichkeitsfülle des Daseins, dem Tier durch seine knappe Wirklichkeit ferngehalten, stellt sich hier in einem von der Natur aus unerfaßlichen Zeichen dar, jedoch nicht frei waltend, so daß das Leben der jeweiligen Vorwegnahme des Geistes beschwingt zu folgen vermöchte, sondern eingeengt. Diese Einengung ist nicht eine wesensmäßige, sie ist nur faktisch. Das bedeutet, daß die Tat des Menschen nach Art und Maß unvorhersehbar ist, daß er, und wenn er in allem andern kosmisch peripher wäre, das Überraschungszentrum der Welt bleibt. Aber er ist eben die gefesselte, nur in der Innerlichkeit ungebundene Überraschung, und seine Fesseln sind stark.

Der Mensch ist nicht gut, der Mensch ist nicht böse, er ist, im eminenten Sinn, gut-und-böse. Wer von ihm ißt, kennt, wie wer von jener Frucht aß, Gut-und-Böse. Das ist seine Beeinträchtigung, das der Witz der Schlange: wie Gott sollte er werden, Gut und Böse kennend, aber was er »erkannt«, in der Vermischung damit als ein Vermischtes erkannt hat, ist Gut-und-Böse, gut-und-böse ist er geworden, das ist die Nacktheit, in der er sich erkennt. Nur faktisch, nicht wesenwandelnd, nicht Gottes Werk zerstörend ist die Beeinträchtigung. Wer der Schlange die Macht der Zerstörung zuspricht, erhebt sie zu Gottes Nebenbuhler, der ihm zunächst, wie Ahriman zeitweilig dem Ormuzd, überlegen bleibt, da er seine Schöpfung verkehrt. Das aber ist die Schlange der Schrift nicht. Sie ist kein Gegengott, sie ist nur die Kreatur, die den Menschen durch ihn selbst verderben will. Sie ist die »listige« Kreatur, die List der heimlich giftigen Kreatur, die Unordnung anzettelt, und aus der Unordnung wird die Geschichte, die tappend, versuchend, verfehlend sich um die Ordnung Gottes bemüht. Der Urvorgang, auf den die Schrift mit ihren Bildern hinzeigt, untersteht dem Satz vom Widerspruch nicht: a und non-a haben hier wunderlich miteinander zu schaffen.

So kann da Gut und Böse kein Gegensatzpaar wie Rechts und Links, wie Oben und Unten sein. »Gut« ist die in die Richtung der Heimkehr gestreckte Bewegung, »Böse« ist der Wirbel der richtungslos kreisenden Möglichkeitskraft des Menschen, ohne die nichts gerät, durch die, nimmt sie die Richtung nicht an und bleibt sie verfangen, alles mißrät. Und wären es selbst Pole, so wäre wohl blind, wer sie als solche nicht sähe, blinder aber wäre, wer den von Pol zu Pol zuckenden Blitz, das Und, nicht gewahrte.

Als Zustand der einzelnen Seele ist das Böse das krampfige Ausweichen vor der Richtung, vor dem Ganz-Gerichtetsein der Seele, durch das sie sich in die Raumordinate der personhaften Verantwortung vor Gott aufrichtet. Das Ausweichen kann aus Leidenschaft oder aus Trägheit geschehen. Der leidenschaftliche Mensch weicht mit seiner Leidenschaft aus, der träge mit seiner Trägheit. In beiden Fällen verläuft sich der Mensch in sich selbst. Die eigentlichen geschichtlichen Dämonien sind die Ausnutzungen dieses Ausweichens durch geschichtliche Mächte.

Die Richtung aber, die eine, und zugleich immer wieder konkretisiert die wechselnde Richtung der Stunde auf Gott, kann der Staat *als solcher* nicht angeben. Das kann nur der Einzelne, der in der

Tiefe der Verantwortung steht. Und dies kann freilich auch ein Staatsmann sein.

Gogarten setzt *den* Staat an Stelle des jeweiligen geschichtlichen, das heißt der jeweiligen faktischen Staatsregierung, – die dem »Bösen« eben nicht als unpersönlicher Staat, sondern nur von der eigenen personhaften Verantwortung aus zu steuern vermag, sonst aber selber der Dynamik zwischen Gut und Böse ausgesetzt ist. Der Staat ist die sichtbare Form der Autorität, und für Gogarten ist Autorität einfach das Eingesetzte, das Diakonische, Macht ist Vollmacht. Aber wenn man die Eingesetztheit der Macht ernst, theologisch ernst, biblisch ernst nimmt, erweist sich die Einsetzung als der genaue Auftrag, und die Macht erweist sich als das große Verantwortensollen. Das Alte Testament weiß in Geschichten von Königen Israels und in Geschichten von Fremdherrschern von der Abartung der Rechtmäßigkeit in Unrechtmäßigkeit und der Vollmacht in Widermacht zu berichten. Wie kein staatsphilosophischer, so führt auch kein staatstheologischer Begriff über die Glaubenswirklichkeit der menschlichen Person und ihrer, sei es Knecht, sei es Kaiser, Verantwortung für das öffentliche Wesen von Mensch zu Gott hinweg.

DIE FRAGE

In der Krisis des Menschen, die wir in dieser Stunde erfahren, ist ein Zwiefaches in Frage gestellt: die Person und die Wahrheit.

Wie beides zusammengehört, wissen wir aus dem Akt der Verantwortung. Damit sie, die verantwortende Antwort, dasei, tut die Wirklichkeit der Person not, auf die das Wort im Geschehen, sie anfordernd, trifft, und es tut die Wirklichkeit der Wahrheit not, auf die die Person geeinten Wesens ausgeht, und die sie eben deshalb, nicht in einer Allgemeinheit, nur als die sie selber angehende in solcher Besonderung, im Wort zu empfangen vermag.

Die Frage, in die heut die Person und die Wahrheit gestellt sind, ist die Frage an den Einzelnen. Die Person ist dadurch in Frage gestellt, daß sie kollektiviert wird.

Diese Kollektivierung der Person knüpft sich geistesgeschichtlich an eine grundverschiedene Unternehmung, an der auch ich teilhatte und zu der ich mich deshalb hier bekennen muß. Es ist dies jener Kampf der letzten Jahrzehnte gegen den idealistischen Begriff des selbstherrlichen, weltumschließenden, welttragenden, welterschaffenden Ich. Der Kampf wurde unter anderm durch den Hinweis auf die vernachlässigte kreatürliche Gebundenheit der konkreten menschlichen Person geführt. Es wurde gezeigt, wie grundwichtig es sei, in jedem Denkmoment dies mitzuwissen, daß der Denkende an einen Raumbezirk, an eine Geschichtsstunde, an die Gattung Mensch, an ein Volk, an eine Familie, an eine Gesellschaft, an eine Berufsgruppe, an eine Gesinnungsgemeinschaft in verschiedenen Graden der Substantialität, aber nie rein funktional gebunden ist. Dies Verflochtensein in ein vielfältiges Wir wehrt, tatsächlich gewußt, die Versuchung des Souveränitätsgedankens ab, der Mensch findet sich in geschöpflicher Enge; aber er ist in den Stand gesetzt zu erkennen, daß dies seine echte Weite ist: denn diese Gebundenheit ist Verbundenheit.

Es ist aber geschehen, daß eine wesentlich anderswoher stammende und anders geartete Tendenz sich der neuen Einsichten bemächtigte, die Gebundenheitswahrnehmung zur Hörigkeitslehre überspannte und verkehrte. Hier wird einer Kollektivität der Primat zugesprochen; sie erhält das Recht, die ihr eingebundene Person solchermaßen gebunden zu halten, daß der auch die vollständige Verantwortung nicht mehr zusteht. Das Kollektiv wird das eigentlich Existierende, die Person wird das Abgeleitete; in alle den Bereichen, mit denen sie dem Gesamt angehört, soll ihr die persönliche Antwort abgenommen sein.

Damit wird ein unermeßlicher Wert, eben der den Menschen konstituierende gefährdet. In den Dialog der Zeiten, den die Gottheit mit der Menschheit führt, kann das Kollektiv nicht anstatt der Person eintreten. Das menschliche Vernehmen bleibt aus, die menschliche Antwort verstummt, wenn die Person nicht mehr da ist, zu hören und zu reden. Eine Reduktion auf das Private ist unvollziehbar: nur in den unverkürzten Maßen des gelebten Lebens, also nur mit Einschluß der Teilnahme am öffentlichen Wesen kann der Anspruch vernommen und die Erwiderung gesprochen werden.

Die Wahrheit aber ist dadurch in Frage gestellt, daß sie politisiert wird.

Die soziologische Doktrin des Zeitalters hat am Wahrheitsbegriff, indem sie die Seinsverbundenheit des Denkens an der Abhängigkeit der Denkprozesse von den Sozialprozessen nachwies, eine folgenreiche Relativierung geübt. Diese Relativierung war berechtigt, indem sie die »Wahrheit« eines Menschen an seine sie bedingende Wirklichkeit band; aber ihre Berechtigung schlug ins Gegenteil um, als ihre Urheber es unterließen, die grundsätzliche Grenzlinie zwischen dem aus solcher Bedingtheit zu Verstehenden und dem nicht daraus zu Verstehenden zu ziehen, das heißt die um Wahrheit werbende und ringende Person in ihrer *ganzen* Wirklichkeit zu fassen. Gehen wir von dem als ganzes Wesen, mit der Gesamtheit seines Wesens erkennen wollenden Einzelnen aus, so finden wir, daß die Kraft seines Verlangens nach der Wahrheit die »ideologischen« Bande seines sozialen Soseins an entscheidenden Punkten sprengen kann. Der »existentiell« denkende das heißt in seinem Denken sein Leben einsetzende Mensch bringt in sein Realverhältnis zur Wahrheit nicht bloß seine Bedingtheiten, sondern auch die sie transzendierende Unbedingtheit seiner Suche, seines Griffs, seines unbändigen, die ganze Bewährungsmacht der Person mitreißenden Wahrheitswillens ein. Gewiß werden wir an dem, was er jeweils ergebnismäßig als Wahrheit befindet, keine Scheidung zwischen dem sozial Ableitbaren und dem Unableitbaren vollziehen können; aber es ist unumgängliche Pflicht, das Unableitbare als Grenzbegriff zu bejahen und so auf das, was sich zwischen dem Unableitbaren an der erkennenden Person und dem Unableitbaren an dem Gegenstand ihrer Erkenntnis begibt, als auf den nie zu erreichenden Horizont der wissenssoziologischen Unterscheidung hinzuzeigen. Diese Pflicht ist versäumt worden. Die Folge war, daß die politische Theorie der modernen Kollektivismen sich leichter Hand des bereitliegenden Prinzips bemächtigen und das den (wirklichen oder vermeintlichen) Lebensinteressen einer Gruppe Entsprechende als deren rechtmäßige und inappellable Wahrheit proklamieren konnte, der gegenüber dem Einzelnen kein Anspruch mehr auf eine von ihm erkannte und von ihm zu bewährende Wahrheit zukam.

Damit hat die Zersetzung des menschlichen Glaubens an die nie zu besitzende und doch im existentiellen Realverhältnis zu umfangende Wahrheit, die Lähmung des menschlichen Werbens um die Wahrheit angehoben.

»Das, wovon ich rede«, sagt Kierkegaard, »ist etwas Schlichtes und Einfältiges: daß die Wahrheit für den Einzelnen nur da ist, indem er sie selber handelnd erzeugt.« Genauer gefaßt: der Mensch findet die Wahrheit erst wahrhaft, wenn er sie bewährt. Die menschliche Wahrheit ist hier an die Verantwortung der Person gebunden.

»Wahr ist«, sagt Stirner, »was Mein ist.« Die menschliche Wahrheit ist hier an die Unverantwortlichkeit der Person gebunden. Die Kollektivismen übersetzen in die Gruppensprache: »Wahr ist, was Unser ist.«

Aber damit der Mensch nicht verloren gehe, tun Personen not, die nicht kollektiviert sind, und Wahrheit, die nicht politisiert ist.

Personen tun not, nicht bloß »Vertreter« in irgendeinem Sinn, gewählte oder eingesetzte, die den Vertretenen die Verantwortung abnehmen, sondern auch »Vertretene«, die sich nur eben in der Verantwortung nicht vertreten lassen. Not tut die Person als der unaufgebbare Grund, von dem aus der Eintritt des Endlichen in das Gespräch mit dem Unendlichen allein möglich ward und wird.

Not tut der Glaube des Menschen an die Wahrheit als an ein von ihm Unabhängiges, das er nicht innehaben kann, zu dem er aber in ein lebensmäßiges Realverhältnis zu treten vermag, – der Glaube der menschlichen Personen an die Wahrheit als an das sie alle gemeinsam Tragende, in sich Unzugängliche, aber dem real um die Wahrheit Werbenden sich im Faktum der bewährungsbereiten Verantwortung Erschließende.

Not tut, damit der Mensch nicht verloren gehe, die Wahrheitsverantwortung der Person in ihrer geschichtlichen Lage. Der Einzelne tut not, der dem ganzen ihm gegenwärtigen Sein, also auch dem öffentlichen Wesen standhält und für das ganze ihm gegenwärtige Sein, also auch für das öffentliche Wesen einsteht.

Echte Gemeinschaft und echtes Gemeinwesen werden sich nur in ebendem Maße verwirklichen, in dem die Einzelnen wirklich werden, aus deren verantwortendem Dasein sich das öffentliche Wesen erneut.

Elemente des Zwischen-menschlichen

I

DAS SOZIALE UND DAS ZWISCHENMENSCHLICHE

Man pflegt das, was sich zwischen Menschen begibt, dem Gebiet des »Sozialen« zuzurechnen und verwischt damit eine grundwichtige Trennungslinie zwischen zwei wesensverschiedenen Bereichen der Menschenwelt. Ich selbst habe, als ich vor nahezu fünfzig Jahren mich in dem Wissen von der Gesellschaft selbständig zurechtzufinden begann und mich dabei des damals noch unbekannten Begriffs des Zwischenmenschlichen bediente[1], den gleichen Irrtum begangen. Seither ist mir mit zunehmender Klarheit die Erkenntnis aufgegangen, daß wir hier eine Sonderkategorie, ja, wenn ein mathematisches Fachwort solcherart bildlich gebraucht werden darf, eine Sonderdimension unseres Daseins vor uns haben, und zwar eine, die uns so vertraut ist, daß wir bisher ihrer Besonderheit kaum recht inne geworden sind. Und doch ist die Einsicht in diese ihre Besonderheit von hoher Bedeutung nicht für unser Denken allein, sondern auch für unser Leben.

Von sozialen Phänomenen dürfen wir überall da sprechen, wo das Miteinanderdasein einer Vielheit von Menschen, ihre Verbundenheit miteinander gemeinsame Erfahrungen und Reaktionen zur Folge hat. Diese Verbundenheit aber bedeutet nur, daß all die einzelnen Existenzen in einer gruppenhaften be-

[1] Vgl. mein Vorwort zur Erstausgabe von Sombarts »Das Proletariat« (1. Band der von mir herausgegebenen Sammlung »Die Gesellschaft« 1905).

schlossen und von ihr umfangen sind; sie bedeutet nicht, daß zwischen einem und dem andern innerhalb der Gruppe eine irgend personhafte Beziehung bestehe. Wohl empfinden sie einander spezifisch zusammengehörig in einer Weise, die von jeder möglichen Zusammengehörigkeit mit jemandem außerhalb der Gruppe sozusagen grundsätzlich verschieden ist; und wohl ergeben sich auch immer wieder, insbesondere im Leben kleinerer Gruppen, Kontakte, die die Entstehung individueller Beziehungen häufig begünstigen, nicht selten freilich eher erschweren. Auf keinen Fall jedoch involviert schon die Mitgliedschaft in der Gruppe eine Wesensrelation zwischen einem Mitglied und dem andern. Es hat zwar in der Geschichte Gruppen gegeben, die sogar höchst intensive und intime Beziehungen zwischen je zwei ihr Angehörigen – etwa homoerotische wie bei den japanischen Samurai und den dorischen Kriegern – umfaßten und sie um des strafferen Zusammenhalts der Gruppe willen begünstigten; im allgemeinen aber ist zu sagen, daß die Führungen der Gruppen, zumal im späten Verlauf der Menschengeschichte, eher geneigt sind, das persönliche Beziehungselement zugunsten des rein kollektiven Elements zu verdrängen. Wo dieses ausschließlich oder doch überwiegend waltet, fühlt sich der Mensch von der Kollektivität getragen, die ihn der Einsamkeit, der Weltangst, der Verlorenheit enthebt, und in dieser für den modernen Menschen wesentlichen Funktion scheint das Zwischenmenschliche, das Leben zwischen Person und Person, mehr und mehr gegen das Kollektive zurückzutreten. Das kollektive Miteinander ist darauf bedacht, die Neigung zum personenhaften Zueinander in Schranken zu halten. Es ist, als sollten die in der Gruppe Verbundenen in der Hauptsache nur noch gemeinsam dem Werk der Gruppe zugekehrt sein und nur in sekundären Begegnungen sich den von jener tolerierten persönlichen Beziehungspartnern zuwenden.

Der Unterschied zwischen den zwei Bereichen ist mir einmal sehr spürbar geworden, als ich mich in einer großen Stadt dem Umzug einer Bewegung angeschlossen hatte, der ich nicht angehörte; ich tat es aus Anteilnahme an der von mir als bevorstehend geahnten tragischen Entwicklung im Schicksal eines Freundes, der einer der Führer jener Bewegung war. Während der Zug sich formte, stand ich im Gespräch mit ihm und einem andern, einem gutherzigen »wilden Mann«, der aber auch schon vom Tod gezeichnet war. In diesem Augenblick fühlte ich die beiden noch wirklich mir gegenüber, jeden von beiden als einen mir vertrauten Menschen, vertraut auch noch in dem, was mir am fernsten war; so anders als ich, daß meine Seele sich je und je an seiner Anderheit wehstieß, aber doch mit eben dieser Anderheit mir das Sein authentisch gegenüberstellend. Da setzten sich die Formationen in Gang, und nach kurzer Zeit war ich schon allem Gegenüber entrückt, nur noch in den Zug einbezogen, den ziellosen Schritt mitschreitend, und ganz ebenso verhielt es sich offenbar mit den beiden, mit denen ich eben erst das Menschenwort getauscht hatte. Nach einer Weile kamen wir an einem Kaffeehaus vorbei, in dem ich tags vorher mit einem mir nur flüchtig bekannten Musiker zusammengesessen hatte. Im gleichen Nu öffnete sich die Tür, der Musiker stand an der Schwelle, erblickte mich, anscheinend mich allein, und winkte mir zu. Sogleich war es mir, als würde ich aus dem Zug und der Gegenwart der mitschreitenden Freunde geschaltet und dorthin, dem Musiker gegenüber, gestellt. Ich wußte nichts davon, daß ich im gleichen Takt weiterging, ich erfuhr mich als drüben stehend und lautlos, mit einem Lächeln des Einvernehmens, dem Anrufenden die Antwort gebend. Als das Bewußtsein der Tatsächlichkeit mir wiederkehrte, hatte der Zug, dessen Spitze meine Gefährten und ich bildeten, das Kaffeehaus schon hinter sich gelassen.

Selbstverständlich erstreckt sich der Bereich des Zwischenmenschlichen weit über den der Sympathie hinaus. Es können ihm schon so simple Vorfälle zugehören, wie wenn im überfüllten Straßenbahnwagen zwei Unbekannte Beachtungsblicke tauschen, um sogleich wieder in die Konvenienz des Nichts-voneinander-wissen-wollens zurückzugleiten. Aber auch alles, noch so beiläufige, Zusammentreffen von Gegnern ist hierher zu zählen, wenn es auf die gegenseitige Haltung einwirkt, wenn sich also etwas, wie unmerklich auch, zwischen ihnen vollzieht, gleichviel ob es zur Stunde gefühlsbetont ist oder nicht. Es kommt auf nichts anderes an, als daß jedem von zwei Menschen der andere als dieser bestimmte Andere widerfährt, jeder von beiden des andern ebenso gewahr wird und eben daher sich zu ihm verhält, wobei er den andern nicht als sein Objekt betrachtet und behandelt, sondern als seinen Partner in einem Lebensvorgang, sei es auch nur in einem Boxkampf. Dies ist das Entscheidende: das Nicht-Objekt-sein. Bekanntlich behaupten manche Existentialisten, es sei das Grundfaktum zwischen Menschen, daß einer dem andern Objekt ist; soweit es aber so zugeht, ist die eigentümliche Wirklichkeit des Zwischenmenschlichen, das Geheimnis des Kontaktes, schon in hohem Maße eliminiert. Ganz kann es freilich nicht eliminiert werden. Man nehme als krasses Beispiel dies, daß zwei Menschen einander beobachten: das Wesentliche an der Begebenheit ist nicht, daß der eine den andern zu seinem Objekt macht, sondern daß und warum es ihm nicht völlig gelingt. Gegenstand der Beobachtung werden zu können haben wir mit jedem Ding gemein; daß ich aber durch die verborgene Aktion meines Seins der Objektivierung eine unübersteigbare Schranke zu setzen vermag, ist das Privileg des Menschen. Wahrgenommen, als seiende Ganzheit wahrgenommen kann es nur partnerlich werden.

Von soziologischer Seite mag meiner Unterscheidung von Sozialem und Zwischenmenschlichem entgegengehalten werden, die Gesellschaft erbaue sich doch gerade auf den menschlichen Beziehungen und die Lehre von ihnen sei demgemäß recht eigentlich als die Grundlegung der Soziologie anzusehen. Aber hier gibt sich eine Doppeldeutigkeit des Begriffs »Beziehung« kund. Wir sprechen etwa von einer werkkameradschaftlichen Beziehung zwischen zwei Menschen und meinen damit keineswegs bloß das, was sich zwischen ihnen als Kameraden begibt, sondern auch eine dauernde Verfassung, die sich in jenen Begebenheiten aktualisiert, aber auch rein individualpsychische Vorgänge umschließt, wie den der Erinnerung an den abwesenden Kameraden. Ich meine jedoch mit der Sphäre des Zwischenmenschlichen lediglich aktuale Ereignisse zwischen Menschen, sei es voll gegenseitige, sei es solche, die sich unmittelbar zu gegenseitigen zu steigern oder zu ergänzen geeignet sind; denn die Partizipation beider Partner ist prinzipiell unerläßlich. Die Sphäre des Zwischenmenschlichen ist die des Einander-gegenüber; ihre Entfaltung nennen wir das Dialogische.

Demgemäß ist es auch von Grund aus irrig, die zwischenmenschlichen Phänomene als psychische verstehen zu wollen. Wenn etwa zwei Menschen ein Gespräch miteinander führen, so gehört zwar eminent dazu, was in des einen und des andern Seele vorgeht, was, wenn er zuhört, und was, wenn er selber zu sprechen sich anschickt. Dennoch ist dies nur die heimliche Begleitung zu dem Gespräch selber, einem sinngeladenen phonetischen Ereignis, dessen Sinn weder in einem der beiden Partner noch in beiden zusammen sich findet, sondern nur in diesem ihrem leibhaften Zusammenspiel, diesem ihrem Zwischen.

2

SEIN UND SCHEINEN

Die eigentliche Problematik im Bereich des Zwischenmenschlichen ist die Zwiefalt von Sein und Scheinen.

Daß Menschen sich oft angelegentlich darum kümmern, welchen Eindruck sie auf andere machen, ist zwar eine allgemein bekannte Tatsache; sie ist aber bisher weit mehr moralphilosophisch als anthropologisch erörtert worden. Und doch bietet sich hier der anthropologischen Betrachtung einer ihrer wichtigsten Gegenstände.

Wir dürfen zwischen zwei Arten menschlichen Daseins unterscheiden. Die eine mag als Leben vom Wesen aus, Leben bestimmt von dem was einer ist, die andre als Leben vom Bilde aus, Leben bestimmt von dem wie einer erscheinen will, bezeichnet werden. Im allgemeinen treten sie miteinander vermischt auf; es wird wohl wenige Menschen gegeben haben, die völlig unabhängig von dem Eindruck waren, den sie auf andere machten, aber ein ausschließlich davon Geleiteter dürfte kaum zu finden sein. Wir müssen uns damit begnügen, Menschen, bei denen in ihrem wesentlichen Verhalten das eine, und solche, bei denen das andre vorherrscht, zu unterscheiden.

Am stärksten macht sich dieser Unterschied naturgemäß im Bereich des Zwischenmenschlichen, also im Umgang von Menschen miteinander geltend.

Man nehme als einfachstes und doch schon recht

deutliches Beispiel eine Situation, in der zwei Personen einander ansehen, von denen die eine dem ersten, die andre dem zweiten Grundtypus angehört. Der Wesensmensch sieht den andern so an, wie man eben jemand ansieht, mit dem man sich persönlich abgibt; es ist ein »spontaner«, ein »unbefangener« Blick, er ist zwar selbstverständlich nicht unbeeinflußt von der Absicht, sich dem andern verständlich zu machen, aber er ist unbeeinflußt von einem Gedanken darüber, welche Vorstellung von der Beschaffenheit des Blickenden er in dem Angeblickten erwecken kann oder soll. Anders der Widerpart: da es ihm um das Bild zu tun ist, das seine Erscheinung, also ganz besonders der »sprechendste« Bestandteil seiner Erscheinung, sein Blick, im andern erzeugt, »macht« er diesen Blick; er stellt mit Hilfe der dem Menschen mehr oder minder eignenden Fähigkeit, ein bestimmtes Element des Seins im Blick erscheinen zu lassen, einen Blick her, der als spontane Äußerung wirken soll und oft genug auch wirkt, ja nicht allein als Äußerung eines angeblich in diesem Moment sich psychisch Ereignenden, sondern auch gleichsam als Spiegelung eines so und so beschaffenen persönlichen Seins.

Man muß dies freilich gegen einen anderen Bezirk des Scheinens sorgsam abgrenzen, dessen ontologische Rechtmäßigkeit nicht angezweifelt werden kann, weil es hier sozusagen mit rechten Dingen zugeht. Ich meine das Reich des »echten Scheins«, in dem etwa ein Jüngling sein heldisches Vorbild nachahmt und mitten in seinem Gebaren das heroisch Faktische ihn ergreift, oder die Darstellung eines Schicksals, die das authentische Schicksal herbei beschwört. »So laßt mich scheinen, bis ich werde« –

damit ist genau an dieses Geheimnis gerührt. Hier ist eben nirgends etwas Vorgebliches, die Nachahmung ist echte Nachahmung und die Darstellung echte Darstellung, auch die Maske ist eine Maske und keine Vortäuschung. Wo aber der Schein der Lüge entspringt und von ihr durchsetzt ist, wird das Zwischenmenschliche in seiner Existenz bedroht. Das ist auch nicht, wie wenn einer eine Lüge sagt, etwa einen Sachverhalt verfälschend berichtet: die Lüge, die ich meine, vollzieht sich nicht an einem Tatbestand, sondern an der Existenz selber, und sie greift die zwischenmenschliche Existenz selber an. Zuweilen kann einer, um einer schalen Eitelkeit zu genügen, die große Chance des wahren Geschehens zwischen Ich und Du verscherzen.

Stellen wir uns nun zwei Bildmenschen vor, die beieinander sitzen und miteinander reden – nennen wir sie Peter und Paul – und zählen wir die Figurationen nach, die dabei im Spiel sind. Da sind erst mal der Peter, wie er dem Paul erscheinen will, und der Paul, wie er dem Peter erscheinen will; sodann der Peter, wie er dem Paul wirklich erscheint, Pauls Bild von Peter also, das gemeiniglich keineswegs mit dem von Peter gewünschten übereinstimmen wird, und vice versa; dazu noch Peter, wie er sich selbst, und Paul, wie er sich selbst erscheint; zu guter Letzt der leibliche Peter und der leibliche Paul. Zwei lebende Wesen und sechs gespenstische Scheingestalten, die sich in das Gespräch der beiden mannigfaltig mischen! Wo bliebe da noch Raum für die Echtheit des Zwischenmenschlichen!

Was immer in anderen Bereichen der Sinn des Wortes »Wahrheit« sein mag, im Bereich des Zwischenmenschlichen bedeutet es, daß Menschen sich einander mitteilen als das was sie sind. Es kommt nicht darauf an, daß einer dem andern alles sage, was ihm einfällt, sondern darauf allein, daß er zwischen sich und den andern keinen Schein sich einschleichen lasse. Es kommt nicht darauf an, daß einer sich vor einem andern »gehen lasse«, sondern daß er dem Menschen, dem er sich mitteilt, an seinem Sein teilzunehmen gewähre. Auf die Authentizität des Zwischenmenschlichen kommt es an; wo es sie nicht gibt, kann auch das Menschliche nicht authentisch sein.

Deswegen müssen wir, die wir die Krisis des Menschen als die Krisis des Zwischen zu erkennen beginnen, den Begriff der Aufrichtigkeit von dem dünnen Moralpredigtton, der sich ihm angeheftet hat, befreien und ihn wieder an den Begriff der Aufrechtheit anklingen lassen. Wenn eine Voraussetzung des Menschseins in der Urzeit durch das Aufrechtgehen gegeben worden ist, erfüllt kann es erst durch die aufrecht gehende Seele, durch die hohe Aufrichtigkeit werden, die kein Schein mehr anficht, weil sie die Scheinhaftigkeit besiegt hat.

Wie aber – so mag gefragt werden –, wenn einer seiner Art nach sein Leben den Bildern hörig macht, die er in anderen hervorbringt? Kann er denn noch zum Wesensmenschen werden – kann er aus seiner Art fahren?

Die so verbreitete Neigung, von der Jeweiligkeit des gemachten Eindrucks statt von der Stetigkeit des Wesens aus zu leben, ist keine »Art«. Sie hat ja ihren Ursprung in der Rückseite des Zwischenmenschlichen selber: in der Abhängigkeit der Menschen voneinander. Es ist kein Leichtes, von den anderen in seinem Wesen bestätigt zu werden; da bietet sich der Schein zur Aushilfe an. Ihm willfahren ist die eigentliche Feigheit des Menschen, ihm widerstehen dessen eigentlicher Mut. Das aber ist nicht ein unerbittliches Sosein, nicht ein Sobleibenmüssen. Man kann darum ringen, zu sich zu kommen, das heißt, zum Vertrauen auf das Wesen. Man ringt mit wechselndem Erfolg, aber nie umsonst, auch wenn man zu erliegen meint. Man muß das Leben aus dem Wesen zuweilen teuer bezahlen; zu teuer ist es nie bezahlt. Aber gibt es denn nicht das schlechte Wesen, wuchert es nicht überall? Ich habe keinen jungen Menschen gekannt, der mir hoffnungslos schlecht erschienen wäre. Später wird es freilich immer schwerer, die immer zäher werdende Schicht, die sich auf das Wesen gewälzt hat, zu durchstoßen. So entsteht die falsche Perspektive der unabdingbaren »Art«. Sie ist falsch; der Vordergrund trügt; der Mensch ist, als Mensch, erlösbar.

Wieder sehen wir die Zwei vor uns, die vom Spuk der Scheingestalten umringt sind. Spuk kann gebannt werden. Stellen wir uns einen Peter und einen Paul vor, die es anzuwidern beginnt, die es immer heftiger anwidert, durch Gespenster vertreten zu werden. In jedem von beiden erwacht, erstarkt der Wille, als dieser Seiende und nicht anders bestätigt zu werden. Wir sehen die Kräfte des Wirklichen an ihrem bannenden Werk, bis der Schein hier und hier zerrinnt und die Abgründe des Personseins einander anrufen.

3
DIE PERSONALE VERGEGENWÄRTIGUNG

Das weitaus meiste von allem, was sich heute unter Menschen Gespräch nennt, wäre richtiger, in einem genauen Sinn, als Gerede zu bezeichnen. Im allgemeinen sprechen die Leute nicht wirklich zu einander, sondern jeder ist zwar dem andern zugewandt, redet aber in Wahrheit zu einer fiktiven Instanz, deren Dasein sich darin erschöpft, ihn anzuhören. Den gültigen dichterischen Ausdruck für diesen Zustand hat schon Tschechow in seinem Schauspiel »Der Kirschgarten« geliefert, wo die Mitglieder einer Familie ihr Beisammensein auf nichts anderes verwenden als aneinander vorbeizureden; aber erst Sartre hat das, was hier noch als die Not des in sich gesperrten Menschen erscheint, zum Lebensprinzip erhoben. Er sieht die Mauern zwischen den Gesprächspartnern als schlechthin unübersteiglich an, für ihn ist es das unabwendbare Menschenschicksal, daß einer es unmittelbar nur mit sich und seinen Affären zu tun hat; die innere Existenz des andern ist eben dessen Sache und nicht die meine, eine Unmittelbarkeit zum andern gibt es nicht und kann es nicht geben. Hier erscheint so deutlich wie kaum je sonst der unselige Fatalismus des modernen Menschen, der die Entartung als die unabänderliche Art und das Mißgeschick, sich in eine Sackgasse verrannt zu haben, als das Urschicksal des homo sapiens betrachtet und jeden Gedanken an einen Durchbruch als reaktionäre Romantik brandmarkt. Wer wirklich erkennt, wie weithin sich unser Geschlecht von der wahren Freiheit, der freien Freigebigkeit von Ich und Du verloren hat, müßte, kraft des Auftragscharakters jeder großen Erkenntnis solcher Art, selber, und wäre es als der einzige auf Erden, Unmittelbarkeit üben und nicht von ihr lassen, bis die Spötter erschrecken und in seiner Stimme die der eigenen, niedergehaltenen Sehnsucht vernehmen.

Die Hauptvoraussetzung zur Entstehung eines echten Gesprächs ist, daß jeder seinen Partner als diesen, als eben diesen Menschen meint. Ich werde seiner inne, werde dessen inne, daß er anders, wesenhaft anders ist als ich, in dieser bestimmten ihm eigentümlichen einmaligen Weise wesenhaft anders als ich, und ich nehme den Menschen an, den ich wahrgenommen habe, so daß ich mein Wort in allem Ernst an ihn, eben als ihn, richten kann. Vielleicht muß ich seiner Ansicht über den Gegenstand unseres Gesprächs die meine Mal um Mal in aller Strenge entgegenhalten, um eine Auflockerung der Überzeugungen geht es ganz und gar nicht, aber diese Person, den personenhaften Träger der Überzeugung nehme ich in seinem Sosein an, aus dem seine Überzeugung gewachsen ist, eben die Überzeugung, von der ich etwa Stück um Stück zu zeigen versuchen muß, was da nicht stimmt. Ich sage Ja zu der Person, die ich bekämpfe, partnerisch bekämpfe ich sie, ich bestätige sie als Kreatur und als Kreation, ich bestätige auch das mir entgegen Stehende als das mir gegenüber Stehende. Freilich hängt es nun von jenem ab, ob zwischen uns ein echtes Gespräch, die zu Sprache gewordene Gegenseitigkeit aufkommt. Aber ist es erst so weit, daß ich den andern, als einen

Menschen, mit dem ich dialogisch umzugehn bereit bin, so mir gegenüber legitimiere, dann darf ich ihm zutrauen und zumuten, daß auch er partnerisch handle.

Was aber bedeutet das, in dem genauen Sinn, in dem ich hier das Wort verwende, eines Menschen innewerden? Eines Dings oder Wesens innewerden heißt ganz allgemein: es als Ganzheit und doch zugleich ohne verkürzende Abstraktionen, in aller Konkretheit erfahren. Aber ein Mensch ist, wiewohl als Wesen unter Wesen und sogar als Ding unter Dingen befindlich, doch etwas von allen Dingen und von allen Wesen kategorial Verschiedenes: weil ein Mensch nicht wirklich erfaßt werden kann, ohne daß man ihn auch von der dem Menschen allein unter ihnen allen eignenden Gabe des Geistes her erfaßt, und zwar des Geistes als entscheidend beteiligt an dem Personsein dieses Lebewesens hier: des personbestimmenden Geistes. Eines Menschen innewerden heißt also im besonderen seine Ganzheit als vom Geist bestimmte Person wahrnehmen, die dynamische Mitte wahrnehmen, die all seiner Äußerung, Handlung und Haltung das erfaßbare Zeichen der Einzigkeit aufprägt. Solch ein Innewerden ist aber unmöglich, wenn und solang der andere mir das abgelöste Objekt meiner Betrachtung oder gar Beobachtung ist, denn ihr gibt sich diese Ganzheit und gibt sich diese ihre Mitte nicht zu erkennen; es ist erst möglich, wenn ich zu dem andern elementar in Beziehung trete, wenn er mir also Gegenwart wird. Darum bezeichne ich das Innewerden in diesem besonderen Sinne als personale Vergegenwärtigung.

Dem Wahrnehmen des Mitmenschen als einer –

wenn auch zumeist recht mangelhaft entfalteten – Ganzheit, Einheit und Einzigkeit widerstrebt in unserer Zeit fast alles, was man als das spezifisch Moderne zu verstehen pflegt. In dieser Zeit herrscht ein analytisches, reduktives und ableitendes Blicken zwischen Mensch und Mensch vor. Es ist analytisch oder vielmehr pseudoanalytisch, da es das gesamte leibseelische Sein als zusammengesetzt und daher zergliederbar behandelt, nicht das sogenannte Unbewußte allein, das einer relativen Objektivierung zugänglich ist, sondern auch den psychischen Strom selber, der in Wahrheit niemals als objektiv Bestehendes erfaßbar ist. Reduktiv ist das Blicken, weil es die aus der mikrokosmischen Fülle des Möglichen gespeiste Vielfältigkeit der Person auf schematisch überschaubare und überall wiederkehrende Strukturen zurückführen will. Und ableitend ist es, weil es vermeint, das Gewordensein eines Menschen, ja sein Werden, in genetische Formeln fassen und auch noch das dynamisch zentrale Individualprinzip dieses Werdens durch einen Allgemeinbegriff vertreten lassen zu dürfen. Nicht bloß »Entzauberung« – das könnte man sich recht wohl gefallen lassen – sondern auch eine radikale Entgeheimnissung wird heute zwischen Mensch und Mensch angestrebt. Die Personhaftigkeit, das unablässig nahe Mysterium, einst der Beweggrund der stillsten Begeisterungen, wird eingeebnet.

Was ich eben gesagt habe, wendet sich keineswegs gegen die analytische Methode in den Geisteswissenschaften; diese Methode ist überall da unentbehrlich, wo sie die Erkenntnis eines Phänomens fördert, ohne die anders beschaffene Erkenntnis seiner den rechtmäßigen Geltungskreis der Methode transzendierenden Individuität zu beeinträchtigen. Die Geisteswissenschaft, die sich der analytischen Methode bedient, muß demgemäß stets die horizontartige unbeschreitbare Grenze solcher Betrachtung im Auge halten. Diese Pflicht macht die Übertragung der Methode ins Leben so fragwürdig; denn es ist exzessiv schwierig, hier jeweils die Grenze als solche zu beachten.

Wollen wir zugleich das Heutige wachsam betreiben und das Morgige hellsichtig bereiten, dann müssen wir in uns selber und in den nach uns kommenden Generationen eine Gabe ausbilden, die als Aschenbrödel und vorbestimmte Prinzessin in der Innerlichkeit der Menschen lebt. Manche nennen sie Intuition, aber das ist ein nicht ganz eindeutiger Begriff. Ich möchte den Namen Realphantasie vorziehen, denn in ihrem eigentlichen Wesen ist sie nicht mehr ein Anschauen, sondern ein kühnes, fluggewaltiges, die intensivste Regung meines Seins beanspruchendes Einschwingen ins Andere, wie es eben die Art aller echten Phantasie ist, nur daß hier der Bereich meiner Tat nicht das Allmögliche, sondern die mir entgegentretende besondere reale Person ist, die ich mir eben so und nicht anders in ihrer Ganzheit, Einheit und Einzigkeit und in ihrer all dies immer neu verwirklichenden dynamischen Mitte zu vergegenwärtigen versuchen kann.

Dies aber, noch einmal sei darauf hingewiesen, vermag nur in lebendiger Partnerschaft zu geschehen, das heißt, wenn ich, in einer gemeinsamen Situation mit dem andern stehend, mich seinem Anteil daran, als dem seinen, vital aussetze. Gewiß, diese meine Grundhaltung kann unerwidert bleiben und die Dialogik kann im Keim ersterben. Gerät die Gegenseitigkeit aber, dann blüht das Zwischenmenschliche im echten Gespräch auf.

4

AUFERLEGUNG UND ERSCHLIESSUNG

Ich habe auf zwei Momente hingewiesen, die das Wachstum des Zwischenmenschlichen hemmen: den sich eindrängenden Schein und die Unzulänglichkeit der Wahrnehmung. Ein drittes steht nun vor uns, offenkundiger als jene beiden, dazu in dieser kritischen Stunde mächtiger und gefährlicher als je.

Es gibt zwei Grundweisen, auf Menschen, auf ihre Gesinnung und Lebensgestaltung einzuwirken. In der ersten will einer sich, seine Meinung und Haltung, dem andern so auferlegen, daß der wähne, das seelische Ergebnis der Aktion sei seine, durch jene Beeinflussung nur eben entbundene Einsicht. In der zweiten Grundweise der Einwirkung will einer das, was er in sich selber als das Rechte erkannt hat, auch in der Seele des andern, als darin angelegt, finden und fördern; weil es das Rechte ist, muß es auch in dem Mikrokosmos des andern, als Möglichkeit unter Möglichkeiten, lebendig sein, der andre muß nur in dieser seiner Potentialität erschlossen werden, und zwar im wesentlichen nicht durch Belehrung, sondern durch Begegnung, durch existentielle Kommunikation zwischen einem Seienden und einem Werden-könnenden. Die erste Weise hat sich am stärksten im Bereich der Propaganda, die zweite in dem der Erziehung ausgebildet.

Den sich auferlegenden Propagandisten, den ich meine, geht die Person, auf die er einwirken will, als Person überhaupt nicht an; etwelche individuelle Eigenschaften sind ihm nur insofern von Belang, als er sie für die Gewinnung des andern ausnutzen kann und zu diesem Zweck kennen lernen muß. In seiner Gleichgültigkeit gegen alles Personhafte geht der Propagandist über die Partei, für die er wirkt, noch erheblich hinaus. Für die Partei sind die Personen in ihrer Verschiedenheit von Bedeutung, weil jede ihrer besonderen Eignung nach in einer besonderen Funktion zu gebrauchen ist; das Personhafte wird somit zwar nur auf die spezifische Verwendbarkeit hin beachtet, aber in diesen Grenzen immerhin praktisch anerkannt. Der Propaganda als solcher hingegen ist das Individuelle eher lästig, es geht ihr einfach um das Mehr – mehr Mitglieder, mehr Anhänger, eine zunehmende Stützfläche. Das politische Mittel, wo es wie hier in seiner extremen Form waltet, bedeutet: sich des andern bemächtigen, indem man ihn depersonalisiert. Diese Art der Propaganda geht verschiedene Verbindungen mit dem Zwang ein, sie ergänzt oder ersetzt ihn, je nach Bedarf und Aussichten, sie ist aber letztlich nichts anderes als der sublimierte, der unmerklich gewordene Zwang. Sie setzt die Seelen unter einen Druck, der die Illusion der Autonomie ermöglicht. Das politische Mittel vollendet sich in der effektiven Aufhebung des Menschenfaktums.

Der Erzieher, den ich meine, lebt in einer Welt der Individuen, von der ein bestimmter Teil jeweils seiner Hut anvertraut ist. Jedes dieser Individuen erkennt er als darauf angelegt, eine einmalige, einzige Person und damit der Träger eines besonderen, durch sie und durch sie allein erfüllbaren Seins-Auftrags zu werden. Jedes personhafte Wesen zeigt sich ihm als in einem solchen Prozeß der Aktualisierung begriffen, und er weiß aus eigner Erfahrung, daß die aktualisierenden Kräfte je und je in einem mikrokosmischen Kampf mit Gegenkräften stehen. Er hat sich als einen Helfer der aktualisierenden Kräfte verstehen gelernt. Er kennt diese Kräfte: sie haben auch an ihm gewirkt und wirken. Es ist dieses an ihm getane Werk, das er Mal um Mal ihnen begegnen läßt, ihnen für neuen Kampf und neues Werk zur Verfügung stellt. Er kann sie nicht auferlegen wollen, denn er glaubt an das Wirken der aktualisierenden Kräfte, das heißt, er glaubt, daß in jedem Menschen das Rechte in einer einmaligen und einzigartig personhaften Weise angelegt ist; keine andere Weise darf sich diesem Menschen auferlegen, aber eine andere Weise, die dieses Erziehers, darf und soll das Rechte, wie es eben hier werden will, erschließen und dazu helfen, daß es sich entfalte.

Der sich auferlegende Propagandist glaubt nicht einmal an die eigene Sache wirklich, denn er traut ihr nicht zu, daß sie aus eigener Kraft, ohne seine Methoden, deren Gleichnis der Lautsprecher und die Lichtreklame sind, zur Wirkung käme. Der erschließende Erzieher glaubt an die Urmacht, die sich in all die Menschenwesen ausgestreut hat und ausstreut, um in jedem zu einer eigentümlichen Gestalt zu erwachsen; er vertraut darauf, daß dieses Wachstum jeweils nur jener in den Begegnungen

gegebenen Hilfe bedarf, die eben auch er herzugeben berufen ist.
Ich habe an zwei extrem antithetischen Beispielen den Charakter der beiden Grundhaltungen und ihr Verhältnis zueinander verdeutlicht. Aber überall, wo Menschen miteinander umgehn, ist ein Maß der einen oder der andern zu finden.
Man darf jedoch diese zwei Prinzipien, sich jemandem auferlegen und jemanden erschließen, durchaus nicht mit Begriffen wie Hochmut und Demut verwechseln. Einer kann recht wohl hochmütig sein ohne sich anderen auferlegen zu wollen, und es genügt nicht demütig zu sein um einen andern zu erschließen. Hochmut und Demut sind Seelenverfassungen, individual-psychologische Tatsachen mit ethischem Akzent, Auferlegung und Erschließung sind Vorgänge zwischen Menschen, anthropologische Sachverhalte, die auf eine Ontologie, die Ontologie des Zwischenmenschlichen eben, hinweisen.
Auf ethischem Gebiet hat Kant den überaus wichtigen Grundsatz ausgesprochen, der Mitmensch dürfe niemals bloß als Mittel, sondern müsse jederzeit zugleich als selbständiger Zweck gedacht und behandelt werden. Der Satz steht im Zeichen eines Sollens, das von der Idee der Menschenwürde getragen wird. Unsere im Kern verwandte Betrachtung kommt anderswoher und zielt anderswohin. Uns geht es um die Voraussetzungen des Zwischenmenschlichen. Der Mensch ist nicht in seiner Isolierung, sondern in der Vollständigkeit der Beziehung zwischen dem einen und dem andern anthropologisch existent: erst die Wechselwirkung ermöglicht, das Menschentum zulänglich zu erfassen. Da-

zu, zum Bestande des Zwischenmenschlichen ist, wie gezeigt wurde, erforderlich, daß sich in die Beziehung von personhaftem Sein zu personhaftem Sein nicht der Schein verderblich einmische; es ist dazu des weiteren, wie gezeigt wurde, erforderlich, daß jeder den anderen in dessen personhaftem Sein meine und vergegenwärtige. Daß keiner der Partner sich dem andern auferlegen wolle, ist die dritte basische Voraussetzung des Zwischenmenschlichen schlechthin. Daß einer auf den andern erschließend einwirke, gehört nicht mehr zu diesen Voraussetzungen; wohl aber ist dies ein Element, geeignet zu einer höheren Stufe des Zwischenmenschlichen zu führen.

Daß jedem Menschen die Bestimmung innewohnt, das rechte Menschsein auf seine besondere, ihm allein eigentümliche Art zu erlangen, kann man im aristotelischen Bilde der Entelechie, der eingeborenen Selbstverwirklichung fassen; nur muß man darauf achten, daß das eine Entelechie des Schöpfungswerkes ist. Irrig ist es, hier von der Individuation allein zu sprechen; diese bedeutet nur das urnotwendig personhafte Gepräge aller Verwirklichung des Menschseins. Nicht das Selbst als solches ist das Letztwesentliche, sondern daß der Schöpfungssinn des menschlichen Daseins sich je und je als Selbst erfülle. Die erschließende Funktion zwischen den Menschen, die Hilfe zum Werden des Menschen als Selbst, das Einander-Beistehn zur Selbstverwirklichung des schöpfungsgerechten Menschentums ist es, das das Zwischenmenschliche zu seiner Höhe führt. Erst in zwei Menschen, von denen jeder, wenn er den andern meint, zugleich das Höchste meint, das eben diesem zubestimmt ist, und der Erfüllung der Bestimmung dient, ohne dem andern etwas von der eigenen Realisierung auferlegen zu wollen, stellt sich die dynamische Herrlichkeit des Menschenwesens leibhaft dar.

5

DAS ECHTE GESPRÄCH

Es gilt nun noch, die Merkmale des echten Gesprächs klärend zusammenzufassen.
Im echten Gespräch geschieht die Hinwendung zum Partner in aller Wahrheit, als Hinwendung des Wesens also. Jeder Sprecher meint hier den Partner, an den, oder die Partner, an die er sich wendet, als diese personhafte Existenz. Jemanden meinen heißt in diesem Zusammenhang zugleich das dem Sprecher in diesem Augenblick mögliche Maß der Vergegenwärtigung üben. Die erfahrenden Sinne und die Realphantasie, die das von ihnen Befundene ergänzt, wirken zusammen, um den andern als ganze und einzige, als eben diese Person gegenwärtig zu machen. Der Sprecher nimmt aber den ihm so Gegenwärtigen nicht bloß wahr, er nimmt ihn zu seinem Partner an, und das heißt: er bestätigt, soweit Bestätigen an ihm ist, dieses andere Sein. Die wahrhafte Hinwendung seines Wesens zum andern schließt diese Bestätigung, diese Akzeptation ein. Selbstverständlich bedeutet solch eine Bestätigung keineswegs schon eine Billigung; aber worin immer ich wider den andern bin, ich habe damit, daß ich ihn als Partner echten Gesprächs annehme, zu ihm als Person Ja gesagt.
Des weiteren muß, wenn ein echtes Gespräch entstehen soll, jeder, der daran teilnimmt, sich selber einbringen. Und das bedeutet, daß er willens sein muß, jeweils zu sagen, was er zu dem besproche-

nen Gegenstand im Sinn hat. Und das wieder bedeutet, daß er jeweils den Beitrag seines Geistes ohne Verkürzung und Verschiebung hergebe. Auch sehr redliche Menschen wähnen, im Gespräch durchaus nicht gehalten zu sein, alles zu sagen »was sie zu sagen haben«. Aber in der großen Treue, welche der Atemraum des echten Gesprächs ist, hat das, was ich jeweils zu sagen habe, schon in mir den Charakter des Gesprochenwerdenwollens, und ich darf es nicht davon ab-, darf es nicht in mir zurückhalten. Es trägt ja, mir unverkennbar, das Zeichen, das die Zugehörigkeit zum gemeinschaftlichen Leben des Wortes anzeigt. Wo das dialogische Wort echtbürtig besteht, muß ihm sein Recht durch Rückhaltlosigkeit werden. Rückhaltlosigkeit aber ist das genaue Gegenteil des Drauflosredens. Alles kommt auf die Legitimität des »Was ich zu sagen habe« an. Und freilich muß ich auch darauf bedacht sein, das, was ich eben jetzt zu sagen habe, aber noch nicht sprachlich besitze, ins innere Wort und sodann ins lautliche zu heben. Sagen ist Natur und Werk, Gesproß und Gebild zugleich, und es hat, wo es dialogisch, im Atemraum der großen Treue erscheint, die Einheit beider stets neu zu vollenden.

Dazu gesellt sich jene Überwindung des Scheins, auf die ich hingewiesen habe. In wem auch noch in der Atmosphäre des echten Gesprächs der Gedanke an die eigene Wirkung als Sprecher des von ihm zu Sprechenden waltet, der wirkt als Zerstörer. Wenn ich statt des zu Sagenden mich anschicke, ein zur Geltung kommendes Ich vernehmen zu lassen, habe ich unwiederbringlich verfehlt, was ich zu sagen gehabt hätte, fehlbehaftet tritt es ins Gespräch, und das Gespräch wird fehlbehaftet. Weil das echte Gespräch eine ontologische Sphäre ist, die sich durch die Authentizität des Seins konstituiert, kann jeder Einbruch des Scheins es versehren.

Wo aber das Gespräch sich in seinem Wesen erfüllt, zwischen Partnern, die sich einander in Wahrheit zugewandt haben, sich rückhaltlos äußern und vom Scheinenwollen frei sind, vollzieht sich eine denkwürdige, nirgendwo sonst sich einstellende gemeinschaftliche Fruchtbarkeit. Das Wort ersteht Mal um Mal substantiell zwischen den Menschen, die von der Dynamik eines elementaren Mitsammenseins in ihrer Tiefe ergriffen und erschlossen werden. Das Zwischenmenschliche erschließt das sonst Unerschlossene.

Aus der Zwiesprache ist dieses Phänomen ja vielfach bekannt; aber auch im mehrstimmigen Dialog habe ich es zuweilen erfahren.

Um die Ostern 1914 trat, aus geistigen Vertretern einiger europäischen Völker zusammengesetzt, ein Kreis zu einer dreitägigen Beratung zusammen, die als Vorbesprechung gedacht war. Man wollte gemeinsam erwägen, wie etwa der von allen geahnten Katastrophe vorzubeugen wäre. Ohne daß man etwelche Modalitäten der Aussprache vorweg vereinbart hätte, waren alle Voraussetzungen des echten Gesprächs erfüllt. Von der ersten Stunde an herrschte Unmittelbarkeit zwischen allen, von denen manche einander eben erst kennen gelernt hatten, jeder sprach mit einer unerhörten Rückhaltlosigkeit, und offenbar war nicht ein einziger unter den Teilnehmern dem Scheine hörig. Ihrer Absicht nach muß man die Zusammenkunft als eine gescheiterte bezeichnen (wiewohl es in meinem Herzen auch jetzt noch nicht feststeht, daß sie scheitern mußte); die Ironie der Situation wollte es, daß man die endgültige Besprechung auf Mitte August ansetzte, und der Weltgeschichte war es naturgemäß bald gelungen, den Kreis zu sprengen. Dennoch hat in aller Folge gewiß keiner der damals Versammelten bezweifelt, daß er an einem Triumph des Zwischenmenschlichen teilgenommen hatte.

Ein Hinweis ist noch vonnöten.

Selbstverständlich brauchen nicht alle zu einem echten Gespräch Vereinten selber zu sprechen; schweigsam Bleibende können mitunter besonders wichtig werden. Jeder aber muß entschlossen sein, sich nicht zu entziehen, wenn es etwa dem Gang des Gesprächs nach an ihm sein wird zu sagen, was eben er zu sagen hat. Wobei natürlich keiner von vornherein wissen kann, was das etwa sein wird: ein echtes Gespräch kann man nicht vordisponieren. Es hat zwar seine Grundordnung von Anbeginn in sich, aber nichts kann angeordnet werden, der Gang ist des Geistes, und mancher entdeckt, was er zu sagen hatte, nicht eher, als da er den Ruf des Geistes vernimmt.

Auch dies jedoch ist selbstverständlich, daß alle Teilnehmer, ohne Ausnahme, so beschaffen sein müssen, daß sie den Voraussetzungen des echten Gesprächs zu genügen fähig und bereit sind. Die Echtheit ist schon in Frage gestellt, wenn ein noch so geringer Teil der Anwesenden von sich und von den andern als solche empfunden werden, denen keine aktive Beteiligung zugedacht ist. Ein Zustand dieser Art kann sich zu einer schweren Problematik steigern.

Ich hatte einen Freund, den ich zu den beträchtlichsten Männern des Zeitalters zähle. Er war ein Meister des Gesprächs, und er liebte es; seine Echtheit als Sprecher war evident. Aber einmal ereignete es sich, daß er mit zwei Freunden und den Frauen der drei beisammen saß und ein Gespräch aufstieg, an dem die Frauen seinem Wesen nach offenkundigerweise nicht teilnahmen, wiewohl freilich ihre Gegenwart höchst bestimmend war. Das Gespräch zwischen den Männern entwickelte sich bald zu einem Gefecht zwischen zweien (ich war der dritte). Auch der andere, mir ebenfalls befreundet, war von edler Art, ein Mann des Wortes auch er, aber mehr der sachlichen Gerechtigkeit als den Ansprüchen des Geistes ergeben und aller Eristik urfremd. Der Freund, den ich einen Meister des Gesprächs genannt habe, sprach nicht gelassen-gewichtig wie sonst, sondern »glänzend«, fechterisch, siegerisch. Das Gespräch verdarb.

In unserer Zeit, in der das Verständnis für das Wesen des echten Gesprächs selten geworden ist, werden seine Voraussetzungen von dem falschen Öffentlichkeitssinn so gründlich mißkannt, daß man vermeint, ein solches Gespräch vor einem Publikum interessierter Zuhörer mit gebührender publizistischer Assistenz veranstalten zu können. Aber eine öffentliche Debatte von noch so hohem »Niveau« kann weder spontan noch unmittelbar noch rückhaltlos sein; eine als Hörstück vorgeführte Unterredung ist von dem echten Gespräch brükkenlos geschieden.

Nachbemerkung

Nach Abschluß des Manuskriptes bin ich auf zwei Stellen in Alexander von Villers' »Briefen eines Unbekannten« aufmerksam gemacht worden, die mir merkwürdig genug scheinen, um hier angeführt zu werden:

»Wiesenhaus, 27. Dezember 1877. Ich habe einen Aberglauben an den Zwischenmenschen. Ich bin es nicht, auch du nicht, aber zwischen uns entsteht einer, der mir Du heißt, dem Andern ich bin. So hat jeder seinen Zwischenmenschen mit einem gegenseitigen Doppelnamen, und von all den hundert Zwischenmenschen, an denen jeder von uns mit fünfzig Prozent beteiligt ist, gleicht keiner dem andern. Der aber denkt, fühlt und spricht, das ist der Zwischenmensch, und ihm gehören die Gedanken; das macht uns frei.«

»Wiesenhaus, 28. Februar 1879. So, jetzt kommen wir auf den Trichter. Das ist Red und Antwort, lebendiger Gegenstand, Reibung, vielleicht das Innere der Zeugung. Denn ich habe eine Vorstellung von einem Ding, nicht an sich, aber einem Ding an mich und an dich. Um einen Namen zu haben, einen Henkel, an dem man's faßt, nenn ich's den Zwischenmenschen. Der Zwischenmensch ist eine nur zwei bestimmten Menschen eigene und zugehörige Vorstellung vom Anderen. Das B zwischen A und C in ihrer Mitte. In dem Verhältnisse des A zu einem D E F kommt dieser Zwischenmensch, obgleich immer dasselbe A, nie wieder vor, er gehört nur dem Verhältnis A bis C.«

Nachwort:
Zur Geschichte des dialogischen Prinzips

Zu allen Zeiten wohl ist geahnt worden, daß die gegenseitige Wesensbeziehung zwischen zwei Wesen eine Urchance des Seins bedeutet, und zwar eine, die dadurch in die Erscheinung trat, daß es den Menschen gibt. Und auch dies ist immer wieder geahnt worden, daß der Mensch eben damit, daß er in die Wesensbeziehung eingeht, als Mensch offenbar wird, ja daß er erst damit und dadurch zu der ihm vorbehaltenen gültigen Teilnahme am Sein gelangt, daß also das Du-Sagen des Ich im Ursprung alles einzelnen Menschwerdens steht.

Diese Ahnung ist, in der Unmittelbarkeit ihrer eigenen Sprache, in einem Briefe Friedrich Heinrich Jacobis von 1775 an einen Ungenannten (angeführt in einem Brief Jacobis an Lavater von 1781) ausgesprochen. Da heißt es: »Ich öffne Aug oder Ohr, oder ich strecke meine Hand aus, und fühle in demselbigen Augenblick unzertrennlich: Du und Ich, Ich und Du.« Im Übergang zur Sprache der ausgesagten Einsicht äußert sie sich in einem von Jacobis Fliegenden Blättern: »Quelle aller Gewißheit: Du bist und Ich bin!« Und die reife Formulierung lautet (1785): »Ohne Du ist das Ich unmöglich.«[1]

Aber erst ein halbes Jahrhundert danach ist ein von Jacobi grundverschiedener, von ihm jedoch nicht unbeeinflußter Denker, Ludwig Feuerbach, daran gegangen, seine Erkenntnis der Urbeziehung von Ich und Du in einander ergänzende philosophische Thesen einzufassen. Er findet sich zunächst nur im Vor-

1 Man mag mit dieser Formulierung den, freilich in ganz anderem Sinnzusammenhang zu verstehenden, Satz Fichtes von 1797 vergleichen: »Das Bewußtsein des Individuums ist notwendig von einem anderen, dem eines Du, begleitet und nur unter dieser Bedingung moglich.«

raum des Baus zurecht, der sich ihm eröffnet hat: »Das Bewußtsein der Welt ist für das Ich vermittelt durch das Bewußtsein des Du« – womit man den späteren, aber nicht eigentlich über Jacobi hinausgehenden Satz verknüpfen mag, das wirkliche Ich sei »nur das Ich, dem ein Du gegenübersteht, und das selbst einem anderen Ich gegenüber Du ist«. Bald nach jenem Spruch jedoch, sichtlich von einer der Wellen einer genialischen Begeisterung überflutet, die kommen und gehen, schreibt Feuerbach über das »Geheimnis der Notwendigkeit des Du für das Ich« den Satz, der für ihn offenbar den Charakter der Endgültigkeit hat, und bei dem er denn auch stehen geblieben ist, ohne ein Weitergehen auch nur zu versuchen: »Der Mensch für sich ist Mensch (im gewöhnlichen Sinn); der Mensch mit Mensch – die Einheit von Ich und Du ist Gott.« Hier ist der Standort der neuen Denkweise festen Fußes betreten, aber im gleichen Nu schon ins Unbestimmte einer schlechten Mystik hinein überschritten, wo den Philosophen kein tragfähiger Boden mehr erwartet. Der Satz ist offenbar, bewußt oder unbewußt, gegen Jacobis Grundanschauung gerichtet, der in jenem Brief, nachdem er das Du als ein irdisches dargetan hat (»Stütze der eigenen Existenz des Andern; ein liebes Du«), mit ebendem Du Gott anruft. Auf diese Zueinandersetzung von menschlichem und göttlichem Du antwortet Feuerbach nicht mit der Forderung eines radikalen Verzichts auf den Gottesbegriff, sondern mit der Substitution eines anthropologischen Gottersatzes. Statt folgerichtig zu schließen: »Die Einheit von Ich und Du ist Mensch (im eigentlichen Sinn)«, führt er eine pseudomystische Konstruktion ein, der weder er selber noch irgend jemand nach ihm einen echten Gehalt hat abgewinnen können.

Die Ausschaltung dieser Konstruktion, unter Bewahrung von Feuerbachs Wirklichkeitserfassung, ist kurze Zeit danach durch das Denken Sören Kierkegaards erleichtert worden. Die Kategorie »Der Einzelne sein«, die er seiner Epoche in den Weg gestellt hat, soll ja im strengen Sinn als die entscheidende Voraussetzung für die oberste Wesensbeziehung verstanden werden, denn Gott »will den Einzelnen, nur mit dem Einzelnen will er sich einlassen, gleichgültig ob der Einzelne hoch oder gering, ausgezeichnet oder erbärmlich ist«. Aber es waltet hier, wenn auch nicht grundsätzlich, so doch faktisch, eine bedenkliche Umgrenzung. Zwar fordert Kierkegaard, daß der Mensch auch in seinem Verhalten zu seinem Mitmenschen als Einzelner handle, aber zu einer Wesensbeziehung in jenem strengen Sinn wird das Verhältnis zum Mitmenschen nicht, kann es für Kierkegaard, so großartig er auch von der Nächstenliebe zu predigen weiß, nicht werden. Als Jacobi in jenem Brief von seiner Unmittelbarkeit berichtete, brachte er in einem Gefühlsüberschwang, dessen Ausdruck wörtlich (»Herz! Liebe! Gott!«) an Fausts Antwort an Gretchen – der Urfaust stammt ja aus eben jener Zeit – gemahnt, das Du des »anderen« und das Gottes zusammen, wobei freilich die Gefahr eines vagen Ineinanderfließens nicht ganz vermieden war. Im äußersten Gegensatz dazu wird in Kierkegaards existentiellem Denken das menschliche Du nie ins göttliche, das eingeschränkte nie ins schrankenlose transparent. Von diesem Nein aus ist eine große Frage an die nachkommenden Geschlechter gestellt, die eine nüchtern-unbefangene Erwägung und Erwiderung heischt. Denn mit der aufbrechenden Seinskluft zwischen Du und Du droht die innerste Bedeutung jener Entdeckung von »Ich und Du«, wie zuvor von einem scheinmystischen Atheismus aus, so nunmehr von einer fast monadisch intendierten theistischen Frömmigkeit aus, verkehrt zu werden.

Erst an siebzig Jahre danach,[1] als in der Zeit des ersten Weltkriegs aus der Erfahrung der vesuvischen Stunde das seltsame Verlangen erwacht, mit dem Denken dem Existieren selber gerecht zu werden, und auch den Systematiker ergreift, beginnt die Bewegung aufs neue. Es ist sinnreich, daß als erster der Neukantianer Hermann Cohen, im Winter 1917/1918, dem Tode nah, in dem Buche »Religion der Vernunft aus den Quellen des Judentums« (1919) die Sicht des Du erneuert. Als Weiterführung der Linie Jacobis darf es angesehen werden, wenn hier erkannt wird, daß »erst das Du, die Entdeckung des Du mich selbst zum Bewußtsein meines Ich« bringt, und daß es »die Persönlichkeit« ist, die »durch das Du an den Tag gehoben wird«. Aber ein vordem in der Philosophie Ungesagtes wird laut, wenn es von der Wechselbezogenheit von Mensch und Gott, ihrer »Korrelation«, heißt, sie könne »nicht in Vollzug treten, wenn nicht vorerst an

1 Doch darf hier aus der Zwischenzeit ein beachtenswerter Satz von William James (The Will to Believe, 1897) nicht unangeführt bleiben. Er lautet:
»Wenn wir gläubig [religious] sind, ist das Universum nicht mehr ein bloßes Es, sondern ein Du; und jedes Verhältnis, das von Person zu Person möglich sein mag, mag hier möglich sein.«

der eingeschlossenen Korrelation von Mensch und Mensch«.

So weit von Kierkegaard weg hat sich Cohens erstaunlicher Schüler Franz Rosenzweig, der in jenem Winter die »Religion der Vernunft« in der Handschrift kennen lernte und sie – ohne freilich zentral davon beeinflußt zu werden – im Sinn trug, als er im darauffolgenden Sommer in den mazedonischen Schützengräben an seinem »Stern der Erlösung« (1921) zu bauen begann, nicht entfernt. Aber in dem Verstehen des Du als eines gesprochenen geht er, von der dichten Konkretheit seines Sprachdenkens befeuert, bemerkenswert über Cohen hinaus: die wesentliche Gesprochenheit des Du ist ihm in Gottes an Adam gerichtetem »Wo bist du?« gefaßt, und dieses ausdeutend fragt er: »Wo ist ein solches selbständiges, dem verborgenen Gott frei gegenüberstehendes Du, an dem er sich als Ich entdecken konnte?« Daß nun von hier aus innerbiblisch ein Weg zu jenem »Ich habe dich beim Namen gerufen. Du bist mein« sichtbar wird, mit dem Gott sich »als der Urheber und Eröffner dieses ganzen Zwiegesprächs zwischen ihm und der Seele« ausweist, das ist Rosenzweigs bedeutungsvoller theologischer Beitrag zu unserer Sache.[1]

Im Februar 1919 war der »Stern« beendet. Aber im gleichen Winter und in den Frühling hin schrieb ein von Krankheit und Depressionen schwer heimgesuchter katholischer Volksschullehrer in der österreichischen Provinz, Ferdinand Ebner, seine »pneu-

[1] Franz Rosenzweig muß auch in diesem Belange im Zusammenhang eines Kreises gesehen werden, aus dem hier insbesondere Hans Ehrenberg und Eugen Rosenstock hervorzuheben sind.

matologischen Fragmente«, die er dann in dem Buch »Das Wort und die geistigen Realitäten« (1921) zusammenfügte. Ebner geht aus von der Erfahrung der »Icheinsamkeit« in jenem existentiellen Sinn, den sie in unserer Zeit gewonnen hat; sie ist für ihn »nichts Ursprüngliches«, sondern das Ergebnis der »Abschließung von dem Du«. Von hier aus vertieft er sich, Hamanns Spuren folgend, aber die Einsichten stärker aneinander bindend, in das Mysterium der Sprache als der ewig neuen Setzung des Verhältnisses zwischen dem Ich und dem Du. Er bekennt sich, in direkterer Weise als Kierkegaard, als einer, der das Du im Menschen nicht zu finden vermochte. Schon 1917 hat er die Gefahr verzeichnet, am Bewußtsein dieser »Unmöglichkeit« geistig zugrunde zu gehen. Die Rettung findet er im Gedanken: »Es gibt nur ein einziges Du und das eben ist Gott«. Zwar postuliert auch er, wie Kierkegaard: »Der Mensch soll nicht nur Gott, sondern auch den Menschen lieben«, aber wo es um die Eigentlichkeit des Daseins geht, entschwindet auch ihm alles andere Du vor dem Gottes. Fragen wir hier, wie bei Kierkegaard, nach dem Letztgültigen, so stehen wir wieder vor dem zwar weltschauenden, aber letztlich akosmisch, dem zwar menschenliebenden, aber letztlich ananthropisch sich verhaltenden Einzelnen.

An dieser Stelle habe ich von mir selber zu reden.

Die Frage nach Möglichkeit und Wirklichkeit eines dialogischen Verhältnisses zwischen Mensch und Gott, also eines freien Partnertums des Menschen in einem Gespräch zwischen Himmel und Erde, dessen Sprache in Rede und Antwort das Geschehen selber ist, das Geschehen von oben nach unten und das Geschehen von unten nach oben, hat mich schon in meiner Jugend angefordert. Insbesondre seit die chassidische Überlieferung mir zum tragenden Grund des eigenen Denkens gedieh, also seit etwa 1905, ist jene Frage mir zu einer innersten geworden. In der Sprachform der viele Jahre danach entstandenen Schriften über das dialogische Prinzip findet sie sich zum erstenmal wohl im Herbst 1907, in der Einführung zu meinem Buch »Die Legende des Baalschem«. Hier geht es um die radikale Unterscheidung zwischen dem Mythos im engeren Sinn (dem Mythos der Mythologien) und der Legende. Es wird gesagt: »Die Legende ist der Mythos der Berufung. In dem reinen Mythos gibt es keine Verschiedenheit des Wesens ... Auch der Heros steht nur auf einer anderen Stufe als der Gott, nicht ihm gegenüber; sie sind nicht das Ich und das Du ... Der Gott des reinen Mythos beruft nicht, er zeugt; er sendet den Gezeugten, den Heros. Der Gott der Legende beruft, den Menschensohn: den Propheten, den Heiligen ... Die Legende ist der Mythos des Ich und Du, des Berufenen und des Berufenden, des Endlichen, der ins Unendliche eingeht, und des Unendlichen, der des Endlichen bedarf«. Hier ist das dialogische Verhältnis also an seiner höchsten Aufgipfelung exemplifiziert: weil auch auf dieser Höhe noch die wesenhafte Verschiedenheit zwischen den Partnern ungeschwächt fortdauert, zugleich aber auch noch in solcher Nähe die Selbständigkeit des Menschen gewahrt bleibt.

Von diesem Vorgang der Ausnahme, des Ausnehmens, führte das Denken mich nun aber immer ernstlicher auf das Gemeinsame, von allen Erfah-

bare hin. Die Klärung geschah zunächst auch hier im Zusammenhang meiner Deutung des Chassidismus: in dem im September 1919 verfaßten »Geleitwort« zu dem Buch »Der große Maggid und seine Nachfolge« (1921) wird die jüdische Lehre als »ganz auf die doppelgerichtete Beziehung von Menschen-Ich und Gott-Du, auf die Gegenseitigkeit, auf die *Begegnung* gestellt« gekennzeichnet. Bald danach, im Herbst, folgte die erste, noch unbeholfene Niederschrift von »Ich und Du« (es sollte ursprünglich den ersten Teil eines fünfbändigen Werkes bilden, dessen Inhalt ich schon 1916 flüchtig skizziert hatte, dessen systematischer Charakter es mir aber zusehends entfremdete).[1]
Es kamen nun zwei Jahre, in denen ich bis auf Chassidisches fast gar nicht arbeiten konnte, aber auch – mit Ausnahme des wieder einmal vorgenommenen »Discours de la méthode« – keine Philosophica las (deshalb habe ich auch die genannten Werke von Cohen, Rosenzweig[2] und Ebner erst später, verspätet gelesen). Es gehört dies in den Zusammenhang eines Vorgangs, den ich damals als spirituale Askese verstand. Dann durfte ich an die endgültige Fassung gehen, die – nachdem ich den Gedankengang im Januar und Februar 1922 in einem Kolleg über »Religion als Gegenwart« des von Rosenzweig gegründeten und geleiteten Freien Jüdischen Lehrhauses in Frankfurt a. M. vorgetragen hatte – im Frühling 1922 be-

[1] Vgl. meine Nachbemerkung zur Erstausgabe von »Ich und Du«.

[2] Daraus erklärt sich u. a. Rosenzweigs briefliche Mitteilung (Briefe S. 462), daß ich im Dezember 1921 sein Buch noch nicht kannte.

endet war. Als ich den dritten und letzten Teil schrieb, brach ich die Lese-Askese und begann mit Ebners Fragmenten.[1] Das Buch zeigte mir, wie kein anderes seither, stellenweise in einer fast unheimlichen Nähe, daß in dieser unserer Zeit Menschen verschiedener Art und Tradition sich auf die Suche nach dem verschütteten Gut begeben hatten. Ähnliches ergab sich mir bald auch von anderer Seite. Von den Ahnen hatte ich Feuerbach und Kierkegaard schon als Student gekannt, Ja und Nein zu ihnen war ein Teil meines Daseins geworden, Jacobi kannte ich nur erst ganz unzulänglich (ich habe ihn erst vor kurzem ausreichend gelesen); nun umgab mich im Geiste ein wachsender Kreis von Menschen der gegenwärtigen Generationen, denen es, wenn auch in ungleichem Maße, um das eine ging, das mir immer mehr zur Lebenssache wurde. Ich hatte seiner Erkenntnis schon in der in meinem Buche »Daniel« (1913) dargelegten Unterscheidung zwischen einer »orientierenden«, vergegenständlichenden, und einer »realisierenden«, vergegenwärtigenden Grundhaltung vorgearbeitet, einer Unterscheidung, die sich in ihrem Kern mit der in »Ich und Du« ausgeführten zwischen der Ich-Es-Relation und der Ich-Du-Relation deckt, nur daß die später nicht mehr in der Sphäre der Subjektivität, sondern in der zwischen den Wesen gegründet ist. Dies aber ist die entscheidende Wandlung, die sich in der Zeit des ersten Weltkriegs an einer Reihe von Geistern vollzog. Kundgegeben hat sie sich in sehr mannigfachem Sinn und Bereich, aber die fundamentale, aus der erschließenden Wandlung der

[1] Zuerst bekam ich einiges in einem Heft des »Brenner« Veröffentlichte zu Gesicht und ließ mir nun das Buch schicken.

menschlichen Situation stammende Gemeinsamkeit ist unverkennbar.
Unter diesem Gesichtspunkt ist eine Anzahl von Publikationen aus dem auf die genannten Werke folgenden Jahrzehnt als aus dem Zeitabschnitt, in dem die Klärung sich vollendet, zusammenzustellen.
Aus dem Kreise Rosenzweigs kamen die Bücher zweier protestantischer Denker: Hans Ehrenbergs »Disputation I Fichte« (1923) und Eugen Rosenstocks »Angewandte Seelenkunde« (1924), von der Rosenzweig, der eine frühere Fassung davon kannte, beim Schreiben seines Buches »entscheidend« beeinflußt war (vgl. jetzt auch Rosenstocks »Der Atem des Geistes«, 1951).
Aus der protestantischen Theologie ist zuerst Friedrich Gogartens »Ich glaube an den dreieinigen Gott« (1926) zu nennen, das die *Geschichte* als »die Begegnung von Du und Ich« verstehen will, aber zugleich an der undialektischen These »Die Geschichte ist Gottes Werk« festhält und so den Begegnungscharakter der Geschichte letztlich verfehlen muß, und des gleichen Verfassers »Glaube und Wirklichkeit« (1928), darin die Lehre, daß die Begegnung von Du und Ich die Wirklichkeit ist, schlechthin als Bestandteil des reformatorischen Protestantismus behandelt wird. Sodann haben wir hier Karl Heims umfassenden theologisch-philosophischen Systematisierungsversuch »Glaube und Denken« (1931[1]) vor uns, in dem wohl am nachdrücklichsten auf die Bedeutung der zu vollziehenden Wendung hingewiesen wird (»Wenn zunächst das Ich-Es-Verhältnis vorhanden war und uns nun das Du aufgeht, ... ist eine viel radikalere Umwälzung eingetreten als die Entdeckung eines neuen Weltteils oder die Erschlie-

ßung neuer Sonnensysteme. Das Ganze der raumzeitlichen Es-Welt einschließlich aller Sternenstrudel und Sternennebel der Milchstraße ist in eine neue Sicht getreten«). Auch in Arbeiten Emil Brunners aus jener Zeit wird bereits unser Problem einbezogen.

Die katholische Philosophie hat damals vornehmlich Gabriel Marcels »Journal métaphysique« (1927) hervorgebracht, in dem, anscheinend unabhängig von dem bis dahin in deutscher Sprache Gesagten, die zentrale Einsicht mit ihrem jeweiligen Kommen aufgezeichnet erscheint, ohne daß sie irgendwo den elementaren Erfahrungen des katholischen Denkers Ebner vergleichbar wäre; an die Tiefen des Sprachreichs wird hier nicht gerührt. Doch haben mir Tatsachen wie die, daß hier der grundlegende Satz von »Ich und Du«, das ewige Du könne seinem Wesen nach nicht zum Es werden, wiederkehrt, die Universalität des geistigen Werdens, von dem dieses Nachwort handelt, erneut bestätigt.

Innerhalb der »freien« Philosophie – womit hier gemeint ist: der nicht mehr, wie etwa die von Descartes oder Leibniz, in einer Glaubenswirklichkeit existentiell wurzelnden und daher das Anliegen der Verbindung zwischen dem Umgang mit dem bedingten und dem Umgang mit dem unbedingten Du grundsätzlich ausschaltenden – stehen in jener Zeit vier Werke, Theodor Litts »Individuum und Gemeinschaft« (1924², 1926³), Karl Löwiths »Das Individuum in der Rolle des Mitmenschen« (1928), Eberhard Grisebachs »Gegenwart« (1928) und Karl Jaspers' »Philosophie« II und III (1932) im Vordergrund.

Für Litt ist der Begriff des »Du-Erlebnisses« bestimmend, doch geht er über den psychologischen Bereich eindeutig hinaus, wenn er z. B. in der veränderten Beziehung zur Welt »aus dem dialektischen Verhältnis einen wahrhaften ›Dialogos‹« werden läßt.

Löwiths Buch ist der eigentliche Beitrag der Phänomenologie,[1] eine zuverlässige, insbesondre die großen sprachphilosophischen Findungen Wilhelm von Humboldts eindringlich verwertende Strukturanalyse, die aber nicht umhin kann, wenn ein Tor unprogrammatisch aufspringen will, es sorgsam zu verrammeln.

Die strenge und überstrenge Folgerichtigkeit der radikalen Kritik Grisebachs opfert dem Postulat der Anerkennung des mitmenschlichen Du in dessen existentiellem An- und Widerspruch manche konkreten Gehalte der Du-Beziehung. Unbeachtet bleibt hier, daß ich in einer wirklichen Begegnung mit meinem Nächsten vor lauter Übung des geforderten Hörens auf die Anderheit des Anderen gerade jene Hilfe verfehlen kann, auf die es ankam: die Erschließung eines gemeinsam zu Betrachtenden. Sich vom Du wirklich begrenzen lassen ist wichtig, aber weit wichtiger vermag zu sein, sich

[1] Max Schelers »Wesen und Formen der Sympathie« (1923) gehört bei aller Bedeutsamkeit nicht hierher, weil es dem Seins-Charakter unserer Fragestellung nicht entspricht. Sätze, wie, daß die »Duwelt« »genau so eine selbständige Wesenssphäre« sei wie die Außenweltsphäre, die Innenweltsphäre, die »Sphäre des Göttlichen«, führen über diese Beschränkung der Sicht nicht hinaus. (Doch seien hier, wiewohl aus späterer Zeit stammend, die einschlägigen Abschnitte in Ludwig Landgrebes »Phänomenologie und Metaphysik« [1948], als Interpretation von Gedanken Husserls erwähnt.)

zusammen mit ihm dem uns beide einander entgrenzenden Unbegrenzten auszusetzen. »Das Angesprochensein vom Absoluten«, sagt Grisebach, »ist ein Dogma der Erinnerung« – wie aber, wenn man in der Gegenwart des Anderen und eben durch sie angesprochen wird? Grisebach fügt hinzu: »Ein Einzelner kann seinem Wesen nach wohl eine Unbedingtheit, aber niemals das Unbedingte als Besitz beanspruchen«, und seine unerbittliche Lauterkeit hindert ihn zu erkennen, daß gerade das wirkliche Angesprochenwerden – nicht freilich vom »Absoluten«, das nicht spricht, aber von dem die Welt zu mir sprechenden Gott – es ist, das allen Besitzanspruch auf ein Absolutes ausbrennt.

Eminent gehört Jaspers hierher durch den Abschnitt über Kommunikation in seiner »Existenzerhellung« und den über Lesen der Chiffreschrift in seiner »Metaphysik«. Beide zusammen bilden den exemplarischen Abschluß einer Entwicklungsphase, in der die »freie« Philosophie sich der neuen Entdeckung reduzierend bemächtigt. Reduzierend, sage ich, weil die dieser Entdeckung eigentümliche Verbindung der Transzendenz mit der Konkretion als Willkür behandelt, der Vorstoß zur Grenzenlosigkeit des Du gleichsam annulliert wird. Keinem Wurzelgrund einer Glaubenswirklichkeit mehr verhaftet, vermeint diese Philosophie, wenn sie nur die Grundlage einer Existentialität der philosophierenden Person wahrt, im Neuland unbehindert schalten zu können, und es gelingt ihr auf ihre Weise.

Wir hatten erkannt, daß eben dasselbe Du, das von Mensch zu Mensch geht, eben dasselbe es ist, das vom Göttlichen her zu uns niederfährt und von uns her zu ihm aufsteigt. Um dieses Gemeinsame in der äußersten Ungemeinsamkeit ging es und geht es. Jene biblische Verschwisterung von Gottesliebe und Menschenliebe im Doppelgebot lenkte unseren Blick auf die Transparenz des endlichen Du, aber auch auf die Gnade des unendlichen, zu erscheinen, wo und wie es erscheinen will. Nun soll uns das Du-sagen zur Gottheit als unrechtmäßig verwiesen werden. Gewiß ist der Philosoph unverbrüchlich befugt zu erklären, »philosophische Existenz« ertrage es, »dem verborgenen Gotte nicht zu nahen«. Er ist aber nicht befugt, das seiner Erfahrung also fremde Gebet als »fragwürdig« zu bezeichnen.[1]

Nicht erheblich anders verhält es sich mit der Lehre vom Lesen der Chiffreschrift. »Zeichen«, hatten wir gemerkt,[2] »geschehen uns unablässig, leben heißt angeredet werden«, und »Was mir widerfährt, ist Anrede an mich. Als das, was mir widerfährt, ist das Weltgeschehen Anrede an mich.« Es scheint nun Ähnliches gemeint zu sein, wenn uns die Philosophie darauf hinweist, daß »die Welt keine direkte Offenbarung, sondern nur eine Sprache ist, die, ohne allgemeingültig zu werden, nur der Existenz jeweils geschichtlich vernehmbar und auch dann nicht endgültig zu entziffern« ist, und wenn noch prägnanter von der Transzendenz gesagt wird: »Sie kommt wie aus ihrem fernen Sinn als fremde Macht in diese

[1] In dem Buch »Der philosophische Glaube« von 1948 äußert sich Jaspers über das Gebet zwar merklich positiver, um die beiden Bereiche einander nahezubringen; aber er verwischt den vitalsten Unterschied, wenn er das »spekulative Vergewissern«, »wo es echte Kontemplation wurde«, als die Hochform des Gebets versteht.

[2] »Zwiesprache« (Erstdruck 1929), Abschnitt »Die Zeichen«; im vorliegenden Band S. 153 ff.

Welt und spricht zur Existenz; sie tritt ihr nah, ohne je mehr als eine Chiffre zu zeigen.« Nur daß vorausgeschickt worden ist, es sei, »mythisch gesprochen, die Chiffre des Teufels so sichtbar wie die der Gottheit«. Damit wird deutlich, wie Verschiedenes doch hier und dort gemeint ist. Was ist das für eine wunderliche »Transzendenz«, in der die Chiffreschriften fatal durcheinanderwirren! Den Teufel, mythisch gesprochen, in Ehren, aber so viel Macht, daß er mit seinem Code den Gottes nicht bloß stören, sondern verstören kann, sollte ihm doch wohl nicht zugestanden werden. Wenn der Begriff »Chiffreschrift« einen einheitlichen Sinn haben soll, so muß doch eine chiffrierende Instanz vorausgesetzt werden, die will, daß ich ihre mir für mein Leben zubestimmte Schrift richtig entziffere, und die es also wohl auch, wenngleich schwierig, so doch möglich macht. Freilich erklärt Jaspers hier ausdrücklich, »das echte Bewußtsein von Transzendenz« wehre sich dagegen, Gott »schlechthin als Persönlichkeit zu denken«. Nun wohl, so mancher Gläubige möchte dem zustimmen; wenn nur das Wort »schlechthin« hinreichend betont worden ist. Ihm, diesem Gläubigen, ist Gott nicht schlechthin Person, er ist ihm nur auch Person, aus der Unendlichkeit seiner Attribute dieses eine, unter ihnen nur eben auch seiende, die Personhaftigkeit, im Umgang mit ihm, dem Gläubigen, ihm zukehrend. So aber will Jaspers, trotz jenem »schlechthin«, keinesfalls verstanden werden. »Ich weiche«, fährt er fort, »im Impulse, der die Gottheit mir zum Du macht, alsbald zurück, weil ich fühle, daß ich die Transzendenz antaste.« So darf denn Gott alles sein, nur eben Person nicht, und zwar deshalb nicht, weil per definitionem

Persönlichkeit »die Weise des Selbstseins« sei, »die ihrem Wesen nach nicht allein sein kann«. Als ob solch eine Definition auch noch im Paradox der absoluten Person ihre Geltung behalten müßte, da doch das Absolute, soweit es überhaupt zu denken ist, dem Gedanken nur als complexio oppositorum erscheinen kann! Und wenn sie sogar ihre Geltung behielte: »Die Gottheit«, rügt Jaspers, »bedürfte unser, des Menschen, zur Kommunikation« – aber unter den Glaubenslehren scheint mir jene der Transzendenz nicht unwürdig zu sein, die Gott die Menschen sich zur Kommunikation geschaffen haben läßt. Schließlich jedoch wird festgesetzt, »die Kommunikation zur Gottheit« habe »die Tendenz, die Kommunikation unter Menschen zu hemmen«, denn »Kommunikation von Selbst zu Selbst als die wahrhaft gegenwärtige Wirklichkeit, in der Transzendenz zum Sprechen kommen kann«, werde »gelähmt, wenn die Transzendenz direkt als ein Du zu nahe gebracht und zugleich degradiert wird«. Man merke auf: der Beter, der sich demütig erkühnt, sich personhaft-unmittelbar an das Überseiende als das ihm Gegenwärtige zu wenden, degradiert es eben damit und lähmt in sich eben damit die Fähigkeit, mit seinen Mitmenschen zu kommunizieren. Innerhalb des Denkens scheinbar derselben Idee wird hier der Gegenpol unserer Einsicht kundbar.

Auf diesen philosophischen Abschluß, der kein Ende war, sind zwei Jahrzehnte gefolgt, in denen manche beachtliche Arbeit hervortrat – besonders in der Verwertung der neuen Schau für Geistesgebiete wie Gesellschaftskunde, Pädagogik, Psychologie, Psychotherapie, Arztkunde –, die hier unerörtert bleiben muß. Nur auf eins dieser Werke, ein gewichtiges freilich, darf ich mir nicht versagen einzugehn, weil eine Stelle darin mir eine persönlich-sachliche Klärung nötig erscheinen läßt. Es ist in Karl Barths »Kirchlicher Dogmatik« der zweite Teil der »Lehre von der Schöpfung« (1948).

Für seine Darlegung der »Grundform der Menschlichkeit« nimmt Barth, bei aller Fülle und Eigenkraft seines theologischen Denkens, doch den spezifischen Erwerb einer Geistesbewegung in Anspruch, die im achtzehnten und neunzehnten Jahrhundert von einem unkirchlich gläubigen Idealisten und einem ungläubigen Sensualisten angebahnt worden war und im zwanzigsten, unter dem nicht unbeträchtlichen Anteil einiger gläubigen Juden, einen einigermaßen zulänglichen Ausdruck gefunden hatte. Nicht daß Barth sie, wie es einst mit fast naiver Gebärde Gogarten tat, für den reformatorischen Protestantismus annektierte: er sucht, selber in einer so erschwerenden Sphäre wie die Theologie die von ihm gelehrte »Freiheit des Herzens« übend, dem Geist, der außerhalb des Christentums weht, gerecht zu werden. So übernimmt er einerseits, natürlich in der Weise des echten Selbstdenkens, unsere Erkenntnisse der grundlegenden Scheidung zwischen Es und Du und des wahren Seins des Ich in der Begegnung; anderseits aber kann er nicht recht zugeben, daß solch eine Fassung der Menschlichkeit auf anderem Boden als dem christologischen (Jesus Christus als »der Mensch für den Mitmenschen und also das Bild Gottes«) gewachsen sein könnte. Er stellt zwar fest, daß »die theologische Anthropologie hier auf ihrem eigenen Weg und indem sie diesen entschlossen zu Ende geht, zu Sätzen kommt, die denen ganz ähnlich sind, in denen die Humanität auch schon von ganz anderer Seite (z. B. von dem Heiden Konfuzius, von dem Atheisten L. Feuerbach, von dem Juden M. Buber) beschritten worden ist«, und fragt mit vollkommenem Recht: »Sollten wir uns darum von diesen Aussagen abhalten lassen?«, ja er will sich »in aller Ruhe freuen, daß wir uns in der allgemeinen Richtung unserer Nachforschung und Darstellung mit den Weiseren unter den Weisen dieser Welt in einer gewissen Übereinstimmung befinden«; aber er hegt – ohne freilich »insistieren« zu wollen – ein starkes Bedenken, »ob und inwiefern sie [jene »Weiseren«] uns ihrerseits bis in die letzten und entscheidenden Konsequenzen dieser Konzeption ... folgen werden«. Dieser Äußerung gegenüber habe ich zunächst einen kleinen sprachlichen Vorbehalt anzumelden: wäre es denn nicht denkbar, daß die erwähnten mehr oder minder Weisen zwar jenen Theologen (»uns«) nicht »folgten«, aber nur deshalb, weil sie selber auf ihrer eigenen Suche bereits zu ähnlichen, wenn auch nicht unbedingt den gleichen »Konsequenzen« gelangt waren? Es geht Barth dabei um »jene Freiheit des Herzens zwischen Mensch und Mensch als die Wurzel und Krone des Humanitätsbegriffs« – sie meint er bei den genannten Nichtchristen, eben als solchen, doch wohl vermissen zu müssen. Es geht ihm darum, daß der Mensch Mensch ist, indem er g e r n e menschlich ist: »in dem Sinn gerne, daß ein ›ungern‹ gar nicht zur Wahl steht«. Wo ist dieses »gern« zu finden und wo nicht? »Es sieht nun doch nicht so aus«, sagt Barth, »als ob dies bei Konfuzius, bei Feuerbach, bei Buber sicher der Fall wäre.« Ich möchte mich in diesem Zusammenhang weder für die erhabene, aber mir eher etwas fremde konfuzianische Lehre, noch für die mehr anthropologisch-postulative als ursprünglich-humane Lehre Feuerbachs einsetzen. Aber was mich selber anbelangt, darf ich hier die Klärung nicht unterlassen. Wohl wäre es mißlich, darauf angewiesen zu sein, dem von außen herantretenden Zweifel eigene Gewißheiten entgegenzusetzen. Es verhält sich jedoch so, daß hier ebensowenig von meiner persönlichen Gedankenwelt als solcher wie von der Barths als solcher die Rede zu sein braucht; vielmehr steht hier der protestantischen Glaubenswelt in seinem Verständnis die chassidische in meinem Verständnis gegenüber. Und da, bei den Chassidim – in einer Glaubenswelt, deren Lehre letztlich der Kommentar zu einem gelebten Leben ist – ist das »gern« der Herzensfreiheit zwar nicht Konsequenz, wohl aber die innerste Voraussetzung, Grund des Grundes. Man höre nur, wie da gesprochen wird: »Klugheit ohne Herz ist gar nichts. Fromm ist falsch.« Denn »die wahre Gottesliebe fängt mit der Menschenliebe an«. Aber ich wollte, ich könnte Karl Barth hier, in Jerusalem zeigen, wie die Chassidim die Freiheit des Herzens zum Mitmenschen – tanzen.

*

In diesem Band sind vier Schriften vereinigt: »Ich und Du« (1923), »Zwiesprache« (Erstdruck 1929, Buchausgabe 1932), »Die Frage an den Einzelnen« (1936) und die ergänzende kleine Abhandlung »Elemente des Zwischenmenschlichen« von 1953. Außerhalb dieses Bandes gehören die folgenden

Veröffentlichungen in den Umkreis des Grundthemas: »Rede über das Erzieherische« (1926, jetzt in »Reden über Erziehung«, 1953), die die Grundanschauung auf pädagogische Fragen anwendet, »Das Problem des Menschen« (hebräisch 1942, deutsch in dem Band »Dialogisches Leben«, 1947, Einzelausgabe 1948), die geistesgeschichtliche Einleitung zu einer anthropologischen Begründung; »Urdistanz und Beziehung« (1951), das erste Stück dieser Begründung, und »Gottesfinsternis, Betrachtungen zur Beziehung zwischen Religion und Philosophie« (1953).

Namenverzeichnis

Der vorliegende Sammelband ist zuerst 1954 unter dem Titel *Die Schriften über das dialogische Prinzip* erschienen (307 S.; Inhalt: *Ich und Du / Zwiesprache / Die Frage an den Einzelnen / Elemente des Zwischenmenschlichen / Nachwort*). – 1962 folgte eine Neuausgabe, nun mit dem Titel *Das dialogische Prinzip* (321 S.). Der Inhalt blieb derselbe. Lediglich *Ich und Du* wurde um das Nachwort vom Oktober 1957 erweitert, das erstmals in der Sonderausgabe von *Ich und Du* zu Bubers 80. Geburtstag am 8. Februar 1958 gedruckt worden war. – Die 2., unveränderte Auflage von *Das dialogische Prinzip* kam 1965 heraus. – 1973 erschien die 3., verbesserte und um ein Namenverzeichnis ergänzte Auflage (323 S.). Die folgenden Auflagen sind Abdrucke der 3. Auflage, jeweils in sich durchgesehen und auf den neuesten Stand gebracht.

Von *Ich und Du* liegt inzwischen die 13. Auflage der Einzelausgabe vor (Gerlingen 1997). – Zu Martin Bubers 100. Geburtstag ist von *Zwiesprache, Traktat vom dialogischen Leben* eine revidierte Einzelausgabe erschienen (3. Auflage, Heidelberg 1978), mit dem Anhang »Zur Editionsgeschichte« von Lothar Stiehm. – Als Erstdruck aus dem Nachlaß ist 1978 eine Vorstufe von *Ich und Du* veröffentlicht worden: Bubers Vorlesung *Religion als Gegenwart*, gehalten im Freien Jüdischen Lehrhaus in Frankfurt a.M., Januar–März 1922 (in: Rivka Horwitz: *Buber's Way to I and Thou. An Historical Analysis and the First Publication of Martin Buber's Lectures »Religion als Gegenwart«*, Heidelberg 1978, S. 41–152; als Appendix D, S. 259ff.: *Unpublished Manuscripts of »Ich und Du«*, mit Faksimiles).

L.S.

Die Schrift
Die hebräische Bibel
Das Alte Testament
Bücher der Kündung
Die Schriftwerke